Charles Frazier
Ins Dunkel hinein

Roman

Aus dem Amerikanischen
von Anette Grube

Paul Zsolnay Verlag

Für Annie

Die Originalausgabe erschien erstmals 2011 unter
dem Titel *Nightwoods* im Verlag Random House, New York.

1 2 3 4 5   18 17 16 15 14

ISBN 978-3-552-05691-6
Copyright © 2011 by 3 Crows Corporation
Alle Rechte der deutschsprachigen Ausgabe
© Paul Zsolnay Verlag Wien 2014
Satz: Eva Kaltenbrunner-Dorfinger, Wien
Druck und Bindung: CPI – Ebner & Spiegel, Ulm
Printed in Germany

MIX
Papier aus verantwortungs-
vollen Quellen
FSC® C006701

Man kann nicht einmal einen Fluss durchqueren,
ohne einen Tribut entrichten zu müssen.

Archilochos (7. Jahrhundert v. Chr.)

I

I

LUCE' NEUE FREMDE Kinder waren klein, hübsch und gewalttätig. Sie merkte rasch, dass es nicht klug war, sie unbeaufsichtigt im Hof bei den Hühnern zu lassen. Später fand sie Federn, einen schuppigen Fuß mit eingezogenen Krallen. Keins der Kinder sprach, doch das Mädchen sah sie mit mörderischer Miene an, als sie es wagte, sie zu fragen, wo der Rest des Gockels geblieben war.

Die Kinder liebten Feuer mehr als alle anderen Elemente der Schöpfung. Über einen Haufen brennbares Material freuten sie sich über jedes vernünftige Maß hinaus. Luce versteckte die Zündhölzer, abgesehen von ein paar wenigen, die sie in der Tasche ihrer Jeans aufbewahrte, um den Ofen in der Küche anzuzünden. Innerhalb von zwei Tagen lernten die Kinder, mit Reisig und einem grünen Stöckchen, das sie mit einem Schnürsenkel bogen, Feuer zu machen. Winzige Höhlenmenschen auf Amphetamin hätten es nicht schneller geschafft. Dann steckten sie eine Ecke der Lodge in Brand, und Luce musste mit Blecheimern voll schwappendem Wasser aus dem Brunnen hin und her rennen, um es zu löschen.

Sie versohlte beide mit einem dünnen Weidenzweig, bis ihre Beine rosa gestreift waren, doch offenbar begruben sie jeglichen Schmerz, der ihnen zugefügt wurde, tief in ihrem Innersten und weigerten sich zu weinen. Da schwor sich Luce, dass sie sie nie wieder schlagen würde. Sie ging in die Küche und begann schuldbewusst, einen Pfirsichkuchen zu backen.

Luce fühlte sich nicht unbedingt zur Mutter berufen. Der Staat halste ihr die Kinder auf. Hätte sie sie nicht genommen, wären die Kinder getrennt und wie Welpen vergeben worden. Als Erwachsene hätten sie sich nicht mehr aneinander erinnert.

Aber jetzt, da es vermutlich nicht mehr rückgängig zu machen war, schien es, als wäre es womöglich keine schlechte Idee gewesen. Sie zu trennen und dem Absonderlichen die Spitze zu nehmen, das ihnen gemein war und zu dem sie sich gegenseitig anstachelten. Als hätte es noch eines weiteren Beweises bedurft, dass die Welt ein besserer Ort wäre, wenn nicht jeder hergelaufene Idiot das tiefe Bedürfnis verspürte, sich fortzupflanzen. Doch anscheinend hatte Gott in seiner unendlichen Weisheit geglaubt, dass es unterhaltsam wäre, wenn wir uns ständig aufeinander stürzten.

Außerdem waren die Kinder jetzt hier, was sollte Luce denn sonst machen? Man tat sein Bestes, die Welt trotz offensichtlicher Mängel in Entwurf und Ausführung zu lieben. Und sich aller bedürftigen Wesen anzunehmen, die sich einem während seines Aufenthaltes hier auf Erden präsentierten. Sonst war man nichts wert.

Das Gleiche galt für die Lodge. Sie gehörte Luce nicht. Sie war so etwas wie die Hausmeisterin. Manche würden sie jetzt, da der alte Mann tot war, Hausbesetzerin nennen. Aber niemand anders schien daran interessiert, das Haus davor zu bewahren, von Kudzu überwuchert und zu einem grünen Hügel zu werden.

Früher, zu Beginn des letzten Jahrhunderts, war die Lodge ein kühler sommerlicher Rückzugsort für die reichen Leute gewesen, die dem schwülen Augustwetter des Tieflands entfliehen wollten. Irgendein Eisenbahnmillionär, der in seinem eigenen Triebwagen durch dieses Tal im Hochland fuhr, hatte die Vision oder vielmehr den wunderlichen Einfall, einen Damm aufzuschütten, den Fluss zu stauen und das obere Ende des Tals bis zum Rand des Dorfes mit Wasser zu füllen. Und auf der anderen Seite ein Holzhaus nach eigenem Entwurf in Anlehnung an das Old Faithful Inn im Yellowstone Park zu bauen, allerdings kleiner, dafür jedoch exklusiver. Er musste ein besserer Eisenbahndirektor als Architekt gewesen sein, denn was er baute, war ein klobiges, viel zu großes Viereck, ein riesiges Blockhaus mit überdachter Veranda und Blick auf eine Rasenfläche bis zum See und über das Wasser bis zu der kleinen Stadt. Offenbar waren reiche Leute in der Vergangenheit mit schlichteren Dingen zufrieden gewesen.

Jetzt waren die Millionäre und die Eisenbahn verschwunden. Doch der See war noch da, eine unheimliche horizontale Fläche von veränderlicher Farbe in einer ansonsten verschachtelten vertikalen Landschaft blauer und grüner Berge. Auch die Lodge hatte standgehalten, ein seltsames verfallendes Haus, wenn man allein darin lebte. Im Erdgeschoss befanden sich die Gemeinschaftsräume, eine gewaltige Halle mit einem großen Kamin aus Stein, schönen Sesseln und gepolsterten Sitzbänken mit mörderischen Rückenlehnen im Craftsman-Stil, mit Tischen und Schränken aus Quartierschnitteichenholz. Ein langes Speisezimmer mit Dreifachschiebefenstern auf den See und hinter Schwingtüren eine große Küche mit einem kleinen Tisch, um den sich einst die Dienstboten geschart und die Reste gegessen hatten. Im ersten Stock schmale Flure und Schlafzimmer mit Sprossenfenstern hinter nummerierten Kassettentüren. Der zweite Stock unter dem Dach war ein dunkler, stickiger Kaninchenbau mit fensterlosen Dienstbotenquartieren.

Als sie allein hier gelebt hatte, war Luce nicht oft in die oberen Stockwerke gegangen, aber nicht weil sie Angst hatte. Nicht wirklich. Dort oben waren vor allem Bettstellen und Spinnweben, und sie wollte nicht an Geister oder derartiges glauben. Nicht einmal, dass schlechte Träume Omen waren. Dennoch regte die flüchtige Geisterwelt ihre Phantasie heftig an, wenn sie morgens um drei wach lag, allein in dem großen Haus. Die dunklen schlafenden Stockwerke mit den muffigen früheren Pferchen und Gitterbetten für die Gäste und ihr Personal waren ihr unheimlich. Das Haus erzählte vom Vergehen der Zeit. Davon, dass man hier ist, und dann ist man weg und hinterlässt nichts außer ein paar Gegenständen, die einen für eine kurze Weile überleben.

Ein typisches Beispiel dafür war der alte Stubblefield, dem die Lodge während der letzten Jahrzehnte gehört hatte. Luce hatte ihn während der Zeit, als er im Sterben lag, ein paarmal besucht, und sie war dabei gewesen, als das Licht in seinen Augen erlosch. In seinen letzten Stunden war Stubblefield vor allem damit beschäftigt, seine Besitztümer zu katalogisieren und aufzulisten, wer was bekommen sollte. Seine Sorge galt überwiegend dem Grundbesitz, der in seiner Gesamtheit an seinen nichtsnutzigen einzigen Enkel fallen sollte. Außerdem ein paar wertvolle Dinge wie das silberne Service und das Spitzentischtuch seiner verstorbenen Frau, das bis auf einen kleinen, kaum sichtbaren Rostfleck in einer Ecke noch tadellos war. Die silbernen Kerzenständer waren eine große Belastung für Stubblefield, weil seine Frau sie so geliebt hatte. Seltsamerweise hinterließ er sie Luce, der sie überhaupt nicht gefielen und wahrscheinlich nie gefallen würden.

Es war leicht, über die falschen Werte anderer die Nase zu rümpfen und sich lustig zu machen. Dennoch hoffte Luce, dass sie, wenn ihr Leben zu Ende ging, aus dem Fenster nach dem Wetter sehen oder die Form des Mondes oder einem einzelnen Vogel nachschauen würde, der vorbeiflog. Und nicht an einen Haufen abgenutzter Teelöffel denken müsste. Aber Luce war ein halbes Jahrhundert jünger als der alte Stubblefield und wusste nicht, was sie wertschätzen würde, sollte sie selbst so alt werden. Die wichtigste Lektion, die Luce immer wieder in ihrem Leben gelernt hatte, war, dass man auf niemanden zählen konnte. Deswegen glaubte sie, dass man hart an sich arbeiten konnte, um zu dem Menschen zu werden, der man sein wollte, und dennoch feststellen musste, dass man im Lauf der Jahre zu jemandem geworden war, den man selbst nicht wiedererkannte. Und dass man letztlich trotz aller Anstrengung von sich enttäuscht wäre. Und in diese Tiefe zog es Luce' Gedanken, wann immer sie hinauf in die triste Vergangenheit ging.

Lange bevor die Kinder kamen, hatte Luce herausgefunden, dass es am besten war, wenn sie sich nach Einbruch der Dunkelheit in der großen Halle mit dem Kamin und den mehltaugefleckten Möbeln, den großen vollen Bücherregalen und dem riesigen Radiostandgerät mit einem Sendersuchring, so groß wie das Lenkrad eines Packards, aufhielt. Sie zog eine Liege aus der mit Fliegengitter geschützten Veranda herein und stellte sie so auf, dass sie mit dem Kamin und dem Radio ein gemütliches Schlafzimmer in Form eines Dreiecks bildete. In den Bücherregalen standen eine Menge zerlesener alter Romane und eine Ausgabe der Encyclopedia Britannica, von der nur zwei Bände in der Mitte des Alphabets fehlten. Daneben in einem Stickley-Stehpult mit zwei Bücherfächern eine ungekürzte Webster-Ausgabe von 1913. Die Stellen, an denen man den weichen Einband automatisch mit den Händen anfasste, waren dunkel verfärbt, und man war geneigt zu glauben, dass jahrzehntelang Gäste, kaum hatten sie ein fettiges Frühstück mit Wurstbrötchen beendet, sofort ein Wort hatten nachschlagen müssen.

Abends, bei ausgeschaltetem Licht, versank der Raum in Dunkelheit, nur das Feuer und die Röhren des Radios warfen einen freundlich glühenden Schein auf die Holzwände in der Nähe. Luce schlief jeden Abend ein, während sie WLAC aus Nashville hörte. Little Willie John, Howlin' Wolf, Maurice Williams, James Brown. Magische Sänger, die ins Dunkel hinein von Hoffnung und Verzweiflung kündeten. Gebete, die in Nashville in den Äther geschickt und vom Radio hier oben neben dem Bergsee aufgefangen wurden, um ihr Gesellschaft zu leisten.

An klaren Abenden leisteten ihr auch die Lichter der Stadt Gesellschaft. Gelbe Stecknadelköpfe und Streifen, die sich auf dem schimmernden schwarzen Wasser des Sees widerspiegelten. Ein Vorteil der Lodge bestand darin, dass ausschließlich in Luftlinie Menschen in der Nähe waren. Mit dem Auto brauchte man fast eine Stunde, um den See zu umrunden und über den Damm und dann das Ufer entlang bis in die kleine Stadt zu fahren.

Als Luce in die Lodge gezogen war, war die Stadt nur zwanzig Minuten weit weg gewesen, weil sie in einem Nebengebäude ein Ruderboot gefunden hatte. Aber das Boot war morsch, und bei den ersten Fahrten über den See verbrachte sie ebenso viel Zeit damit, mit einer Pfanne Wasser zu schöpfen, wie mit Rudern. Und sie war keine gute Schwimmerin, zumindest nicht gut genug, um es von der Mitte bis zu einem der beiden Ufer zu schaffen. Sie zog das Boot an Land und ließ es ein paar Tage lang trocknen, und dann schüttete sie eines Abends bei Einbruch der Dunkelheit einen Becher Kerosin darauf und verbrannte es. Die Flammen loderten brusthoch, ihr Widerschein reichte auf dem stillen Wasser bis zur Stadt.

War sie zu viele Tage allein gewesen, ging sie die halbe Meile zu Stubblefields Haus und die weitere halbe Meile zu Maddies Haus und noch eine Meile weiter zu dem kleinen Laden, in dem man alles kaufen konnte, solange es sich um Fleischwurst und Weißbrot, Milch, Halbhartkäse und Schmalzfleisch und jede nur erdenkliche Sorte Limonade, Schokoriegel und verpackten Fertigkuchen handelte. Vier Meilen hin und zurück, nur um eine halbe Stunde auf einem Stuhl vor dem Laden zu sitzen und Kirschlimonade zu trinken und MoonPie zu essen und andere Menschen zu beobachten. Sie hatte aber auch immer ein Buch dabei für den Fall, dass sie ein paar Seiten lesen musste, um eine unerwünschte Unterhaltung zu vermeiden.

Am letzten 4. Juli hatte Luce auf der Veranda der Lodge gesessen, kostbaren braunen Whiskey aus dem Keller getrunken und die winzigen Feuerwerksexplosionen auf der anderen Seite des Sees betrachtet. Explosionen, die bestimmt am ganzen Himmel direkt über dem Ort zu sehen gewesen waren, wurden zu Funkenbläschen, die ungefähr so groß waren wie eine auf Armeslänge weggehaltene Pusteblume. Erst als sie verglühten, erreichte das ferne Knallen und Zischen endlich die Lodge. Im Herbst leuchtete am Freitagabend das Flutlicht des Footballfelds silbern am östlichen Himmel. Ein leises Geräusch wie ein Ausatmen war zu hören, wenn die Heimmannschaft einen Punkt machte. Jeden Sonntagmorgen klirrten die Glocken der Baptisten- und der Methodistenkirche wie Eiswürfel in einem Glas, und Luce ging immer ein Spruch ihrer Mutter durch den

Kopf: Selig sind, die da hungert und dürstet nach der Gerechtigkeit. Lola brachte ihn als Trinkspruch auf den Sonntag aus, eine große Bloody Mary und eine eben angezündete Kool in ein und derselben Hand, nur Minuten nachdem die Glocken sie geweckt hatten.

Die Kinder kamen an einem Tag im Hochsommer, als der Himmel gesättigt von Feuchtigkeit war und die Oberfläche des Sees platt und eisenblau. Am anderen Ufer schichteten sich die Berge olivgrün schattiert über der Stadt auf, bis sie im Dunst mit dem blassgrauen Himmel verschmolzen. Luce sah zu, wie das Mädchen und der Junge vom Rücksitz des kreideweißen Fords stiegen und sich nebeneinander stellten, auf Konfrontationskurs mit der Welt. Sie starrten nicht wirklich, aber sie hatten eine Art, einen anzuschauen und doch nicht anzuschauen. Raubtierhaft, die Augen dominant in den Gesichtern, suchten sie ihre Umgebung ab nach was immer sich als Nächstes bieten mochte, aber sie wollten keinen Schrecken verbreiten. Noch nicht. Füchse, die sich in einen Hühnerstall schleichen, das war Luce' Eindruck.

Sie trugen die neuen Kleider, die der Staat für sie besorgt hatte. Das Mädchen ein blau gemustertes Baumwollkleid, weiße Söckchen und weiße Turnschuhe. Ein weißes Baumwollhemd, eine steife neue Jeans, schwarze Socken und schwarze Turnschuhe der Junge. Das Haar beider Kinder war von der Farbe von Erdnussschalen, es stand ihnen unordentlich vom Kopf ab, als hätte dieselbe Person es rasch geschnitten, ohne große Rücksicht auf das Geschlecht zu nehmen.

Luce sagte: »Hallo, ihr zwei Zwillinge.«

Die Kinder sagten nichts, sahen weder sie noch sich an.

»He«, sagte Luce ein wenig lauter. »Ich rede mit euch.«
Nichts.

Luce schaute ihnen ins Gesicht, doch es war ihnen nichts anzumerken. Ihre Mienen besagten lediglich, dass man sich keinesfalls mit ihnen anlegen sollte, aber es war nicht ausgeschlossen, dass sie sich mit ihr anlegen wollten. Sie ging zum Kofferraum des Wagens, aus dem der Beamte zwei Kartons auslud. Er stellte sie auf den Boden und tippte mit der Schuhspitze auf den kleineren.

»Ihre Kleidung«, sagte er. »Und in dem da sind die persönlichen Dinge Ihrer Schwester.«

Luce wandte nur kurz den Blick von den Kindern ab. Sie sagte: »Was ist los mit ihnen?«

»Nichts Besonderes«, sagte der Mann. Er drückte mit dem Daumen auf das Rädchen eines Feuerzeugs, zündete sich eine Zigarette an und wirkte müde von der langen Fahrt. Zehn Stunden.

»Irgendetwas stimmt nicht mit ihnen«, sagte Luce.

»Sie haben eine schwere Zeit hinter sich.«

»Eine was?«

Luce stand da und wartete, während der Mann ein-, zweimal an der Zigarette zog, und dann unterbrach sie seine Rauchpause und sagte: »Der Staat zahlt Ihnen ein Gehalt dafür, dass Sie diese Arbeit machen, aber Sie können sich nicht einmal klar ausdrücken. Schwere Zeit.«

Der Mann sagte: »Ein Arzt meinte, dass sie nicht ganz richtig im Kopf sind. Ein anderer sagte, es liegt daran, dass sie gesehen haben, was sie gesehen haben, und dass sie aus ihrem Alltagsleben gerissen und in das Methodistenheim gesteckt wurden, bis die Dinge geklärt waren. Die Rechtsangelegenheiten ihres Vaters.«

»Er ist nicht ihr Vater. Sie sind Waisen.«

»Es hat gedauert, bis das alles klar war. Wir haben uns an eine bestimmte Ausdrucksweise gewöhnt.«

»Und Johnson?«, fragte Luce.

»Der Prozess steht bevor, und sie werden ihn verurteilen. Ihn auf den großen Holzstuhl setzen, festschnallen und die Tablette in den Eimer werfen. Sie fängt an zu sprudeln, und bald darauf erstickt er. Die nächsten Familienangehörigen kriegen eine Einladung.«

»Zum Zusehen?«

»Es gibt ein Bullauge aus dickem Glas, angelaufen wie ein Aquarium mit schmutzigem Wasser. Wenn viele Leute da sind, wird abgewechselt. Es ist ungefähr so groß wie ein Teller. Immer einer nach dem anderen.«

»Rechnen Sie mit mir«, sagte Luce.

Sie sah den Kindern zu, die schweigend auf dem Hof vor der Lodge umhergingen. Langsam, aber irgendeinem zielgerichteten Plan folgend, als würden sie wie zwei Wünschelrutengänger das Gelände nach der besten Stelle für einen Brunnen absuchen.

»Und die schwere Zeit«, sagte Luce. »Das ist alles, was mit ihnen nicht stimmt?«

»Soweit wir wissen.«

Der Mann schaute zu der verfallenen Lodge und dem See und der Stadt auf der anderen Seite, die im Dunst nahezu verschwand und nur noch als weit entfernte, niedrige geometrische Unterbrechung der monotonen grünen Wälder zu erkennen war. Zwei spitze Türme, die wie gen Himmel zielende Pfeilspitzen über den winzigen roten Ziegelbauten der Geschäfte aufragten, und weiße Häuser, die sich von der Main Street den Abhang hinaufzogen. In jeder anderen Richtung nichts als Berge, Wälder, See.

Der Mann beschrieb mit der Zigarette zwei Kreise um

all die einsame Schönheit und den Verfall. Er sagte: »Wenn man das von hier aus sieht, würde man nicht glauben, dass es so lange dauert, um aus der Stadt bis hierher zu kommen.«

»Der See ist lang.«

»Ja, und es gibt viele Kurven, und die Straßen sind nicht asphaltiert.«

»Ja«, sagte Luce.

Der Mann sagte: »Und wenn man von hier aus weiterfährt, dann was? Nichts?«

»Die Straße geht noch ein paar Meilen weiter, aber das ist das letzte bewohnte Haus.«

Der Mann blickte zu dem verwitterten Holzschild, das an zwei rostigen Ketten über den Stufen zur Veranda hing. WAYAH LODGE.

Er fragte: »Indianisch?«

»Cherokee. Es bedeutet Wolf.«

»Ich weiß nichts über Ihre finanzielle Situation«, sagte der Mann.

Luce schaute ihm in die Augen und verzog keine Miene.

»Sie nehmen keine Touristen mehr auf?«

Luce sagte: »Das hat irgendwann während der Weltwirtschaftskrise oder im Zweiten Weltkrieg aufgehört. Ich bin die Hausmeisterin.«

»Gut bezahlt?«

»Ich kann hier wohnen, Gemüse anbauen und den Obstgarten abernten. Und ich bekomme einen Sold.«

»Einen Sold?«

»So sagt man doch, wenn die Bezahlung so gering ist, dass es jedem peinlich ist, sie anders zu nennen. Aber jetzt ist der alte Mann gestorben. Der Besitzer. Deswegen ist der Sold jetzt ausgesetzt.«

»Kinder können teuer werden«, sagte der Mann. »Essen und Kleidung und so weiter.«

»Die beiden bringen also kein Geld mit?«, fragte Luce.

»Vielleicht können die Großeltern aushelfen?«

»Nein, können sie nicht.«

»Dann weiß ich auch nicht. Wenn Sie jemand hätten, der Ihnen mit den Kindern hilft, könnten Sie in die Stadt ziehen und einen besseren Job suchen.«

»Ja, wenn das Wörtchen *wenn* nicht wäre.«

»Tja«, sagte der Mann.

»Wahrscheinlich wird es schon irgendwie gehen. Machen Sie und die Regierung sich keine allzu großen Sorgen mehr um uns, nachdem Sie in den Wagen gestiegen und in die Hauptstadt zurückgefahren sind.«

»Haben Sie Strom und fließend Wasser?«

»Sind das Voraussetzungen?«, fragte Luce.

Der Mann zuckte die Achseln.

Luce deutete mit dem Daumen auf das schräg stehende Kreuz des Strommastes an der Straße und die schwarzen durchhängenden Leitungen, die zu dem weißen Porzellanisolator im Giebel über der Veranda führten.

»Auch wir leben schon seit einer Weile nicht mehr im neunzehnten Jahrhundert«, sagte sie.

Der Mann zog ein letztes Mal an seiner Zigarette und schnippte die Kippe weg, als handelte es sich nicht um Abfall, nur weil sie ein paar Augenblicke lang so intimen Kontakt mit seinem Atem gehabt hatte. Die qualmende Kippe prallte von einem Kiefernstamm ab und fiel in braune Nadeln.

Luce ging hin und hob sie am fleischfarbenen Filter auf, ließ sie auf die rote Erde der Einfahrt fallen und trat sie mit dem Schuh aus. Sie wischte sich Daumen und Zeigefinger dreimal an ihrer Jeans ab, was wahrscheinlich ein- oder zweimal zu viel war.

Der Mann sagte: »Sie würden es wahrscheinlich nicht glauben, wie schlecht ich für diese verdammte Arbeit bezahlt werde.«

»Wahrscheinlich würde ich es glauben«, sagte Luce.

Weil sie noch nicht entschieden hatte, wie sie mit den Kindern in der Lodge leben wollte, zog Luce am Abend eine weitere Liege von der Veranda vor den Kamin und stellte sie ihrer eigenen gegenüber auf. Das Radio lief leise, die vom langen Tag erschöpften Kinder schliefen fest, doch Luce dämmerte am Rand des Schlafs dahin, während drei DJs auf Sendung waren.

Immer wieder dachte sie an die langen friedlichen Tage vor der Ankunft der Kinder, und sie vermutete, dass es naiv wäre anzunehmen, daran würde sich nichts ändern. Tage, die sie hatte verbringen können, wie sie wollte, an denen sie frei und unbeschwert die Straße entlanggegangen war. Doch neben den vielen positiven Aspekten hatte ein Leben ohne fahrbaren Untersatz zugegebenermaßen auch ein paar Nachteile. Beim Trampen setzte man größere Hoffnung auf andere Leute, als im Allgemeinen gerechtfertigt war. Man marschierte und marschierte, und es veränderte sich nicht viel. Man musste darauf achten, Langeweile zu vermeiden. Aber für die Mühen wurde man entschädigt. Mit Besuchen bei älteren Menschen, die schwer verdiente Eigenheiten zu bieten hatten.

Vor allem Maddie, die in ihrer eigenen, seit 1898 oder, wollte man großzügig sein, vielleicht auch erst seit 1917 unveränderten Welt lebte. Ihr Alter war nicht zu bestimmen. Man fing mit alt an und stockte immer weiter auf. Ihr Haus war ein Stück weit von der Straße zurückgesetzt, und im Spätsommer war ihr Vorgarten von Blumen überwuchert. Ein Durcheinander aus Sonnenhut, Gladiolen, Stundenblumen und Entenschnabel-Felberich. Im Herbst trockneten scharfe rote Chilischoten und braune Dörrbohnen an Schnüren, die zwischen den Verandapfosten hingen. Maddie hielt sich vor allem in ihrer Küche mit dem holzbefeuerten Herd, dem Esstisch und dem Kamin auf, die Steine verrußt von fünfzigtausend Feuern, die überwiegend von längst verstorbenen Frauen entfacht worden waren. Als Zugeständnisse an dieses Jahrhundert hatte sie ein paar Glühbirnen an geflochtenen Kabeln aufgehängt.

Maddie trug das ganze Jahr über Baumwollkleider mit Blumenmuster, in den kalten Monaten zog sie eine Strickjacke voller Knötchen darüber. Als junge Frau mochte sie groß und gertenschlank gewesen sein, doch die Zeit hatte sie geschrumpft, sie Jahr um Jahr breiter und kleiner und gebeugter gemacht, bis von der jungen Frau nur noch die flinken blauen Augen übrig waren, die jetzt fast so grau wie Stahl waren. An manchen Tagen war sie schlechtgelaunt. Dann wollte sie nur Wörter benutzen, mit denen sie aufgewachsen war. *Fürderhin* und *zuvörderst*. *Darob*. An einem wirklich schlechten Tag musste man sich die Hälfte dessen, was sie sagte, über den Kontext zusammenreimen. Anfangs betrachtete Luce Maddies Lebenswelt als überwiegend imaginär, als kreise ihr Leben noch ums Schweineschlachten, um Öllampen, Wasserholen, Plumpsklos und all die anderen althergebrachten Dinge. Bis Luce merkte, dass ihr Leben auch jetzt noch davon geprägt war.

Wenn Luce bei ihr vorbeischaute, füllte Maddie ihr mit einem verbeulten Schöpflöffel ein Glas mit kaltem Quellwasser und sang ihr ein Lied vor. Maddie kannte viele alte

Balladen über in Not geratene Mädchen, umgebracht von denselben Männern, die sie zuvor drangsaliert hatten. Sie jammerte und klagte in einer extrem gefühlvollen Tonlage, die Jüngere nicht hinbekamen, und eine Strophe reihte sich an die andere bis zu einem weit entfernten Ausklang. Es waren Lieder, finster wie die Nacht. Geschwängerten Mädchen wurde der Schädel eingeschlagen, sie wurden erstochen oder erschossen und dann in der kalten Erde verscharrt oder in den tiefen schwarzen Fluss geworfen. Pretty Polly. Little Omie Wise. Go down, go down, you Knoxville Girl. Manchmal ging es in der Geschichte gar nicht um Reproduktion. Der Mann brachte das Mädchen um die Ecke, weil er sie nicht haben konnte, eine todbringende Beleidigung, wenn die Ansichten des Mädchens nicht seinen Wünschen entsprachen. In den Balladen waren Liebe, Mord und der Wunsch nach Besitz so untrennbar miteinander verbunden wie ein zu kleiner Ehering an einem geschwollenen Finger.

Früher hatte Luce Maddies Lieder nur als interessante Antiquitäten betrachtet, doch ihre Schwester hatte ihren bleibenden Wahrheitsgehalt bewiesen, als sie auf Johnny Johnson traf. Ihre Gefühle waren zu Beginn so überhitzt, dass es traurig mit anzusehen gewesen sein musste, aber es war spannend, in Lilys gelegentlich eintreffenden Briefen davon zu lesen, in denen die Glocken der neuen Liebe schrillten wie die eines Feuerwehrautos. Lilys seelische Bedürftigkeit drückte sich so ungestüm aus wie eine Kerosinexplosion in der materiellen Welt. *Liebe, Liebe, Liebe.* So beschrieb sie die wenigen Monate des Begehrens. Jeder Brief schwungvoll unterzeichnet mit: *In Liebe, Lily.*

Jetzt lag Luce wach in der Dunkelheit und wusste, dass Maddies Mordballaden von genau dieser Situation erzählten und daran erinnerten, dass die Flammen leidenschaftlicher Paarungen die Frauen am heißesten verbrannten, gleichgültig, wie romantisch, laut und tief betrübt die Männer im Nachhinein ihr Leid herausschrien. Luce stellte sich den Mörder von Omie Wise durch ein Bullauge aus schmutzigem grünem Wasser vor. Eine Schlinge um den Hals und eine Falltür unter den Füßen, die sich in ein schwarzes Loch öffnete. Oh, was für eine Sehnsucht und Reue er da empfand. Aber zu spät. Und auf ewig zu spät auch für Lily, um noch zu lernen, dass wilde Leidenschaft nur ein Chaos schlechter Nachrichten für alle prophezeit.

Luce versuchte zu schlafen, doch Hunderttausende Laubheuschrecken oder andere zirpende Insekten erfüllten die Sommernacht mit einem Starkstromsummen. Sie stand auf, schaltete eine schwache Lampe ein, ging zu einem Eichenschrank, der größer war als sie, und holte eine Zigarrenkiste heraus. Die Kinder schliefen weiter, und Luce setzte sich in den goldenen Lichtkegel, die Kiste auf dem Schoß, und blätterte in Lilys Briefen aus den letzten Jahren. Grüne, lavendel- oder pinkfarbene Tinte in großer, fröhlicher Schreibschrift auf dazupassendem pastellfarbenem Briefpapier.

Luce öffnete aufs Geratewohl Umschläge und las, bis sie zu einer Stelle kam, an der es nicht länger möglich war, Lilys fatale Hoffnung und ihr Vertrauen in andere Menschen nicht zu kritisieren. Jeder Mann, den Lily kennenlernte, war einfach wunderbar, und die leuchtende Zukunft erstreckte sich bis in die Unendlichkeit. Auf jeder Seite fanden sich Hinweise, die gegen sie sprachen. Luce las keinen Brief zu Ende, bevor sie ihn wieder so präzise zusammenfaltete wie Lily vor ihr.

Luce beschloss, sie erst wieder zu lesen, wenn sie mehr damit anfangen konnte. An irgendeinem fernen Tag, wenn sie ein besserer Mensch wäre und etwas anderes empfinden würde als brennenden Zorn, dass ihre schöne sanftmütige Schwester sich nicht besser vor einer Welt voller Gefahren geschützt hatte.

2

BUD WAR EIN gutaussehender Mann, zumindest im nicht mehr zeitgemäßen Stil der verflossenen fünfziger Jahre in den Südstaaten, den er noch immer liebte. Hohe Wangenknochen, Koteletten, hochgeschlagener Kragen und Stirnlocke, mit zwei Fingern und Royal-Crown-Pomade zu einem perfekten Komma geformt. Niemand hieß wirklich Bud. Irgendwann in seiner Jugend hatte eine verblendete Seele ihn als Freund betrachtet und ihm den Namen Buddy Buster verpasst.

Bereits als Teenager wurde er dabei erwischt, wie er in einem Supermarkt eine Jackentasche voller gelber Sun-Singles klaute. In der Highschool versteckte Bud vom ersten Tag an eine kleinkalibrige Pistole in seinem Schrank, vor allem um Mädchen zu beeindrucken und sich Zugang zur Gesellschaft von Schlägern und Raufbolden zu verschaffen. Er hatte an beiden Fronten Erfolg. Mit vierzehn, zu einer Zeit, als es kühn war, mit einem oder zwei Bier zu einer Party zu gehen, tauchte Bud einmal mit drei Kästen Schlitz in einem gestohlenen Auto auf. Er tat seine Anwesenheit kund, indem er sich mit quietschenden Reifen im Hof vor dem Haus halb um die eigene Achse drehte, aus dem Wagen sprang und den Kofferraum öffnete, in dem auf zerstoßenem Eis zweiundsiebzig Dosendeckel die Verandalichter reflektierten, als wären es die Kronjuwelen eines kleineren Landes. Was Bud zum Helden der ganzen Clique machte, ausgenommen den Jungen, dessen Eltern über das Wochenende verreist waren.

Und so ging es weiter während seiner gesamten Jugend.

Bud wurde mehrmals auf Bewährung verurteilt und saß dann fast zwei Jahre wegen Einbruchdiebstahls, erschwerend kam hinzu, dass er bei seiner Festnahme die Pistole dabeihatte. Das Jugendgefängnis war kaum besser eingezäunt als eine Geflügelfarm, doch Bud beschloss, seine Zeit abzusitzen, was ihm allerdings nicht wirklich guttat. Er hätte genauso gut abhauen können. Der ängstliche psychologische Berater empfahl lediglich, Bud müsse lernen, Belohnungsaufschub zu ertragen, und sich ein Hobby zulegen. Zum Beispiel sich das Gequassel aus Übersee in einem Kurzwellenradio anzuhören. Bud sagte: Wie wäre es damit, die Ratten bei der Müllkippe mit einer Schrotflinte zu erschießen? Aber das schien nicht gut anzukommen, nicht nur weil aus irgendeinem obskuren Grund Schrotflinten nicht erlaubt waren. Es schien vielmehr ein mentales Problem zu sein, das der Berater auf seinen Notizblock schrieb und gegen ihn ins Feld führte, wenn er mit der falschen Antwort daherkam. Zum Beispiel wenn der Berater ihn nach seinen Gewohnheiten bei der Benutzung einer öffentlichen Toilette fragte, trittst du etwa mit dem Fuß auf den Knopf der Spülung und öffnest die Tür mit dem Ellbogen? Wenn ja, wehe dir. Du bist verrückt. Von jetzt an werden dir die Türen zu jedweder Chance vor der Nase zugeschlagen.

Nach seiner Entlassung schlug sich Bud ein paar Jahre lang durch. Gelegenheitsjobs und Diebstahl. Während er als Tankwart arbeitete, verkaufte er nebenher diverse Sorten Drogen. Und dann fand er Arbeit bei der Eisenbahn in der Hauptstadt. Eine Zeitlang bekam er tatsächlich jeden Freitag einen Lohnscheck. Den Leuten erzählte er, er arbeite als Wachmann, aber der Wachmann war sein Freund Billy. Bud war nach einer Woche degradiert worden. Es war kein Verlass auf ihn, wenn es darum ging, Landstreichern in den Arsch zu treten, aber nicht weil er nicht willens gewesen wäre. Es war eine Frage der Besonnenheit. Am ersten Arbeitstag hatte er es mit einem großen kräftigen Penner zu tun, der sich von Buds Schlagstock und Abzeichen nicht beeindrucken ließ. Bud geriet sofort in Panik und rannte davon, weil er genau wusste, dass er unterlegen war und verprügelt würde. Und was ihn kurz darauf seine Position kostete, war, dass er bei einem alten gebrechlichen Mann, der seit dem Börsencrash im Jahr 1929 auf den Schienen lebte, zu weit ging. Er schlug ihn mit seinem Stock nieder und trat ihn dann mit seinen Eisenbahnerstiefeln, bis er bewusstlos war. Danach machte er überwiegend Hausmeisterarbeiten. Er schob einen Besen vor sich her, spritzte Betonflächen ab, leerte kleine Mülleimer in Mülltonnen aus. Seine größte Verantwortung bestand darin, mit einer Dose Tin-Man-Öl die Eisenteile zu schmieren, die aneinander rieben, wenn Güterwagen zusammengekoppelt wurden.

Während dieser seltsamen Zeit, als er ganz normal angestellt war, lernte er eine hübsche junge Witwe mit schlechter Menschenkenntnis und zwei kleinen Kindern kennen. Niemand, der Bud kannte, hielt ihn für besonders gewalttätig. Diebstahl in jeder Form und Verstöße gegen das Rauschmittelgesetz waren seine Spezialitäten. Und so war es eine Überraschung, als Bud Lily heiratete und sie bald darauf umbrachte.

Als Kind hatte Bud in eine Kirche gehen müssen, in der der Prediger die meiste Zeit über die Wunden und das Blut Christi sprach. Die Botschaft war klar. Blut und das Vergießen von heiligem Blut waren wichtiger als alles andere. Der Rest von Christi Leben – seine Taten, seine prägnanten Sprüche, seine Liebe – war nebensächlich verglichen mit dem dunklen Blutopfer, das den ganzen Erdball überzog. An manchen Sonntagen war die Predigt so inbrünstig und anschaulich, dass der kleine Bud die Schlachthausbilder bis zum nächsten Morgen nicht wieder loswurde. Und das hieß düstere Stunden voller Albträume, unterbrochen von langen verschwitzten Phasen angstvollen Wachens, bis am Montag der Morgen dämmerte.

In der neuen fröhlichen Kirche, in die Lily den erwachsenen Bud mitnahm, wurde die ganze Zeit von Jesus geredet, aber nie von seinem Blut. Das wäre diesem zahmen Haufen von Gläubigen peinlich gewesen. In der Kirche gab es ein Bogenfenster aus buntem Glas, auf dem Jesus auf einer grünen Wiese in einem leuchtend gelben Lichtstrahl vor blauem Himmel stand. Jesus blickte traurig drein und sah gut aus, die Arme ausgebreitet, die Handflächen erhoben, langes gelbes Haar fiel ihm auf die Schultern, und sein langes weißes Gewand reichte ihm bis zu den weißen Füßen. Kleine Kinder, Lämmer und anderes junges Getier scharten sich um ihn.

Bud empfand dieses Bild als unbefriedigend, eine Karikatur, echt widerlich. Für Lily ließ Bud, was immer von seiner wahren Religion noch übrig war, als blutendes Herz auf die Außenseite seines linken Bizeps tätowieren. Es war ziemlich schmerzhaft und nicht rückgängig zu machen. Zudem eine große künstlerische Enttäuschung, da er es sich anatomisch präzise vorgestellt hatte, während es aussah wie ein Herz auf einer Valentinskarte.

Dennoch passte die Tätowierung gut zu dem Anhänger, den er um den Hals trug, einen großen, schwarzen fossilierten Haifischzahn. Lily hatte ihn während ihrer Flitterwochen bei Ebbe in Surfside gefunden und ihn mit Silberdraht fassen lassen. Und jetzt hing er an einem Lederband auf sein Brustbein. Der Zahn war Millionen Jahre alt, aber man konnte sich noch immer an den gezackten Rändern in den Finger schneiden, was Bud tat, während seine Tätowierung noch blutete. Das besiegelte seine Vorstellung, wie gut sie beide zusammenpassten. Jesu Blut und ein großer schwarzäugiger Hai färbten fremde Wasser rot. Beide brachten die gleiche Realität zum Ausdruck. Die Bedeutung der Halskette ließ sich in einer einzigen nützlichen Idee zusammenfassen – basierend auf der möglicherweise wahren Tatsache, dass Haie sterben, wenn sie aufhören, vorwärts zu schwimmen –, nützlich für jeden einzelnen Fehltritt im Leben. Weitermachen. Und die Bedeutung der Tätowierung war ebenso prägnant und unanfechtbar. Jeder muss sterben.

Jetzt hatte auch Bud eine beträchtliche Menge Blut vergossen. Er war nicht immer stolz darauf, und obwohl er nicht wirklich gestanden hatte, schien es keinerlei Zweifel an seiner Schuld zu geben. Während er im Gefängnis auf seinen Prozess wartete, bemerkte er, dass alle ihn behandelten, als wäre er ein Todeskandidat. Und so verbrachte er vor dem Gerichtstermin viel Zeit mit dem vergeblichen Versuch, sich geistig darauf einzustellen, wie er sich mit einem süffisanten Grinsen im Gesicht auf den großen Stuhl setzen und das Gas tief einatmen würde.

Bud und Lily kamen überhaupt nicht mehr miteinander aus, kaum war die heiße Balz vorbei. Bud wurde sehr schnell klar, dass es nicht immer lustig war, ein Ehemann zu sein. Lily war nicht mehr seine Traumfrau, beim besten Willen nicht. Ihre Kinder konnten damals als normal durchgehen, aber sie irritierten ihn unablässig. Wie konnte eine romantische Liebe Bestand haben, wenn die Gören dauernd etwas benötigten, was der Liebe zuwiderlief, wie Hintern oder Nase putzen?

Gar nicht, lautete die kurze Antwort.

Hinzu kam, dass Lily das Haus gehörte dank ihres ersten Mannes, eines triebhaften Lebensmittelladenmanagers, der sie geschwängert hatte und dann gestorben war, bevor die Zwillinge geboren wurden. Es stieß Bud sauer auf, im Haus eines anderen Mannes leben zu müssen, auch wenn der Mann tot war. Ärgerlich auch, dass Lily eigenes Geld hatte. Teils von ihrem Mann geerbt, teils durch ihre Arbeit. Sie war Friseuse. Der Staat hatte ihr eine Lizenz zum Schneiden und Färben von Haaren ausgestellt, und eine ältere Frau aus der Nachbarschaft passte auf Lilys Kinder auf, während sie in einem Schönheitssalon arbeitete.

Buds stärkstes Argument basierte auf der Tatsache, dass er der Mann war, weswegen Lily ihm das Haus überschreiben und ihren Job kündigen sollte. Doch daraus wurde nichts, vor allem da Buds wöchentlicher Scheck von der Eisenbahn bei weitem nicht alle Rechnungen deckte. Ein Drittel der Ausgaben zu übernehmen schien Bud angemessen, für mehr reichte es nicht. Dennoch ärgerte es ihn, wenn Lily morgens in die weite Welt hinausging, hübsch anzusehen in ihrem engen weißen Arbeitskittel und den weißen Schuhen mit den Kreppsohlen, als wäre sie in einem medizinischen Beruf tätig. Bevor sie das Haus verließ, trug sie meist Lippenstift auf und presste dann ein rechteckiges Kleenex zwischen die Lippen, warf es in die Toilette und ging. Dort schwamm es, ein perfekter Abdruck ihres Mundes, in den Bud hineinpinkelte.

Und noch ärgerlicher waren ihre Andeutungen in Gesprächen mit anderen, dass sie wesentlich mehr nach Hause brachte als er. Doch die beiden Summen näherten sich einander an, wenn man die Trinkgelder abzog, die laut Bud eigentlich Almosen waren. Er wies Lily an, sich nicht länger von reichen Omas mit blaugetönten Haaren beim Hinausgehen einen Geldschein zustecken zu lassen. Es sei demütigend für sie und für ihn noch schlimmer. Als wäre er mit einer Hure verheiratet.

Lily sagte: »Nein, ich werde weiterhin Trinkgeld annehmen. Ich verdiene es. So funktioniert der Job. Du musst ja nicht essen, was ich mit dem Geld kaufe.«

Diese Art herzloser Bemerkung und die allgemeine Misere ihrer Ehe zündeten ein Feuer unter Buds Hintern an, sodass er bald Ehrgeiz entwickelte und zu Geld kam. Eines Nachmittags rauchten Bud und sein Eisenbahnerfreund Billy einen Joint, hörten Radio und lästerten über ihre Jobs, obwohl sie eigentlich hätten arbeiten sollen. Und aus heiterem Himmel schlug Billy einen einfachen Einbruch vor. Bei einem wohlhabenden Typ, für den er vor einer Weile ein bisschen gearbeitet hatte. In seinem Haus war bestimmt genug verpfändbares Zeug – Uhren, Schmuck, Silber –, um die Lebenshaltungskosten für ein paar Monate zu decken und sie mit reichlich Taschengeld zu versorgen, während sie über ihre Zukunft nachdachten.

Bud hatte dem Verbrechen eigentlich halbwegs abgeschworen. Das Jugendgefängnis war schlimm genug gewesen, und er wollte definitiv nicht mit den großen Jungs einsitzen. Aber es wäre nur dieses eine Mal, und sie wären vorsichtig.

Nur dass Billys Typ etwas mit zwielichtigen Immobiliengeschäften oder anderen ambitionierten halblegalen Unternehmungen zu tun hatte, für die Bargeld erforderlich war. Versteckt in einer Kommodenschublade befand sich neben dem Schmuck seiner Frau und einer modischen Armbanduhr eine Schuhschachtel der Größe 45, gefüllt mit Geld. Und ein paar Tage nach dem Bruch trieb Billys Typ in einem großen See zehn Meilen nördlich der Stadt, und das war rätselhaft und irgendwie betrüblich, wenn auch kein wirklicher Grund zur Sorge.

In der Schuhschachtel befanden sich akkurat aufeinandergelegte und mit Banderolen zusammengehaltene Geldscheinbündel, die fast bis zum Deckel reichten. Die obersten Schichten bestanden überwiegend aus abgegriffenen Ein-, Fünf- und Zehn-Dollar-Scheinen. Als sie die Schachtel fanden und öffneten, hielten sie das Geld lediglich für eine Dreingabe. Aber später, als sie sich zum Boden der Schachtel vorarbeiteten, stellten sie fest, dass die unteren Schichten aus mit roten Bändern umgebenen Bündeln druckfrischer Hunderter bestanden.

Billy fuhr, und Bud zählte ein Bündel. Dieses kleine eineinhalb Zentimeter dicke Ding hatte einen Wert von zehntausend Dollar. Wer hätte das gedacht?

Als Erstes ließen sie zwei Tage lang die Sau raus, und als Bud schließlich nach Hause kam, war er immer noch sturzbetrunken und todmüde. Lily nutzte die Situation natürlich aus und fiel über ihn her. Wo war er gewesen? Offensichtlich hatte er getrunken. Dann listete sie jede Art und Weise auf, auf die er nutzlos war.

Einem dummen Impuls folgend – aber es war sein stärkstes verfügbares Argument –, steckte er die Hände in die Jackentaschen, zog die vielen Bündel Hunderter heraus und warf sie auf das Bett. Wenn man ehrlich und doof war, arbeitete man zwei Leben lang für so viel Geld und ließ es sich von einem Idioten von Boss stundenweise in Wechselgeldbeträgen in die Hand drücken.

Lily nahm ein paar Bündel in die Hand und fragte dann,

woher das viele Geld stammte, denn natürlich wusste sie, dass er nie so viel verdienen würde, auch wenn er so alt wie Methusalem würde.

Bud streckte sich genüsslich zwischen seinen Geldbündeln auf dem Bett aus, die Hände unter dem Kopf, einen zufriedenen Ausdruck im Gesicht, und schwieg. Kurz darauf döste er leider ein oder wurde ohnmächtig. Als er spät am nächsten Tag erwachte, war das Geld verschwunden, und das Zimmer drehte sich, sobald er den Kopf bewegte. Als er aufstand, kippte die Welt zur Seite. Er prallte gegen Wände und torkelte zur Toilette.

Nach zwei weiteren schlimmen Tagen, während er wieder klar im Kopf wurde und sein Appetit zurückkehrte, begann er Fragen zum Verbleib des Geldes zu stellen. Vorsichtig, weil er es sich jetzt nicht einfach schnappen und festhalten konnte. Er selbst war es gewesen, der es auf die Chenilledecke geworfen und versucht hatte, den großen Macker zu spielen. Und dann zu allem Überfluss ohnmächtig geworden war und sich zwei weitere Tage pausenlos erbrochen hatte, sodass Lily sich etwas überlegen und das Geld verstecken konnte.

Lily sagte nicht, wo das Geld war. Nur, dass es sich an einem sicheren Ort befand. Sie hatte beschlossen, sich keine großen Gedanken zu machen, woher er es hatte. Sie hatte es nicht gestohlen. Für sie war es gefundenes Geld. Sie wollte es horten. Sie sagte, es gebe ihnen Sicherheit. Es würde helfen, jeden Monat die Rechnungen zu bezahlen. Kleider und Schuhe für die Kinder zu kaufen. Versicherungen. Vielleicht alle paar Jahre einen ordentlichen gebrauchten Wagen. Lauter langweilige Dinge. Es war bezeichnend für den Niedergang ihrer Ehe. Lily wusste nicht mehr, was Spaß war. Sie hatten genug Geld, um ihr Leben jetzt ganz groß zu verändern, und ihr fiel nichts anderes ein, als es zu verstecken und es häppchenweise wieder herauszurücken.

Während der nächsten Tage wurde Bud immer aufgebrachter. Wo war sein gottverdammtes Geld? Wenn sie außer Haus war, suchte er fieberhaft an jedem blöden Ort, den sie vielleicht für ein gutes Versteck hielt. Vergeblich. Dann stritten sie. So nannten sie es, wenn Bud sie verprügelte.

Nach dem ersten Mal konnte Lily drei Tage nicht zur Arbeit gehen, bis das Make-up die blauen Flecken verbarg. Und sie stritten weiter, manchmal halbherzig und aus purer Gewohnheit, und manchmal floss Blut. An einem schlimmen Abend gab Lily ein Stück nach. Am nächsten Morgen waren sie beim Notar und ließen neben ihrem Buds Namen in die Besitzurkunde für das Haus eintragen, und der Notar tat überzeugend so, als würde er nicht bemerken, wie ihr Mund aussah und ihr linkes Ohr und wie sie ihren rechten Arm hielt. Die Urkunde war Bud nicht so wichtig. Mit seinem Geld würde er zwei Blocks mit Bungalows wie der von Lily kaufen können. Es ging ums Prinzip.

Danach stritten sie nicht mehr so häufig, aber sie hörten auch nicht auf damit, denn Lily wollte partout nicht sagen, wo das Geld war. Es war eine teilweise Waffenruhe. Nur dass an manchen Tagen, wenn Lily dumm genug war, Bud mit den Kindern allein zu lassen, Seltsames passierte und er Schwierigkeiten hatte, blaue und rote Flecken zu erklären.

Obwohl sie ihn so provozierte, hätte Bud Lily nie erstochen, wenn sie eines Tages nicht unerwartet nach Hause gekommen wäre. Es war ein besonders unpassender Moment, als sie hereinplatzte, ohne zu klopfen. Und plötzlich schrie sie: »Ich werde dich verdammt nochmal umbringen, und wenn es das Letzte ist, was ich tue.«

Und das waren ihre letzten Worte zu diesem und jedem

anderen Thema, denn sie starb bei dem Streit, der folgte. Blut, das auf dem weißen Linoleum in der Küche nahezu schwarz aussah, und Bud, der den schwarzen Griff eines Fleischermessers packte, die Schneide der gebogenen Klinge hauchdünn geschliffen. In der Ferne heulte leise eine Sirene, weil ein Nachbar, der des häufigen Krachs überdrüssig war, die Polizei gerufen hatte. Die zwei Kinder standen in der Tür zum Esszimmer und schauten mit ausdruckslosen Augen zu.

3

MUTTER. WAS FÜR ein verschwommenes Konzept. Luce hatte nie eine sein wollen und ihre eigene ungefähr seit der dritten Klasse nicht mehr gesehen. Sie dachte nur selten an Lola, aber wenn, dann trug sie immer ein hübsches Sommerkleid. Rosa Punkte oder schimmernd limonengrün. Ein weiter Rock und sonnenverbrannte, schwellende, sommersprossige Brüste in einem engen Oberteil. Manchmal roch Lola nach Lippenstift, und manchmal roch sie nach Scotch, und dann wieder roch sie nach dem feuchten Moos, das neben Bachläufen wuchs. Ihr Haar wechselte mehrmals im Jahr die Farbe wie die Blätter von Laubbäumen.

An einem schlechten Tag konnte Lola aus dem nichtigsten Grund zuschlagen, dass es wie Feuer brannte. Zum Beispiel wenn Luce und ihre kleine Schwester auf dem Rücksitz des Autos stritten. Lola kümmerte sich nicht um Feinheiten, was Gerechtigkeit betraf. Sie langte blindlings nach hinten und klebte dem erstbesten Kind eine, wo immer sie es erwischte. Hinterließ rote Fingerabdrücke auf nackten Beinen und Armen und Gesichtern. Währenddessen lenkte und rauchte sie mit der anderen Hand und lamentierte lauthals, was für armselige kleine Schlampen sie in die Welt gesetzt hatte. Und fünf Meilen weiter, kaum hattest du aufgehört zu heulen, fuhr Lola an den Straßenrand und umarmte dich, bis du keine Luft mehr bekamst. Lola ignorierte dich tagelang, und dann stand sie vor dir und brauchte deine Aufmerksamkeit. Luce war sich immer noch nicht im Klaren, was schlimmer gewesen war.

Wenn Luce nachsichtig gestimmt war, dachte sie, dass

Lolas Tragödie vielleicht darin bestanden hatte, dass sie am falschen Ort gelebt oder viel zu jung den falschen Mann geheiratet hatte. Oder vielleicht war ihr sprunghaftes Wesen einfach wie ihre Schönheit ein Umstand, mit dem die Leute um sie herum irgendwie klarkommen mussten, während Lola unbekümmert einem blauen Horizont entgegensegelte. Aber musste das notwendigerweise einen lauten Streit mit Lily einschließen, der allein auf Luce' Konto ging, für den sie jedoch beide gleichermaßen geschlagen wurden? Lola, die selbst kaum älter als ein Teenager war, sagte: Ich geb euch was, weswegen ihr weinen könnt.

Die einzige Weisheit, die Lola ihren kleinen Töchtern mit auf den Weg gab, war: *Nicht weinen, niemals*. Wenn irgendwann in der Zukunft jemand zu Luce käme und sie fragte, was auf Lolas Grabstein stehen sollte, dann wären es diese drei Wörter.

Im nächsten Herbst wären es drei Jahre, seit Luce in der Lodge wohnte, und die ganze Zeit hatte sie kaum etwas vermisst, was die moderne Welt zu bieten hatte. Sie bedrängte dich wie jemand, der vor dir steht, schreit und auf und ab hüpft, um deine Gedanken in die falsche Richtung zu lenken. Kehrst du ihr den Rücken, verblasst sie, ähnlich wie wenn du ganz normale Gespenster ignorierst. Sie werden zu einer Art Luftzug, nichts, was einem zu nahe kommt. Rauch, der in einem kalten Ofenrohr aufzusteigen beginnt.

Was nützt dir die Welt? Das war die Frage, die sich Luce seit drei Jahren stellte, und die Antwort, die sie gefunden hatte, war simpel. Ein bedauerlich großer Teil der Welt nützt dir überhaupt nichts. Im Gegenteil, sie schadet dir. Sie erfüllt deine Ohren mit Rauschen, sodass du nicht mehr hören kannst, wer du wirklich bist. Deswegen traf sie eine strenge

Auslese an alltäglicher Realität und beschränkte sich auf die Landschaft, das Wetter, die Tiere und spätabends das Radio.

Luce war sich ihrer Überzeugungen ziemlich sicher, aber sie war keine Missionarin. Ihre Vorstellungen den Kindern aufzudrängen hatte keinen Reiz. In der Anfangszeit versuchte sie allerdings, mit ihnen zu reden. Sie tat ihre Arbeit als Betreuerin und stellte sachdienliche Fragen nach dem, was sie am liebsten hatten oder taten. Sie bekam keine Antwort, und ihr wurde klar, dass sie nicht sprechen konnten oder wollten, aber im Gegensatz zu der stummen Frau in der Stadt, die jede nur erdenkliche gestische und mimische Anstrengung unternahm, um die Kluft zu überbrücken, sahen die Kinder sie kaum an. Wenn Luce versuchte, sie zum Sprechen zu bringen, indem sie auf etwas Naheliegendes deutete und es benannte – Wasser, Tür, Huhn, Buche, Mond –, blickten sie auf ihren Finger. Oder ungeduldig in die Ferne, als wäre sie die Verrückte. Manchmal hatte sie das Gefühl, sie wüssten mehr, als sie sich anmerken ließen, und dann wieder bezweifelte sie, dass sie je vernünftig mit ihnen würde reden können.

Luce' erster Impuls war, dankbar zu sein und selbst den Mund zu halten. Die Lodge weiterhin wie ein Kloster zu führen, in dem alle ein Schweigegelübde abgelegt hatten. Sie war Stille gewohnt. Doch dieser Entschluss hielt nur ein paar Tage, dann war der zweite Hahn tot, und Luce dachte, wenn sie schon keine Missionarin war, sollte sie doch wenigstens versuchen, eine Lehrerin zu sein.

Vielleicht hatten diese Stadtkinder nie zuvor lebende Hühner gesehen. Hatten keine Ahnung von der direkten Beziehung zwischen dem lebenden Geflügel und einer gebratenen Hähnchenkeule oder zwei Bissen hartgekochter

Eier, gefüllt mit viel Mayonnaise, Essiggurken und Paprika, die sie ekstatisch in sich hineinschaufelten, als hätten sie nie zuvor so etwas gegessen, was vielleicht auch der Fall war. Luce war aufgefallen, dass die Kinder gern aßen und nicht sehr wählerisch waren. Sie mochten duftenden Weißkohl, der so grau wie nasses Zeitungspapier gekocht war. Dicke Scheiben gebratener Fleischwurst, abgeschnitten von einer langen roten Wurst in dem kleinen Laden an der Straße. Kohlrabi mit so viel Essig, dass einem Tränen in die Augen stiegen. Gedünstete Tomaten mit Okraschoten, von denen Schleim tropfte, wenn man sie aus dem Topf löffelte. Oder wenn Luce überhaupt keine Lust zum Kochen hatte, Tomatenscheiben auf Weißbrot mit einer dicken Schicht Mayonnaise. Was immer sie den Kindern vorsetzte, sie senkten den Kopf und aßen mit der Miene eines hungrigen Jagdhunds.

Und so nahm Luce die Kinder an einem dunstigen Morgen Ende Juli mit in den Hühnerstall, wo sie Eier suchen sollten, die erste Lektion der Woche, die der Nahrungsbeschaffung gewidmet war. Luce empfand ein vollkommenes, frisches, mit Hühnerkacke beschmiertes Ei als Wunder, und das wollte sie mit ihnen teilen. Noch bevor sie durch die Tür gingen, dozierte sie über die Ökonomie der Hühner, sprach mit den Kindern, als wären sie vernunftbegabt, und hoffte, dass etwas zu ihnen durchdringen würde.

Erstens, sie aßen wirklich gern Brathuhn und Hühnereintopf, nicht wahr? Zweitens, Luce konnte es sich nicht leisten, Huhn im Lebensmittelladen zu kaufen, und im Moment liefen nur ein paar Hühner im Hof herum, die groß genug zum Essen waren. Luce zählte sie. Sieben. Also, wenn man zum Spaß Hühner umbrachte, dann war das nicht nur gemein und würde sich in der Zukunft wahrscheinlich rä-

40

chen, sondern es gäbe für sie alle drei eine Weile weder gebratenes noch geschmortes noch gekochtes Huhn.

Luce ließ bei ihrer Erklärung vielleicht ein paar Sachen
aus, aber die Botschaft war schlicht. Behandle die Hühner
gut, und du wirst die meiste Zeit Eier und hin und wieder
ein Huhn zum Braten haben. Behandle sie schlecht, und du
wirst weder Hühner noch Eier haben.

Die Kinder gingen in dem dämmrigen braunen Licht des
Hühnerstalls zu den schmutzigen Sitzstangen und schauten in die Nester. Das Mädchen fand das erste Ei. Sie hielt
es in der Hand und betrachtete es. Dann schlug sie mit der
Faust darauf und schmierte ihrem Bruder die Soße ins Gesicht. Er schlug ihr daraufhin sofort mit aller Kraft in den
Bauch, und sie begannen beide aus voller Kehle zu schreien
und prügelten brutal aufeinander ein. Sie rollten zwischen
der schwarzweißen Hühnerkacke und den kleinen weißen
Stoppelfedern über den festgestampften Boden. Luce sah
ihnen zu und dachte an kämpfende Schlangen. Eiskalt, als
wären sie nicht einmal sonderlich wütend aufeinander, sondern handelten unter einem gemeinsamen Zwang, der so
unverständlich war wie Sex oder Wahnsinn. Schließlich
schritt Luce ein, packte sie hinten am Hemd, als hätten sie
Griffe, und zerrte sie auseinander.

Viele Leute hätten ihr geraten, sie mit der Rute zu be-
arbeiten, bis sie verstanden, was Gehorsam bedeutete. Entweder das oder sie für ein paar Stunden in einem dunklen
Schrank einzusperren, bis sie blinzelnd ins Sonnenlicht her-
ausfielen und taten, was ihnen gesagt wurde. Vielleicht hätten es die Kinder verdient, aber wären diese Maßnahmen
auf Luce angewandt worden, hätte sie nur noch widerspens-
tiger und sturer reagiert. Die eine zornige Abreibung war
schlimm genug gewesen, und sie hatte sich geschworen, es

nie wieder zu tun, um ihrer aller willen. Damit keiner von ihnen den ganzen Tag oder womöglich für immer mit einem schlechten Gefühl leben musste.

Für die nächste Lektion ging Luce mit den Kindern in den Gemüsegarten, der gegen das Rotwild mit einem schiefen, verwitterten Lattenzaun geschützt war. Der Morgennebel hatte sich noch nicht ganz verzogen, und die Blätter der Tomatenpflanzen waren noch mit Tautropfen besetzt. Die Sonne war eine ferne blasse Scheibe, das Licht fahl und grau. Die Kinder standen mit verschränkten Armen bibbernd da. Die Gesichter blass, die Augen verquollen, das Haar stachlig, als wären sie gerade aus dem Bett gefallen. Luce gab jedem eine Kirschtomate mit einem Basilikumblatt, und das schien ihnen zu schmecken. Sie machten es ihr nach, und Luce erzählte Geschichten über Gemüse, die meisten davon hatte sie von Maddie gehört. Sie erklärte, dass sie es beim Pflanzen wie die Cherokee machte. Ein Maiskorn und zwei Bohnen auf ein Häufchen. Die Bohnen rankten sich am Maisstängel hinauf, und eine magische Liebe zwischen Mais und Bohnen verhinderte, dass sie die Erde auslaugten, sodass man ein und dasselbe Stück Boden eine lange Zeit nutzen konnte. Und Kürbisse und Melonen gediehen hervorragend zwischen Mais und Bohnen.

Sie erzählte den Kindern, dass man sich Geschichte so vorstellen konnte, dass es Tausende Jahre dauerte, Generationen um Generationen, bis die Menschen durch Versuch und Irrtum diese Dinge mühsam herausgefunden hatten. Oder aber eine alte Frau hatte in irgendeinem Sommer einfach Glück und teilte ihre Fülle mit anderen. So oder so musste man jedoch aufpassen beim Hacken und Entfernen von Wurzeltrieben und ähnlichen langweiligen Arbeiten, sonst war im August alles von Pflanzen überwuchert, das

Gemüse reichte bis zu den Schultern, und auf den Wegen stand das Unkraut kniehoch. Kupferköpfe wanden sich über Stängel und Ranken, und man musste eine Schrotflinte mitnehmen, um das Abendessen zu ernten.

So viel mehr Gemüse, als wir selbst essen können, erklärte Luce. Doch das Gemüse wuchs, ob es erwünscht war oder nicht Kürbisse und Cantaloupe-Melonen platzten an Ort und Stelle auf. Das traurige Innenleben einer verfaulenden Tomate verfolgte einen bis in die Träume. Wenn man die Kunst des Einmachens nicht erlernte, dann musste man sich darauf einrichten, mit der Schuld der Verschwendung zu leben. Und das erinnerte Luce an einen lange vergangenen Tag, als sie und Lily allein zu Hause waren und irgendwie den Wasserhahn in der Küche kaputtmachten. Ein dicker Wasserstrahl rauschte in das Spülbecken. Sie konnten ihn nicht abstellen, so lange sie auch am Hahn drehten. Kindheitspanik. Lily reichte Luce ein Glas und sagte: Steh nicht rum, fang an zu trinken.

Woraufhin Luce die Kinder fragte: Und was fällt euch zu Lily ein? Ich weiß noch viele Geschichten. Ich erinnere mich an viel.

Die Kinder schlenderten tiefer in den Garten und schienen kein Wort von Luce' Gequassel mitzubekommen. Aber zumindest versuchten sie nicht, den Mais in Brand zu stecken. Das Mädchen zog die Backen ein und die Brauen zusammen und hielt sich kurz zwei rote Kirschtomaten vor die Augen, und der Junge schien sich nicht entscheiden zu können, ob es furchteinflößend oder lustig aussah. Er hob eine heruntergefallene Fleischtomate auf und warf sie gegen ihre Schulter, und sie revanchierte sich, eher spielerisch als gewalttätig, sodass sogar Luce ein paar Tomaten warf.

Am Tag, als sie in den Obstgarten auf der Anhöhe gingen,

erklärte Luce, dass Bäume sich rationaler verhielten als Gemüse. Sie wuchsen langsam und bedächtig. Diese standen seit Jahrzehnten hier, und die Äste waren struppig und von graubraunem Moos und Flechten überzogen, und doch hingen im Sommer so viele flaumige Pfirsiche und im Herbst bunt gefleckte Äpfel daran, wie sie essen konnte, ob frisch oder zu braunen ledrigen Ringen getrocknet oder eingeweckt. Auch ohne dass sie zurückgeschnitten und gedüngt wurden, würden die alten Bäume wahrscheinlich noch mindestens ein kurzes Menschenleben überdauern, sich mit grimmiger Hartnäckigkeit gegen eine ungewisse Zukunft stemmen.

Die Kinder gingen zielstrebig die Reihen der alten Bäume entlang, das Mädchen voraus, der Junge direkt hinter ihr. Am Ende des Obstgartens marschierten sie einfach weiter in den Wald, bis Luce sie überholte, mit den Armen fuchtelte und sie zur Lodge zurückscheuchte.

An einem nieseligen Tag gegen Ende der Woche ging Luce mit ihnen in den Wald und machte diesmal Wasser zu ihrem Thema. Es lässt die Pflanzen hier so wild wuchern, sagte sie. Die Kinder verließen immer wieder den gewundenen Pfad und verschwanden im tropfenden Gebüsch und im hohen Unkraut, bis sie patschnass waren, und Luce scheuchte sie jedes Mal auf den Weg zurück und erklärte, dass es in den meisten Jahren zwischen zweihundert und zweihundertdreißig Zentimetern regnete. Zweihundertfünfzig ist nichts Außergewöhnliches für einen Regenwald in der gemäßigten Klimazone. Zwischen Frühjahr und Anfang Herbst ist alles prallvoll mit Wasser. Stellt euch einen Urwald vor und geht noch einen Schritt weiter zu einer dunkelgrünen Welt, die so nass ist, dass man sie auswringen könnte wie einen Spüllappen, wenn man sie an beiden Enden zu fassen kriegte. Riesige Hemlocktannen und Ahorn- und Tulpenbäume. Rhododendron. Moos und Farne. Das Unterholz so dicht, dass man nur ein paar Meter in den Wald sehen kann, bis der Frost die Knochen des Waldes freilegt. Ein dampfendes Gewächshaus voller Pflanzen und Getier. Dreht irgendeinen Stein oder ein totes Stück Holz um, und Myriaden Lebewesen kriechen in allen Richtungen in die Dunkelheit, nach der sie sich sehnen. Setzt euch in einen gelben Streifen Sonnenlicht, und die Luft um euch füllt sich mit Myriaden Wesen, die im Licht tanzen. Das Leben liebt die Nässe und belohnt sie. Archaische Lebensformen, die unvereinbar sind mit der modernen Welt, bestehen hier fort. Schlammteufel, tief vergraben in einem Bachbett. Pumas hoch oben in den Bergen. Sogar tote, vom Brand befallene Kastanien erstehen aus dem schwarzen Waldboden wieder auf und weigern sich, sich ihrer Ausmerzung zu fügen. Die Verkörperung der Hoffnung. Alles, so erklärte Luce, wegen der Feuchtigkeit. An manchen Sommertagen war die Atmosphäre so gesättigt davon, dass man nicht einmal ein Streichholz entfachen konnte. Kurz ging ihr durch den Kopf, dass man die Begeisterung für Feuer dann durchgehen lassen konnte. Eine harmlose Eigentümlichkeit, der Charakterzug einer Familie.

Aber tatsächlich konnte man es nicht durchgehen lassen. Und so gestand sie am nächsten Tag zu Beginn ihrer Lektion vor den Kindern ein, dass auch sie durchaus fasziniert war vom Feuer, von seiner Schönheit, seinem Geheimnis und der Gewalt einer lodernden Flamme. Aber für das Feuer galt das Gleiche wie für die Hühner. Es passierte so leicht, dass die Dinge außer Kontrolle gerieten und man die Folgen ertragen musste. Sollte die Lodge niederbrennen, müssten sie alle im Wald auf dem Boden schlafen.

Luce trug einen galvanisierten Eimer mit dünnen Kienholzspänen vom Kamin auf die Veranda und schüttete sie auf dem Boden aus. Sie und die Kinder saßen im Schneidersitz darum herum. Luce erfand auf die Schnelle ein Spiel, ein umgekehrtes Mikado. Das Ziel bestand darin, ein möglichst kompliziertes Muster aus Spänen zu legen – Kegel, Vierecke, Dreiecke, alberne fünfzackige Sterne oder was immer einem in den Sinn kam –, als würden sie ein Feuer bauen, aber ohne Streichhölzer, Flint, Stahl oder Bögen. Regel eins: Wenn man seine Späne verbrannte, hatte man verloren. Und wenn die komplizierte Form gleich während des vorsichtigen Auslegens zusammenbrach, hatte man verloren. Wenn das perfekte geometrische Gebilde zusammenhielt und man als Erster damit fertig war, hatte man gewonnen. Im Fall eines Unentschiedens gewann, wer die meisten Späne ausgelegt hatte. Ganz einfach.

Der Preis war entweder ein Sandwich mit gebratener Fleischwurst oder eine Schale mit Vanillewaffeln. Der Gewinner durfte wählen. Und konnte den Preis mit den anderen teilen. Und dann fiel ihr noch eine Regel ein. Sollte jemand beschließen, ein Abe-Lincoln-Blockhaus oder einen Heuwagen oder einen Schweinekoben oder einen 57er Studebaker statt eines Feuers zu bauen, bekam er Extrapunkte.

Die Kinder blickten auf die Späne, rührten sie jedoch nicht an. Sie setzten sich auf die Schaukelstühle, schaukelten die nächsten zwei Stunden und schauten mit glasigen Augen in die Ferne.

Früher passte so viel Zeit und Raum in einen Tag. Wann immer Luce Lust dazu hatte, ging sie die Straße entlang und schaute bei Stubblefield vorbei. Er war so einsam, nachdem seine Frau gestorben war, dass er jedes Mal, wenn Luce vorbeikam, eine Flasche Scotch auf den Küchentisch stellte und ein Huhn schlachtete. Sie blieb stundenlang bei ihm, hörte sich die Geschichten aus seiner abenteuerlichen Jugend an und aß die knusprigen salzigen Keulen und Brüste, die er in Maismehl wendete und in Schmalz briet. Einen ganzen Nachmittag so zu verbringen behagte Luce, weil auch sie einsam war, wenn auch auf andere Weise.

Jetzt aber war Stubblefield tot und die Kinder waren bei ihr, und plötzlich durfte sie nicht einen Augenblick in ihrer Wachsamkeit nachlassen. Die Kinder standen mit der Sonne auf, also stand auch sie auf. Kümmerte sie sich einen Moment um ihr eigenes Leben, zündeten sie womöglich das Haus an oder rannten in den Wald und verliefen sich oder ertranken im See. Wachsam war sie bislang vor allem der Natur gegenüber gewesen. Vögeln, Blättern, dem Wetter. Gelegentlich einem Reh oder Bären oder heulenden Puma. Fernen Lichtern am Himmel, die sich anders als erwartet bewegten. Und das Schöne daran: Die Natur würde weitermachen, ob sie nun wachsam war oder nicht. Ihre Existenz war reiner Zufall. Die Natur erforderte nichts außer einer schlichten minimalen Gegenleistung für das Leben. Du bist geboren, du musst sterben.

Ebenso wenig kümmerte es die Kinder, ob sie aufpasste, was sie trieben. Das Problem war nur, dass sie innerhalb kürzester Zeit tot sein konnten, wenn sie in ihrer Aufmerksamkeit nachließ. Kleine, bleiche, nasse Leichen am Ufer des Sees oder von Flüssen tief im Wald. Erdnussfarbenes nasses Haar auf blauen Stirnen.

Was für ein Schlamassel, wenn die Kinder einen Weg finden würden zu sterben. Was müsste sie dann tun? Wahrscheinlich zum Laden gehen und im Büro des Sheriffs anrufen. Anschließend mit dem Horror der Bürokratie und des Leichenschauhauses fertigwerden. Kurze Särge würden in kleine, im Boden ausgeschaufelte Löcher gesenkt. Sie müsste einen Grabstein bestellen.

Und das waren nicht nur wilde Phantasievorstellungen. Die Fähigkeit der Kinder, sich an den harmlosesten Elementen der materiellen Welt zu verletzen, war stärker ausgeprägt als bei Pferden. Das Mädchen riss den Bügel von einem kleinen Zinkeimer ab und durchbohrte damit ihren Nasenflügel, offenbar hatte sie herausfinden wollen, wie weit sie ihn in die Höhlungen ihres Kopfes stecken konnte. Die Wunde blutete wie die Quelle des Lebens selbst, bis Luce eine Kompresse aus Frauenhaarmoos darauf drückte. Und als wäre Bluten ein Wettbewerb, schnitt sich der Junge an der Kante des blechernen Räucherhausdachs oben am Haaransatz. Er stand da und brüllte, das Blut lief ihm aus der klaffenden Wunde übers Gesicht und tropfte von seinem Kinn auf das weiße Hemd. Die Spitze des Dachs befand sich drei Meter über dem Boden, und der Junge war gerade mal einen Meter groß. Die einzige Leiter war einen Meter achtzig lang. Die Rechnung ging nicht auf. Man konnte wahnsinnig werden, wenn man versuchte, herauszufinden, wie er da hinaufgekommen war. In was für einer verdammten notleidenden Welt Luce plötzlich lebte. Zwei selbstmörderische alte Männer wären leichter zu betreuen als diese beiden Kinder.

Dennoch gab Luce die Überzeugung nicht auf, dass Ruhe und Einsamkeit den Menschen guttaten und Frieden versprachen oder zumindest die Hoffnung auf Frieden. Vor allem weil sie waren, wie sie nun mal waren, und man sie nicht ändern konnte. Meistens konnten sie sich selbst nicht ändern, auch wenn sie verzweifelt jemand anders sein wollten als der, der sie waren. Demnach war es am besten, Distanz zu halten. Trotzdem hatte sie jetzt diese kleinen Kinder, die sie auf keine angenehm nostalgische Weise an die reizende Lily erinnerten.

Meistens konnte Luce nachts nicht einmal sicher sein, dass sie bis zum Tagesanbruch schliefen. Sie wanderten herum, teilweise nachtaktiv in ihren Gewohnheiten wie Waschbären und Hauskatzen. Morgens musste sie sie suchen wie die Eier der Hühner. Dann fand sie ein Kind zusammengerollt in einem Nest aus Decken auf der Veranda, und das andere lag steif ausgestreckt wie eine Leiche bei einer Totenfeier unter einem Wandtisch im Esszimmer. Sie musste nachts die Türen abschließen, statt nur die Haken an den Fliegengittertüren vorzulegen.

Immer wieder tauchte die Überlegung auf, die Kinder in die Obhut des Staates zurückzugeben. Manchmal fragte sich Luce, ob sie es überhaupt bemerken würden. Solange sie etwas hatten, was sie kaputtmachen oder in Brand setzen konnten, und niemand sie daran hinderte, schienen sie zufrieden. Am liebsten waren sie im Freien. Das war ihnen ganz besonders wichtig. An stürmischen Nachmittagen, wenn Blitze aus schwarzen Wolken zuckten und Luce sie nicht hinausließ, saßen sie nebeneinander und schauten aus dem Fenster; ihr Trübsinn ließ sich an ihrer zusammengesunkenen Haltung ablesen.

Sie hatten Namen. Dolores und Frank. Luce hatte es wahrscheinlich einmal gewusst, aber vergessen, da Lily sie in ihren Briefen immer nur ihre Babys nannte. Und ja, Luce gab es zu, sie waren ziemlich verkorkst. Aber um die Sache in der richtigen Perspektive zu sehen, dachte sie an andere Leute, mit denen sie ihren Alltag hatte verbringen müssen. Wie verkorkst waren die Kinder im Vergleich wirklich? Viele Menschen verbrachten ihre Tage wesentlich verkorkster zu als Dolores und Frank. Sie waren keine Kriminellen oder Säufer. Nicht zu sprechen und sich für Feuer zu interessieren waren weder ein Verbrechen noch eine Sünde, nur lästig. Und Luce musste sie nicht lieben. Sie musste sich nur um sie kümmern.

Dieser Tage begann Luce gegen Mittag die Stunden bis zur Schlafenszeit zu zählen. Licht aus, die Kinder im Bett. Denk deine eigenen Gedanken und höre WLAC. John R. und Gene Nobles mit ihrer wundersamen Musik und dem Angebot, einhundert Küken innerhalb weniger Tage per Nachnahme ins nächste Postamt zu einem so niedrigen Preis zu liefern, dass es kaum zu glauben war. Luce war versucht, sich eine Kiste mit Küken kommen zu lassen, aber dann stellte sie sich einhundert gelbe Flaumbälle vor, verpackt wie Tischtennisbälle, die einer nach dem anderen starben, Stunde um Stunde, und darauf warteten, dass sie kam und sie abholte. Und wenn sie den Deckel öffnete, würden die Überlebenden mit gerecktem Hals sehnsüchtig ins Licht schauen und auf den Toten, die so gut wie nichts von der Welt gesehen hatten außer der Schwärze in der Kiste, herumlaufen, als würden sie Wasser treten. Deswegen hatte sie auf das sagenhafte und deprimierende Hühnerschnäppchen verzichtet.

Die Musik jedoch war großartig und schön, heiter und wild, und sie drang ihr tief ins Herz. Sie strebte nach oben zu einem undefinierbaren oder vielleicht unbeschreiblichen Licht. Auch wenn sie nach einem langen Tag mit den Kindern erschöpft war, blieb Luce so lange wie möglich wach und hörte Musik, bis sie schließlich einschlief.

Als sie und Lily Kinder waren, nicht ganz ein Jahr auseinander, war Luce die Streunerin. Mit sechs, in ihrem letzten Jahr vollkommener Freiheit, erkundete sie hemmungslos die kleine Stadt am See. Wenn irgendwo im Schatten eines Baums die Füße eines Mechanikers unter einem aufgebockten Nash, der eine neue Kupplung brauchte, hervorragten, steckte Luce bald den Kopf unter den Wagen und betrachtete die wundersame Komplexität dunkler schmieriger Autoteile. Einmal lieh sie sich ohne Erlaubnis ein uraltes Bügeleisen aus Pionierzeiten von einer älteren Frau, die in einem Blockhaus lebte. Das Bügeleisen musste mit glühenden Kohlen gefüllt werden. Es faszinierte sie. Ein simples vergessenes Relikt aus der Vergangenheit, das vielleicht noch funktionierte. Luce ging mit dem Eisen herum, bis sie ein Haus fand, in dem ein Feuer brannte. Es war ein schwüler Tag im Juni, und sie musste eine Weile herumlaufen und an viele Fliegengittertüren klopfen. Und dann schaffte sie es, sich ein rotes Dreieck auf den Oberschenkel zu brennen, eine Verbrennung zweiten Grades, die für immer einen blassen Fleck hinterließ, jetzt nur noch sichtbar, wenn sie gebräunt war.

Wahrscheinlich war Lily an diesem Tag zufrieden zu Hause geblieben und hatte ihre Zehen gezählt. Sie hielt sich gern in der Sicherheit des Hauses auf. Sie konnte den ganzen Morgen dasitzen und der Babypuppe mit den krausen Haaren und nur einem blauen Auge, das sie ganz aufschlagen konnte, die beiden Strampelanzüge an- und wieder ausziehen. Lily liebte ihren Mittagsschlaf und Vanillewaffeln.

Hätte damals jemand auf die beiden Mädchen geachtet – was niemand tat –, hätte er vorausgesagt, dass Lily die Stadt am See nie verlassen würde. Eines fernen Tages in der graublauhaarigen Zukunft würde sie oben am Hügel auf dem Friedhof liegen mit einer Aussicht über das Wasser und auf die Lodge und die Berge jenseits davon. Luce hingegen würde bei der ersten Gelegenheit, wahrscheinlich mit einem Mann, dem ersten von mehreren Ehemännern, in die weite Welt aufbrechen. Und in Anchorage oder La Paz oder irgendeiner anderen weit entfernten Stadt begraben werden.

Aber es war Lily, die verschwand. Ein paar Wochen nachdem sie die Highschool beendet hatte, kaufte sie sich von den Ersparnissen ihres Kellnerinnenjobs eine Busfahrkarte. Monatelang wussten sie nicht, wo sie war. Nicht, dass sich eine Mutter zu Hause Sorgen um sie machte, und ihr Vater war entweder beschäftigt oder der Ansicht, dass man auf sich gestellt war, wenn man die Schule abgeschlossen hatte.

Luce blieb zu Hause. Kein Geld für weiteren Schulbesuch, außerdem hatte niemand aus ihrer Familie je einen Schatten auf die Tür eines College geworfen. Zudem vermutete sie insgeheim, dass die Leute überall gleich waren, aber viele Gegenden weniger schön als diese.

Sie nahm diverse Jobs an. Arbeitete als Verkäuferin im Drugstore und am Schalter in der Post. Kurz als Sekretärin für den Versicherungsagenten der Stadt. Hörte mir nichts, dir nichts wieder auf, wenn sie sich nur im Geringsten schlecht behandelt fühlte. Die erstaunliche Genugtuung, Leck mich am Arsch zu sagen und zur Tür hinauszugehen. Sie war mit gleichaltrigen Jungen aus dem Ort zusammen, die eines Tages ein Familienunternehmen erben würden. Mit dem Sohn des Besitzers der Reinigung. Dem Sohn des Supermarktbesitzers. Mit zwei von vier Proletenbrüdern, Erben der Straßenbaufirma, die alle Aufträge in diesem hinterwäldlerischen Teil des Staates bekam. Eine Weile hatte sie eine ziemlich solide Beziehung mit dem Sohn eines Arztes, der an der University of Virginia studierte und irgendetwas werden wollte, was er nicht recht in Worte fassen konnte, ein Lehrer oder Philosph oder Unternehmer, der die Welt verbessern wollte. Abgesehen davon, dass er keine Socken zu seinen Slippern trug, konnte er sich rühmen, ein ganzes Semester in dem Studentenheim gewohnt zu haben, das sich direkt neben dem befand, in dem Poe gelebt hatte. Einen Sommer lang schien es echte Liebe, und dann kehrte er an die Universität zurück. An Thanksgiving hatten sie aufgehört sich zu schreiben.

Alle anderen Beziehungen dauerten ungefähr zwei Monate und endeten mit einem heftigen Streit oder verliefen im Sande. Luce entschied, dass ihr die Leidenschaft fehlte, ein Wort, das sie hasste. Gefragt, was ihr wichtig war, erzählte sie ein bisschen konfus von Dingen wie Büchern, Wäldern, Musik. Pflanzen und Jahreszeiten. Und Freiheit. Nicht von einem idiotischen Arbeitgeber ge- und verkauft zu werden, die einzelnen Augenblicke ihres Tageslaufs nicht von jemand anders als ihr selbst in Bruchteilen von Dollar bemessen zu lassen.

Luce ging mit Dolores und Frank, die sich vor ihr treiben ließen – Drachen im Wind, Henne und Küken –, eines Tages zu Maddie, um sie ihnen vorzustellen. Sie stand am Herd und briet dünne, mit Maismehl panierte Streifen. In der schwarzen eisernen Pfanne zischte und spritzte es, und es roch nach gutem Essen, das in gelbem Schweinefett brutzelte. Das Feuer aus Hickoryholz war so heiß, dass um die gusseisernen Ofenplatten kleine zarte Kreise blauer Flammen herausloderten. Dolores und Frank drängten sich gegen den Herd, und Maddie musste mit dem Arm gegen ihre knochigen Brustkästen drücken und sie ein Stück zurückschieben. Wenn eine Portion Streifen gebräunt war, hob

Maddie sie mit einem Schaumlöffel heraus und legte sie auf Schichten Zeitungspapier, das den Küchentisch bedeckte.

Luce las stets alles, was ihr vor die Augen kam, und ihr Blick fiel auf eine Anzeige. Eine schlichte runde Brille von einem Optiker namens Finklestein. Über der Anzeige meldeten auf der vergilbten Seite kleine, mit winziger Schrift bedruckte Kästen die Wettervorhersage für die nahe Zukunft und die Niederschlagsmenge des letzten Monats in Zentimetern und all die faszinierenden Dinge wie Mondphasen und an welchem Tag Venus, Mars, Saturn und Jupiter welche Positionen am Nachthimmel einnahmen. Luce schaute auf das Datum oben auf der Seite. Damals war sie zwölf gewesen.

Als Maddie mit dem Braten der Streifen fertig war, salzte sie sie, träufelte scharfe Soße aus grünem Pfeffer darauf und füllte vier große Gläser mit kalter Buttermilch. Kondenswasser lief außen daran herunter und bildete dunkle Ringe auf dem Zeitungspapier. Maddie, Luce und die Kinder setzten sich und begannen mit den Fingern zu essen.

Luce versuchte zu erraten, was für Fleisch es war. Es schmeckte gut. Kross und fettig. Unter der braunen Kruste so reinweiß wie Späne von einem Stück Ivory-Seife. Aber es hatte wenig Eigengeschmack. Die Konsistenz war überwiegend zäh.

»Was ist das?«, fragte Luce.

»Rückenmark«, sagte Maddie.

»Wovon?«

»Hausschwein.«

»Lecker.«

»Es gibt nicht mehr viele Leute, die so was essen.«

»Es schmeckt viel besser, als ich gedacht hätte«, sagte Luce.

»Wenn man Pappe mit Maismehl paniert und in Schmalz brät, würd's wahrscheinlich auch ziemlich gut schmecken.«

Dolores und Frank tranken ihre Buttermilch aus und aßen ihre Portion gebratenes Mark restlos auf, schnüffelten dann an ihren Fingern und erinnerten sich an einen großartigen, gerade vergangenen Augenblick.

»Freut mich, wenn den Leuten mein Essen schmeckt«, sagte Maddie.

Sie stand auf und kramte in Schachteln und Tüten in Geschirrschränken und Anrichten auf der Suche nach ihren Feenkreuzen. Sie sammelte sie. Kannte eine geheime Stelle, einen von Rinnen durchzogenen Erdhaufen tief im Wald. Nachdem ein heftiger Frühlingsregen die Staurolithe aus dem Boden gewaschen hatte, fand sie bis zu drei perfekte Kreuze zwischen vielen X. Die X warf sie wieder weg, denn sie brachten Unglück. Sie bewahrte die Kreuze in einer Schuhschachtel auf. Aber eines Tages würde sie sie der Wildnis zurückgeben, sie im Wald verstreuen, sodass sie für zukünftige Pilger wieder zu Wundern werden konnten.

Als Maddie die Schachtel gefunden hatte, traf sie eine Auswahl und gab Dolores und Frank je ein kleines Kreuz, vollkommen und mit identischen rechten Winkeln. Und je eine glänzende braune Rosskastanie von einem vom Blitz getroffenen Baum und deswegen heilig.

Sie sagte: »Tragt sie zum Schutz in euren Taschen.«

Dann holte sie das große Willkommensgeschenk, das sie kürzlich bei einem ihrer seltenen Besuche in der Stadt gekauft hatte. Einen knallroten Kindercowboyhut aus Stroh. Sie setzte ihn Frank auf und sagte: »Willkommen am See.« Luce enging nicht, dass Maddie schrecklich stolz auf das Geschenk war, aber sie sah auch an Dolores' Gesicht, dass Ärger drohte. Luce bedankte sich und scheuchte die Kinder aus der Tür und auf die Straße nach Hause und dachte, dass sie ein paar Wochen zuvor noch den gleichen Fehler gemacht hätte. Da sie keine eigenen Kinder hatte, wäre es Maddie wahrscheinlich nie in den Sinn gekommen, besser zwei Hüte zu kaufen.

Kurz nach der ersten Kurve schlug Dolores Frank den Hut vom Kopf, und dann wälzten sie sich auf der Erde. Luce packte sie ziemlich wütend an den Hemdkrägen, trennte sie und stellte sie auf die Füße. Dann holte sie tief Luft und entschied, dass sie für den Rest des Nachmittags den Hut abwechselnd jeweils immer fünfzehn Minuten tragen mussten. Sie drückte Dolores den Hut auf den Kopf, tippte mit dem Fingernagel fünfmal auf das Glas ihrer Uhr. Sagte: »Dolores, du musst den Hut bis drei Uhr zweiunddreißig tragen, dann ist Frank dran. Mach keinen Ärger.«

Dolores nahm den Hut ab und wollte ihn Frank geben, der ihn jedoch nicht haben wollte. Luce zwang sie, ihn wieder aufzusetzen, und Dolores, eine tragische und traurige Gestalt, schlurfte mit ihren Turnschuhen über den Boden, den Kopf gesenkt, das Gesicht im Schatten der Krempe. Nach zehn Minuten begann Luce, die verbliebenen Minuten abzuzählen. Dolores Stimmung heiterte sich plötzlich auf, und Entsetzen überkam Frank. Als sie ihm den Hut gegeben hatte, tanzte Dolores drei fröhliche Schritte.

In der Lodge setzten sie sich auf der Veranda auf die Schaukelstühle, verdrossen und traurig, und schaukelten langsam. Irgendwann auf dem Heimweg war es nicht mehr wichtig gewesen, wer den Hut trug. Er machte keine Freude mehr.

Luce saß da, ließ die Beine über den Rand der Veranda baumeln, schaute auf den blauen See und die grünen Berge, maß die Zeit und sorgte dafür, dass sie den Hut tauschten.

Versuchte zu verbergen, wie erfreut sie war, dass die Kinder begriffen hatten und sich an ihre vollkommen willkürliche Regel hielten, eine wichtige Fähigkeit, um mit anderen Leuten auf der Welt zusammenzuleben. Außer man zog sich in eine private Wildnis zurück. Nur dass es keine Wildnis gab.

Irgendwann entschied Luce, dass nach einem weiteren Tausch die Sache geklärt war, und dann überließ sie es den Kindern, was sie mit dem Hut tun wollten. Sie trugen ihn zum Küchenherd und schoben ihn mit einem Stück Feuerholz in die glühenden Kohlen. Das Stroh flammte ein paar Sekunden gelb durch das offene Loch auf und verbrannte.

4

BUDS ANWALT WAR ein gerissener, skrupelloser weißhaari-
ger alter Dreckskerl. Fuhr einen neuen schwarzen Cadillac
Coupe de Ville und hatte sich in den späten zwanziger Jahren mit jedem Gouverneur betrunken, egal welcher politi-
schen Partei er angehörte. Er hatte Buds Fall nur angenommen, weil er glaubte, dass er Lilys Haus so oder so verkaufen
würde, gleichgültig wie das Urteil lautete. Er sagte von Anfang an zu Bud: Ein kleiner Bungalow mit zwei Schlafzim-
mern bringt nicht viel Geld, da die moderne Welt bedauerlicherweise vor allem eine Frage der Quadratmeter ist.

Der Staatsanwalt war so frisch von der Universität, dass
er noch immer auf den Campus zu Partys von Freunden
ging, die mit dem Studium noch nicht fertig waren. Er
wirkte verblüfft, als er sich im Gericht wiederfand. Während
eines Vormittags überzeugte Buds Anwalt die ausschließlich männlichen Geschworenen davon, dass Lily kaum besser als eine Hure gewesen war. Daraus folgerten sie, dass sie
alles in allem den Tod wahrscheinlich verdient hatte. Zudem
bestanden durchaus Zweifel an der Schuld des Angeklagten,
und der alte Anwalt erklärte den verwirrenden, aber bin-
denden Vertrag zwischen Gott und den Menschen bezüglich
des Waltens der Gerechtigkeit auf Erden. Ein Beleg für Lilys
Lebensweise war, dass sie mit einem anderen Mann nicht
bloß ein Kind, sondern deren zwei bekommen hatte. Außerdem deutete er lebhaft an, sie habe wohl diverse Liebhaber
gehabt. Dagegen erhob der junge Staatsanwalt nur zögernd
Einspruch und wirkte dann zerknirscht, als der Richter ihn
ablehnte. Was die Mordwaffe betraf, stellte der alte Ver-

teidiger nur eine simple, einleuchtende Frage: Wenn man gemeinsam in einem Haus lebt, sind dann deine Fingerabdrücke nicht auf allem, einschließlich der Messer? Verrückte, drogenabhängige Mörder mit Handschuhen waren nie auszuschließen. Erschwerend kam hinzu, dass die einzigen verfügbaren Augenzeugen die Schuld seines Mandanten nicht bestätigt hatten, als sie von der Polizei befragt wurden.

Der alte Anwalt versäumte zu erwähnen, dass die Zeugen Kinder waren, die kein Wort sagen konnten oder wollten oder auch nur erkennen ließen, dass ihnen eine Frage gestellt worden war. Als der Staatsanwalt diese für den Angeklagten ungünstigen Fakten erläuterte, holte der alte Anwalt das Attest eines Arztes hervor, in dem die Kinder als schwachsinnig eingestuft wurden. Danach saß der Staatsanwalt still da, als wüsste er, dass er Prügel beziehen würde, und als wünschte er nur, dass es schnell vorbei wäre.

Drei Tage später verließ Bud das Gerichtsgebäude als freier Mann. Es war zwei Uhr nachmittags, schwül und heiß und der Himmel grauweiß. Er trug den grauen Anzug, den der Anwalt ihm für den Prozess gekauft hatte, und eine Papiertüte mit den Kleidern und persönlichen Dingen, die man ihm bei seiner Verhaftung abgenommen hatte. Draußen saß auf einer Bank eine ältere Frau und fütterte Tauben mit Erdnüssen, und als sie aufflogen, klangen ihre Flügelschläge wie leiser Applaus.

Bud war erfüllt von Hochgefühl. Vor allem von schwindelerregender Ungläubigkeit angesichts des unwahrscheinlichen Glücks, mit dem ihn das Justizsystem überhäuft hatte. Was für eine großartige Idee die Demokratie doch war, wo die Meinung jedes Armleuchters zählte, der sich nicht davor drücken konnte, seine Pflicht als Geschworener zu erfüllen. Vor allem die beiden Trottel, die stur blieben und für nicht schuldig stimmten. Und der Richter forderte nicht einmal eine Kaution, während die Staatsanwaltschaft darüber nachdachte, ob und wann sie Berufung einlegen wollte. Er sagte nur: Sie dürfen den Staat nicht verlassen, mein Junge. Und die phantastische Tatsache, dass die kleinen zurückgebliebenen Gören den Mund gehalten hatten. Aber der Anwalt musste natürlich auf Buds Triumph pinkeln und ihn daran erinnern, dass Mord nicht verjährte, auch wenn sie nicht sofort in Berufung gingen. Sie konnten dich noch mit neunzig aus dem Krankenbett zerren und erneut anklagen.

Und dann ein erfreulicherer Gedanke: Wo war sein verdammtes Geld? Wo, wenn nicht bei den stummen Kindern?

Bud ging die Straße entlang zur Bank und schaute sich Lilys Konto an. Es sah genau so aus, wie er erwartet hatte. Er räumte es leer, was ihm in einem Leihhaus nur einen verbeulten Remington-Revolver und eine Schachtel Munition einbrachte. Danach reichte es gerade noch für ein Club-Sandwich und ein Coke im Imbiss von Woolworth's.

Obdach- und mittellos, doch bewaffnet und tief in Gedanken versunken, schlenderte er durch die Straßen der Hauptstadt. Der Anwalt hatte bereits die Papiere fürs Haus, Bud konnte also nur noch die Einrichtung beanspruchen. Krempel für den Flohmarkt. Er wollte keine Zeit damit verschwenden, zerkratzte Garderobenschränke und fleckige Matratzen zu verkaufen. Er wusste, dass Lily irgendwo in einer Hillbilly-Stadt oben in den Bergen Verwandte hatte. Allerdings nicht die Mutter, die vor vielen Jahren so vernünftig gewesen war, an einen unbekannten Ort abzuhauen. Es gab hier also nichts mehr, was ihn noch hielt. Aber irgendwo lag sein verdammtes Geld herum. Bei Einbruch der

Dunkelheit schloss er ein neues Chevy Coupé kurz und fuhr nach Westen.

In dieser ersten Nacht, während eines Gewitters, überfiel Bud zwei Tankstellen, eine nach der anderen, wegen der Tageseinnahmen. Ziemlich einfache Sache, wenn du mit dem Mann an der Kasse allein und derjenige bist, der mit dem Revolver herumfuchtelt. Anschließend fuhr Bud auf rutschigen schwarzen Straßen noch zwei Stunden weiter nach Westen, dann stieg er gerade rechtzeitig in einem Motel mit Linoleumboden ab, um sich aufs Bett zu werfen und *Twilight Zone – Unwahrscheinliche Geschichten* zu sehen. Am nächsten Morgen raubte er zwei weitere Tankstellen und einen kleinen Laden aus. Fünfzig Meilen weiter fuhr er mit dem Chevy eine unbefestigte rote Straße entlang und schob ihn über ein steiles lehmiges Ufer in einen braunen Fluss. Dank seiner jugendlichen Spritztouren wusste er genug über absaufende Autos, um Fenster, Kofferraum und Motorhaube zu öffnen. Der Wagen tauchte ab und kurz wieder auf und ging dann endgültig unter, nur dicke Luftblasen stiegen zur Oberfläche. Ein regenbogenfarbener Film Benzin floss mit der Strömung davon. Widerwillig schleuderte Bud den Remington und die nicht benutzte Munition in den Fluss. Da er glaubte, dass man nicht vorsichtig genug sein konnte, zog er das rote Halstuch heraus, das er im Stil von Banditen in Westernfilmen bei den Überfällen über Nase und Mund gebunden hatte. Er wickelte es um einen Stein, warf ihn in den Fluss und marschierte in die nächste Stadt.

Im ersten Gebrauchtwagenmarkt kaufte er für zweihundertsechzig Dollar in bar einen unauffälligen grünen Ford Pick-up aus dem letzten Jahrzehnt. Er steckte die Papiere ins

Handschuhfach für den Fall, dass sich in Zukunft jemand dafür interessieren sollte, die Verkehrspolizei zum Beispiel. Sie waren herzlich willkommen, sie zu überprüfen. Papiere und Nummernschild waren sauber, er war freigesprochen worden und nicht bewaffnet. Das Gesetz war sein Freund, und er war in seinem Pick-up mit den hölzernen Seitenklappen, die so grau waren wie alte Zaunlatten, unterwegs, um ein neues Leben zu beginnen. Das würde er erzählen, sollte er angehalten werden. Doch er hatte nicht vor, angehalten zu werden. Er fuhr vorsichtig und überschritt die Geschwindigkeitsbegrenzung um nicht mehr als fünf Meilen.

Es war Nacht und regnete wieder. Bud war über zwei Bergpässe und durch eine dunkle, kurvenreiche Schlucht gefahren. Die ganze Strecke über führte die Straße entweder an einem tiefen Abgrund entlang oder verlief neben Wildwasser. Kaum Anzeichen von Leben in diesen schwarzen Bergen. Sollte es irgendwo Häuser geben, hatten die Leute das Licht gelöscht und waren früh ins Bett gegangen. Wahrscheinlich gab es in diesem gebirgigen Landstrich keinen Fernsehempfang. Das Radio in dem beschissenen Pick-up funktionierte selten, möglicherweise aufgrund eines Kurzschlusses in der Verdrahtung, meistens fing es nur statisches Rauschen auf und einmal den lauten Krach von Negermusik, und dann, zwischen Phasen der Funkstille, ein eigenartiges Gequassel, das nach Kuba oder Mexiko oder Texas klang.

Die Benzinanzeige schwankte zwischen halbvoll und leer. Wenn er mit dem Zeigefinger darauf tippte, wurde die Sache auch nicht klarer. Seit zwei Stunden war er an keiner geöffneten Tankstelle vorbeigekommen und in letzter Zeit auch an keiner geschlossenen. Der einzige Laden weit und breit, eine düstere Hütte am Straßenrand mit einem handschriftlich beschriebenen Sperrholzschild, bot gekochte grüne Erdnüsse an.

Gemäß seiner Landkarte musste die Stadt unmittelbar vor ihm sein, aber so wie die kurvige Straße aussah, konnte sie genauso gut ins Nirgendwo führen. Er fuhr lange Zeit steile Felswände entlang, und dann war die Straße plötzlich nicht mehr asphaltiert. Und direkt vor ihm, im aufeinander zulaufenden gelben Licht der Scheinwerfer, ein mit hohem Gestrüpp bewachsener Fleck, der in einer massiven Wand aus Bäumen endete. Nur verdammte Natur um ihn herum. Nicht einmal ein Schild, das eine Sackgasse ankündigte. Wahrscheinlich weil man längst wissen sollte, dass man sich in einer befand.

Und so war es ein willkommener Augenblick, als Bud über einen niederen Pass und zu einer Stadt an einem See hinunterfuhr, hell leuchtende Straßenlampen und Neonschilder vor ihm. Am Stadtrand warf ein riesiges, hoch aufragendes Schild ein verzerrtes Bild seiner selbst auf den nassen Asphalt. Gewundene Röhren in Pink, Lavendel und Gelb zeichneten die Umrisse eines Indianers mit einem Kopfschmuck aus Federn, und darunter nannte eine durchlaufende blaue Leuchtschrift den Namen. CHIEF MOTEL.

Bud checkte ein, im Zimmer stand überraschenderweise ein Fernsehgerät, doch als er es anschaltete, fand er nur einen einzigen verschneiten Sender, in dem ein Mann in Tankwartuniform Vermutungen über das Wetter anstellte. Dann folgte ein alter melancholischer Film über einen Wolfsmenschen. Bud schlief ein und träumte einen seiner anschaulichen, unschuldigen Lieblingsträume, in dem Christi Blut die Welt wusch und sie neu und rein machte. Es war wie das Bild auf der Farbdose, nur dass es Blut war, das sich auf den Nordpol ergoss und vom Äquator tropfte.

Bud erwachte spät am Morgen, ziemlich zuversichtlich im Hinblick auf seine Zukunft. Er schwang die Füße auf den Boden, setzte sich auf und sagte laut: Ich weiß nicht, wann, aber ich weiß, wie. Dann begann er zu überlegen. Kurz darauf sagte er, weniger überzeugt: Ich weiß vielleicht nicht, wie, aber ich weiß, wo.

5

LUCE BEHAUPTETE NICHT, kleine Kinder zu verstehen oder auch nur irgendetwas Nützliches über sie zu wissen, und obwohl Maddie viele Ansichten hatte, die sie ihr mitteilte, waren sie überwiegend theoretischer Natur. In Luce' Fall förderte nicht einmal die Erinnerung an die eigene Kindheit etwas Brauchbares zutage, was Kindererziehung anbelangte. Sie fragte sich, ob Lilys Kindern schon die Milchzähne ausgefallen waren. Wann sollte das passiert sein? Sie war ebenso ahnungslos wie ihr Vater. Er hatte immer erzählt, dass Luce schlief, als er sie zum ersten Mal nach ihrer Geburt sah. Er fragte die Krankenschwester, wie alt Kinder sein mussten, um die Augen zu öffnen.

Luce wusste jedoch, dass Dolores und Frank, sollten sie überhaupt in der Lage sein, die Schule zu besuchen, sich sofort die üblichen Kinderkrankheiten holen würden, eine nach der anderen. Masern, Mumps, Windpocken. Das wäre ein Jammer. Sie waren hübsch, das war das Einzige, was für sie sprach. Pusteln, Schwellungen und Schorf waren nichts, worauf man sich freuen konnte.

Als Experiment versuchte Luce, den Kindern das Zählen beizubringen, ihre Finger zu zählen, ihr Alter anzugeben. Keine Chance. Abends im Bett versuchte sie, Einer ist ins Wasser gefallen mit ihnen zu spielen, fügte dem Reim aus erzieherischen Gründen Zahlen hinzu. Einer ist ins Wasser gefallen, der zweite Zeh hat ihn rausgeholt.

Aber die Kinder hörten ihr kaum zu und empfanden es nicht als angenehm, an den Zehen angefasst zu werden. Ganz im Gegenteil. Sie zogen die Beine an und steckten sie unter die Bettdecke, kuschelten sich Schulter an Schulter aneinander, bereit, sich in sich zurückzuziehen, sollte Luce das Spiel unbedingt fortsetzen wollen.

Es war ein schlechter Tag, als Luce das erste Mal versuchte, ihnen die Kleider auszuziehen, damit sie baden konnten. Sie vergossen lautlos untröstliche Tränen. Sie brüllten wie Kälber oder jaulten wie Beagles, wenn sie frustriert oder wütend waren, aber das war etwas anderes. Sie gab die Idee sofort auf, aber sie zogen sich benommen in ihren eigenen Kopf zurück und blieben dort für Stunden.

Wenn sie zuließ, dass sie sich selbst auszogen, machte es ihnen jedoch nichts aus, splitterfasernackt im Freien herumzutoben. Goss sie im Hof hinter dem Haus einen Eimer eiskaltes Quellwasser über sie, während sie sich selbst einseiften, war alles in Ordnung. Aber es war noch August und schwül. Was wäre an einem Novembermorgen, wenn der Boden weiß vor Frost war? Luce vermutete, dass die Kinder im Lauf der kalten Jahreszeit ziemlich streng riechen würden. Doch vor allem begann sie darüber nachzudenken, wie schwer ihre schwere Zeit gewesen sein musste, dass sie sich so tief in sich zurückzogen, bis Angst und Schmerz sie nicht mehr erreichten.

Nach dem Vorfall mit dem Bad sah Luce die Kinder nie wieder stumm weinen. Über diesen Kanal kommunizierten sie nicht. Abgesehen von Wimmern, einem bebenden Kinn und Wasser in den Augen hatten sie noch andere Möglichkeiten, um ihre Gefühle auszudrücken. Sie konnten sich mit geballten Fäusten auf sie stürzen und versuchen, sie zu schlagen. Sie rannten weg in Richtung Wald. Sie knurrten, schrien, heulten und kreischten auf verschiedene Weisen. Oder sie sahen sie lange an und gaben ihr mit diesem Blick zu verstehen, dass sie sie auf der Stelle umbringen würden, wögen sie hundert Pfund mehr. Die meisten Gründe, warum normale Kinder weinten – Schmerz, Angst, Scham, Enttäuschung, Kummer, Reue, Schuldgefühle –, schienen für diese beiden nicht zu gelten. Sie hatten kaum Angst und waren nie verlegen. Und unter keinen Umständen waren sie bekümmert, reuig oder schuldbewusst.

Positiv war, dass sie einige unangenehme Gefühle nahezu sofort wieder vergaßen. Nicht, dass sie kurz nach einem heftigen Zusammenstoß zu ihr liefen und sich an ihre Knie drückten. Um Entschuldigung zu bitten, und sei es auch nur mimisch, kam nicht in Frage. Es war eher so, als hätten sie überhaupt keine Gefühle in das Geschehene investiert und erwarteten von einem das Gleiche. Vergiss es. Keine Entschuldigungen. Das Wort *bereuen* stand nicht in ihrem Lexikon. Sie taten, was sie taten, und machten weiter, gleichgültig, wie viel verbrannte Erde sie zurückließen. Und Luce fragte sich, ob das vielleicht etwas war, was sie von ihnen lernen könnte. Nicht zurückblicken. Das Leben kennt nur eine Richtung, und was immer man über die Vergangenheit denkt, hat nur mit der eigenen verdammten Schwäche zu tun. Was geschehen ist, lässt sich nicht mehr ändern. Es wird immer geschehen bleiben. Entweder lässt man zu, dass es einen zerbricht, oder nicht.

Eine einfache Lektion, aber Luce hatte Mühe, sie zu lernen. Sie konnte ihre Gedanken nicht daran hindern, immer wieder in die Vergangenheit zurückzukehren, sie sehnte sich danach, über etwas längst Vergangenes Glück zu empfinden, traurig zu sein oder sich zu schämen wegen etwas, was sie hätte anders machen sollen. Wenn den Kindern in ihrer Obhut irgendetwas zustoßen sollte, wäre sie nicht in der Lage, es zu vergessen und weiterzumachen. Niemals.

Die Schuld würde sie bis aufs Totenbett verfolgen. Daran würde sie denken und nicht an Teelöffel oder Mondphasen oder Vögel. Das Leben unbelastet von der Vergangenheit zu leben wäre großartig, aber sie konnte es nicht. Sie mochte die Kinder noch nicht einmal wirklich und liebte sie erst recht nicht. Aber sie liebte Lily und würde ihre Kinder großziehen und sich nicht wie eine Rabenmutter verhalten. Und an dieser Stelle in ihrem Gedankengang fielen ihr sofort ihre eigenen Eltern ein.

Abgesehen von Lolas bitteren Ohrfeigen hatte Luce als Kind nichts Schlimmeres erlebt als harmlose Vernachlässigung. Und auch dafür wurde sie entschädigt. Vor allem durch grenzenlose Freiheit schon im Alter von fünf Jahren. Wer wünschte sich das nicht in jedem Alter? Wenn sie wollte, konnte sie herumstreunen bis in den mondbeschienenen Abend, ohne dass jemand nach ihr rief. Eine Umarmung, hin und wieder ein besorgter Tonfall in der elterlichen Stimme wären hilfreich gewesen, aber andererseits war die fünf- oder sechsjährige Luce nie von einem zornigen Erwachsenen richtig geschlagen worden.

Ihre Eltern waren zu sehr mit sich selbst beschäftigt, um in irgendeiner Weise auf sie zu achten. Das war ein paar Jahre, bevor Lola verschwand. Ihr Vater war gerade aus dem Krieg zurückgekehrt, und damals rollten regelmäßig leere Bierdosen und Wild-Turkey-Flaschen über den Boden, war das Radio zu laut aufgedreht, brüllten ihre Eltern sich gegenseitig an und schlugen manchmal unter dem Einfluss heftiger widersprüchlicher Emotionen auch zu.

Kurz gesagt, Luce litt kaum unter Forderungen seitens Erwachsener, bis der Staat vorschrieb, dass sie in die Schule gehen musste. Bis dahin war sie fast sieben Jahre lang frei herumgelaufen. Der erste Tag in der ersten Klasse war gar nicht übel, es war lustig, sich mit den anderen Kindern herumzutreiben, die aus den Bussen gestiegen kamen. Beaufsichtigt von einer großen strengen Lehrerin mit einer blitzenden, metallgefassten Brille, die ganz in Braun gekleidet war und ein Veilchensträußchen am Revers trug. Morgens saßen sie an Pulten, malten mit wohlriechenden neuen Buntstiften und sangen Lieder, von denen Luce manche schon vor ihrem Vater kannte, wenn er spätabends gutgelaunt nach Hause kam. »Camptown Races« und »Buffalo Gals«. Das Mittagessen bestand aus weichem, paniertem grauem Fleisch und Kartoffelbrei, der in weißer Soße schwamm, und grünen Bohnen, die quietschten, wenn man darauf biss. Und so viele Hefebrötchen und Butter, wie man essen konnte. Gutes Essen.

Luce saß den ganzen Tag aufmerksam und konzentriert da, um herauszufinden, worum genau es in der Schule ging, doch als um drei Uhr nachmittags die Schulglocke läutete, hatte sie alles gesehen, was sie sehen musste. Das Eingesperrtsein war unerträglich. Den ganzen Tag in einem kleinen Raum. Alle atmeten dieselbe verbrauchte Luft. Als die Lehrerin die Kinder anwies, sich für die Busse anzustellen, fühlte Luce sich bemüßigt, ihr Urteil über die Schule allen Anwesenden kundzutun.

»Nur damit ihr es wisst, ich komme nicht wieder.«

Als gehörte dieser eine Tag in dieselbe Kategorie seltener Ereignisse wie eine totale Sonnenfinsternis, die vielleicht einmal im Leben vorkommt, tat Luce danach eine Zeitlang wieder, was sie getan hatte, bevor sie ihre unliebsamen Erfahrungen mit der Schule gemacht hatte. Vormittags spielte sie mit der Stubenhockerin Lily. Nachmittags ging sie allein im Wald spazieren und sah zu, wie sich Pflanzen und Farben veränderten, als der Herbst näher rückte. Entdeckte ausgefallene Käfer und Blumen. Warf Steine in den Bach. Betrachtete alle Vögel, Tiere und Reptilien, auf die sie stieß, beobachtete, wie sich das Wetter von einem Moment zum nächsten, von einem Tag zum anderen änderte, und studierte das größere, sich ständig kreisförmig wiederholende Muster der Jahreszeiten. Überprüfte, ob sie an regnerischen Tagen Eichhörnchen auf den Bäumen riechen konnte.

Hätte man ihre Eltern gefragt, hätten sie geantwortet, dass es ihnen durchaus nicht gleichgültig war, ob Luce die Schule besuchte. Selbstverständlich nicht. Nur mussten sie leider streiten und sich wieder versöhnen und waren oft verkatert. Im spezifischen Elend dieses Alltags konnten sie nicht um sechs Uhr morgens aufstehen und sich groß darum scheren, ob sie an diesem Tag zur Schule ging oder nicht. Aber ein Tag führt zum anderen und immer so weiter. Daran ist nicht zu rütteln. So ist es eben, die Zeit ist gnadenlos. Und dann fällt plötzlich das Laub von den Bäumen, und es ist Oktober. Ein großer Mann in einem Harris-Tweed-Mantel und mit Krawatte klopft an die Tür, um die Angelegenheit zu regeln.

Der Mann stellte ihren Eltern nicht mehr als drei Fragen, dann wusste er, wie die Dinge standen, wie jung sie waren, vor allem Lola. Er hatte es schon so oft erlebt. Er zog die kleine Erstklässlerin Luce beiseite, neigte sich zu ihr hinunter und sah ihr ins Gesicht. Leise fragte er sie, ob sie so werden wollte wie ihre Eltern. Schon damals schnaubte sie hörbar und sagte: »Auf keinen Fall.«

»Dann musst du jeden Tag in die Schule gehen«, sagte der Mann. Er drückte aufmunternd ihre Schultern, blickte ihr in die Augen und sagte: »Dann musst du gehen, wie schwer es dir auch fällt. Ich werde sie drängen, ich habe das Gesetz auf meiner Seite. Aber es wird immer wieder Tage geben, an denen du selbst entscheiden musst. Und nächstes Jahr wirst du deiner Schwester helfen müssen.«

Und von da an ging sie, ob ihre Eltern nun aufgestanden waren oder nicht. Um Zeit zu sparen und ihre Entschlossenheit zu demonstrieren, zog sich Luce oft für den nächsten Tag an, bevor sie abends ins Bett ging. Und Wachwerden war kein Problem. Jeder kann das Licht ausschalten und an eine Uhrzeit denken, zu der er aufstehen will, und es dann auch tun. Man muss es nur versuchen. Luce war schon groß genug, um auf den Herd langen zu können, und es war kein Hexenwerk, einen Topf besonders guten Haferbrei zu machen, wenn niemand neben einem stand und aufpasste, dass man nicht zu viel braunen Zucker und Butter verschwendete.

Die Lehrerin mit der blitzenden Brille wusste ein paar sinnvolle Dinge, unter anderem, wie man lesen lernte. Wie alle anderen auch hatte sie Fehler. Wie sie zum Beispiel mit dem blassen stillen Mädchen vom Land umging, das immer ein verblichenes Baumwollkleid mit Blumenmuster trug und noch nie zuvor Eiscreme gesehen hatte. Das Mädchen wollte den Nachtisch, Eiscreme zwischen zwei Waffeln, mit nach Hause nehmen, um ihn mit ihrem kleinen Bruder zu teilen, trug ihn vom Speisesaal ins Klassenzimmer und legte ihn in das Fach unter dem Pult, wo er auf ihren Büchern und Papieren schmolz und dann auf den Holzboden tropfte und dort eine dicke schmierige Lache bildete. Für dieses Missgeschick wurde sie am Oberarm gepackt und in den Flur geführt. Alle waren mucksmäuschenstill. Und dann bumm, bumm, bumm. Der lange Bleuel war einen Zoll dick, und es waren zwölf Löcher hineingebohrt.

Abgesehen von den regelmäßigen Züchtigungen gab es Wettbewerbe mit schrecklichen Karten zum Rechnenlernen. Die eine Hälfte der Klasse stand auf der einen Seite des Zimmers, die andere auf der Seite gegenüber. Die Lehrerin ging die Reihen entlang, hielt große weiße Karten mit schwierigen schwarzen Rechenproblemen darauf in die Höhe, entweder Addition oder Subtraktion, je nachdem, welches Gebiet der Unwissenheit sie prüfen wollte, verlangte Antworten und spielte eine Seite gegen die andere aus. Machte jemand einen Fehler, musste er sich gedemütigt setzen. Der letzte Schüler, der stand, war der Gewinner. Doch nicht nur Luce fragte sich, was man gewann abgesehen von einem glühenden Gefühl der Überlegenheit. Und zudem wurde man Lesekreisen namens Rote Vögel, Blaue Vögel, Gelbe Vögel und Schwarze Vögel zugeteilt. In keiner bestimmten Rangfolge. Doch selbst einem Haufen Erstklässler war klar, worin die Rangfolge wirklich bestand. Und diese kleine Täuschung aufzudecken war an sich schon eine wertvolle Lektion in Sachen Autorität, die für die Zukunft nützlich sein konnte. Obwohl Luce nie etwas anderes als ein Roter Vogel war.

Eine Entschädigung für diese Augenblicke des Terrors waren die vielen gerahmten Bilder, die im Klassenzimmer hingen und die man mit Muße betrachten konnte. Der blasse, erstaunt dreinblickende Washington mit den komischen weißen Locken auf beiden Seiten des Kopfes und der traurige weise Abe mit den müden Augen und den Tränensäcken und einem fransigen Bart wie ein Landstreicher. Und der Knabe in Blau, der in der Pause in den Schmutz getreten worden wäre, wenn er auch nur mit einer Andeutung dieser hochnäsigen Miene in seinem selbstgefälligen Gesicht hier aufgetaucht wäre, ganz zu schweigen von seiner Kleidung. Und der Staat stellte unentgeltlich viele Märchenbücher zur Verfügung, in denen Jack die Bohnenstange hinaufkletterte und der Rattenfänger die Kinder in ein fröhliches Land in einem Berg führte. Es gab auch einen Plattenspieler und einen Stapel Platten, darunter auch alte Grammofonplatten mit einem dazugehörigen Büchlein, in dem die spannende Geschichte von Peter und dem Wolf erzählt wurde. Sie durften sie jedoch nur an verregneten Tagen hören, wenn sie in der Pause nicht ins Freie konnten und die Klasse nach der Hälfte des Morgens schon halb durchgedreht war, weil sie sich eingesperrt fühlte.

In die Kategorie der Belohnungen gehörte auch, dass die Lehrerin das Unterrichten manchmal satthatte und die Schüler anwies, stillzusitzen und zu lesen, während sie den Flur entlangging und in der Eingangshalle eine Zigarette rauchte. In ihrer Abwesenheit gerieten alle außer Rand und Band. Kinder, die in kerosinerleuchteten Blockhäusern in Ecken lebten, wo sich Fuchs und Hase Gute Nacht sagten, tanzten auf dem Pult der Lehrerin herum, nur um zu beweisen, dass es möglich war. Kleine Rebellen, keinen Meter groß und mit Bluejeans, die fast bis zum Knie umgeschlagen waren, damit sie sie ein paar Jahre lang tragen konnten. Zu den glücklichen Momenten gehörte auch, dass sie einmal im Monat im Gänsemarsch schweigend durch ein dunkles Kiefernwäldchen den Hügel hinunter zur Stadtbibliothek marschierten, wo sich jedes Kind für zwei ganze Wochen zwei Bücher ganz für sich allein ausleihen durfte.

Doch sosehr die Schule ihr auch Spaß zu machen begann, fand Luce, dass sie die wichtigste Lektion nicht vergessen durfte. Sie war sehr einfach: Sie ködern dich, indem sie deine Freiheiten gegen Unterhaltung eintauschen.

»Schaut euch die an«, sagte Luce und hielt eine gebogene Meerschaumpfeife hoch, auf deren vergilbten Kopf verhutzelte bärtige Elfengesichter geschnitzt waren. Sie sah aus wie ein kleines Saxofon. Die Kinder schauten zwar nicht richtig hin, sie schauten aber auch nicht nicht hin. Sie mochten das staubige Durcheinander in den oberen Stockwerken der Lodge und ließen gern etwas mitgehen.

Luce, die Lehrerin, führte sie auf Forschungsreise. Sie stöberten in ledernen Schrankkoffern, die unter den Giebeln auf dem Dachboden und in Vorratsschränken standen. Uralte Fundsachen wie Broschen aus angelaufenem Silber und Ebenholz, die die Frauen so wenig schätzten, dass sie sie in Kommodenschubladen hatten liegenlassen. Braune Jodhpurhosen und schwarze Stiefel mit verrosteten Ösen, durch die zerfallende Schnürsenkel gezogen waren. Woraus zu schließen war, dass reiche Leute damals kostümiert in die Berge fuhren.

Sie fanden ein Grammofon mit einem Messingtrichter in Form einer Prunkwindenblüte und einen Stapel Schallplatten in braunen Papierhüllen. Auf dem Teller lag noch eine Platte, und Luce blies den Staub weg, drehte die Kurbel und setzte die Nadel auf. Aus dem Trichter sang eine Männerstimme »Pucker up your lips, Miss Lindy«, der Klang verkratzt und blechern. Die Kinder sahen konzentriert zu, wie sich die Platte drehte und die Nadel die Rillen abfuhr. Sie legten sich auf den Dielenboden, drehten sich zur Seite, stützten den Kopf in die Hand; offenbar entspannte und beruhigte sie die krächzende Musik aus der geisterhaften Vergangenheit. Als sich der Refrain wiederholte, summten sie leise mit ausdrucksloser Miene mit.

Luce spielte den Discjockey und legte den ganzen Stapel Platten auf. Peg Leg Howell, King Oliver, Bix Beiderbecke.

Ein kleines Orchester plagte sich keuchend durch den »Walkürenritt«. Dann sang ein ländliches Duett ein Lied über das Maisrebbeln, von dem Luce wusste, dass es überhaupt keinen Spaß machte und die Hände aufriss, aber die Landeier schienen es lustig zu finden und erfanden eine fröhliche Geschichte. Jodler und Bluesgeheul von kurz nach dem Ersten Weltkrieg und Schnulzensänger aus Zeiten, als es noch keine Waschbärenfellmäntel gab und die Welt nur vom silberglänzenden Mond erhellt wurde. Und schließlich Jimmie Rodgers' ›T. B. Blues«. Es war das einzige Lied überhaupt, von dem Luce etwas wusste, und sie erklärte, dass Rodgers einst in der Nähe gelebt hatte und dann an Tuberkulose gestorben war, aber dennoch auf unheimlich schwungvolle und streitlustige Weise darüber gesungen hatte.

Als sie alle Platten von beiden Seiten abgespielt hatte, trug sie das Grammofon und die Platten und ein braunes, ledernes Fotoalbum nach unten.

Die Fotos stammten aus einem lange zurückliegenden Sommer, und am Abend, nachdem die Kinder eingeschlafen waren, betrachtete sie sie eingehend, eins nach dem anderen. Die Ecken der Fotos waren mit kleinen schwarzen Dreiecken aus Papier auf den schwarzen Seiten befestigt, der Klebstoff von toten Zungen geleckt. Auf den Fotos sah die Lodge nahezu neu aus. Der Erste Weltkrieg lag noch weit in der Zukunft. Eine völlig andere Welt, aber an genau demselben Ort. Ein Foto von fünf Mädchen in hochgeschlossenen weißen Kleidern, die auf den Stufen zur Veranda saßen und ihr langes frischgewaschenes Haar in der Sonne trockneten. Zwei Mädchen dösten gemeinsam in einer Hängematte, aufgeschlagene Bücher auf den schmalen Taillen, ihre schlanken Finger lagen schlaff auf dem Einband. Mädchen schlugen Federbälle über ein Netz auf dem Rasen, Röcke bis zu den Knöcheln, bebänderte Hüte auf dem Kopf. Mädchen paddelten in Kanus auf dem See. Schnauzbärtige Männer in gestreiften Sommeranzügen rauchten nach dem Essen auf der Veranda Zigarren. Eine schöne erwachsene Frau in einem hellen Sommerkleid, dessen Saum das Gras berührte, schritt über den Rasen, das dunkle Haar im Nacken zu einem Knoten gebunden, das Gesicht verschwommen, weil sie sich bewegt hatte, um zur Kamera zu blicken, als der Verschluss klickte.

Klar und mondlos, eine Stunde vor Sonnenaufgang. Die Kinder waren wach und trieben ihr Unwesen in der Halle. Schoben eine Tischlampe fünf Zentimeter nach links, eine rostfarbene Keramik zehn Zentimeter nach rechts. Ordneten die Britannica-Bände neu, nach einem weniger offensichtlichen System als das Alphabet. So etwas taten sie, wenn sie Hunger hatten oder sich langweilten. Luce gab es schließlich auf, so zu tun, als würde sie noch schlafen, aber sie wollte verdammt sein, wenn sie einen Präzedenzfall schaffen und vor Sonnenaufgang das Frühstück machen würde.

Sie ging mit den Kindern in den dunklen, taunassen Hof und deutete auf Sterne. Insbesondere auf Orion, der während ein paar Wochen im Spätsommer kurz vor der Dämmerung zu sehen war, ein Vorbote des Winters. Als Dolores und Frank auf ihren Finger schauten statt zum Himmel, stellte sich Luce hinter sie und hob ihre Köpfe so, dass sie hochblicken mussten.

Sie dachte, wenn sie redete, würde vielleicht hin und wieder ein Wort hängenbleiben. »Dort geht er über den Bergen auf«, sagte sie. »Breite Schultern, schmale Taille. Der Jäger. Er jagt dem kleinen Sternhaufen vor ihm nach. Den Sieben

Schwestern. Leute mit guten Augen können sie zählen. Alle andere sehen nur ein paar Lichter durch den Dunst scheinen. Es gibt eine Geschichte dazu.«

Luce war schon weit in der Geschichte, als ihr klarwurde, dass der Selbstmord der Schwestern kurz bevorstand. Sie improvisierte und erzählte sie so, dass sie zu Sternen wurden, ohne erst sterben zu müssen. Aber von Beginn des Herbstes bis in den Frühling wurden sie noch immer von Orion und seinem Schwert über den Himmel gejagt. Das Entscheidende war, dass Orion und die Schwestern schon seit unheimlich langer Zeit über den Himmel zogen, Nacht für Nacht, sogar schon bevor sich die Menschen die Geschichte dazu ausgedacht hatten, und er sie immer noch nicht erwischt hatte und sie auch nie erwischen würde.

Am nächsten Nachmittag verschwanden die Kinder. Sie hatten auf der Veranda vor dem Haus gesessen und die Schallplatten abgespielt, Luce fütterte hinter dem Haus die Hühner und bewunderte den üppigen spätsommerlichen Wald ringsum. Das Laub der Pappeln war bereits eine Schattierung weniger grün als zu seiner besten Zeit. Und dann ging sie in den Gemüsegarten und holte ein paar Sommerkürbisse für das Abendessen. Es wuchsen mehr Kürbisse, als Luce und die Kinder essen konnten, und sie alle mochten Sommerkürbis, vor allem in Maismehl gewendet und gebraten. So konnten sie ihn fünf Tage die Woche essen. Und an den anderen beiden Tagen mit grünen Paprikaschoten und Zwiebeln gekocht. Luce hatte sechs dicke Kürbisse im Arm und legte sie auf die hintere Veranda, als ihr auffiel, dass sie die alten Lieder nicht mehr hörte.

Die vordere Veranda war leer, auch die Lodge, soweit sie feststellen konnte, als sie schnell hineinlief und ihre Namen rief. Sie rannte die Wiese hinunter zum See. Erst das Ufer und dann den Bach entlang. Über die Anhöhe und zurück zur Lodge. Die ganze Zeit rief sie nach ihnen. Rot im Gesicht und außer Atem. Verzweifelt und verängstigt.

Sie waren nicht zurückgekommen. Sie trank Wasser aus einer Schöpfkelle und ging das Seeufer in der anderen Richtung und den nächsten Bach entlang, über die nächste Anhöhe und zur Lodge zurück. Nichts. Sie war nicht mehr in Panik, war vielmehr erschöpft und schämte sich, dass sie sie hatte weglaufen lassen.

Sie hatte einen Augenblick nicht auf sie geachtet, und plötzlich waren sie nicht mehr da. Bären und Pumas waren dort draußen in den Bergen. Ganz zu schweigen von Schlangen. Die Kinder waren fähig, sich hinter einem dicken Baumstamm zu verstecken, reglos und ohne zu atmen, während sie in ein paar Meter Entfernung vorbeiging und sich die Lunge aus dem Leib schrie, ihre Namen in die Welt rief in dem offensichtlichen Wunsch, sie wiederzufinden.

Luce kehrte am See entlang zurück, in dem sie womöglich unvernünftigerweise ertrunken waren, und fand sie am Ufer stehend, wo sie sich mit Steinen bewarfen. Sie lief zu ihnen, versuchte sie zu umarmen und zu küssen, und sie schauten weder ihr noch sich in die Augen. Sie standen stocksteif da, den Hals gereckt, als würde etwas leidlich Spannendes ein Stück entfernt auf der Straße passieren.

Luce verfolgte ihren Blick und sah über den Baumwipfeln schwarzen Rauch vor dem aschfarbenen Himmel aufsteigen. Vielleicht hatte die Wolke die Form eines Trichters oder eines Pilzes, aber in ihren Augen war es ein präzises Abbild des leerstehenden Hauses des alten Stubblefield, das auf der anderen Seite des Hügels stand.

6

NIESELREGEN WABERTE WIE Nebel in westlicher Richtung über die Insel. Es war kühl für die Jahreszeit. Der Atlantik eintönig olivgrün, und wohin immer man blickte, zog sich ein dünnes Band schwarzer Tang entlang der Flutmarke bis in die Ferne wie ein langer kursiver Satz in einem vergessenen Alphabet. Stubblefield schlüpfte in den Regenmantel, schaute in den Spiegel und wünschte, jemand anders würde ihn daraus ansehen. Draußen ging er an der rostigen Dusche vorbei, unter der sich die letzten Touristen des Sommers den Sand und das Salz hätten abwaschen sollen. Aber es regnete schon so lange, dass sie alle in ihre Kombis gestiegen und nach Hause gefahren waren.

Er latschte über die Düne zu dem leeren Strand und dann im nassen Sand dem Wasser entlang nach Norden. Im letzten Winter hatten die Leute aus dem Ort Stubblefield den Mann, der nachts wandert, genannt. Diesen Sommer war er der Mann gewesen, der nachts schwimmt. Doch bei dem Wetter würde er weder das eine noch das andere tun. Am Strandladen wandte er sich landeinwärts. Luftmatratzen, Frisbees und Hula-Hoop-Reifen. Im Fenster Coppertone-Flaschen mit dem kleinen gebräunten Mädchen, an dessen Bikinihose ein Hund zieht, sodass sein weißer Hintern entblößt wird. Ein an die Innenseite der Tür geklebtes Blatt besagte: *Bin wieder da, sobald das Wetter besser ist.*

Tja, da blieb nur die Hoffnung. Stubblefield gefiel diese lockere Einstellung gegenüber dem Geldverdienen. Aber irgendwann gab man es auf, auf etwas zu setzen, was zu weit in der Zukunft lag.

Er ging Richtung Stadt. An einem Leuchtturm und dem Eingang zu einem historischen Fort vorbei. In der Vergangenheit hatte es hier viele Konflikte gegeben. Hintereinander waren Indianer, Spanier, Engländer vetrieben worden, und in letzter Zeit waren etliche weggezogen. Auf gut Glück. Auf dem Gehweg an einem Salzsumpf, der Highschool, einem Hamburger-Laden, einer Kirche vorbei.

Am Beginn der Centre Street kam Stubblefield am Kino vorbei. Eine gewöhnliche Kleinstadtfassade. Doch dahinter war alles improvisiert, das Gebäude sah aus wie eine große Quonset-Hütte, ein Tonnengewölbe aus Wellblech. Es regnete durchs Dach, und er glaubte, Fledermäuse oder zumindest riesige Falter gesehen zu haben, die durch den Lichtstrahl des Projektors flogen und Schatten auf die Leinwand warfen. Ein mittelgroßes Plakat im Querformat warb für die nächste Attraktion: *Flucht in Ketten* mit Tony Curtis und Sidney Poitier.

Ein Stück die Straße entlang der Drugstore. Ein modernes, niedriges Gebäude aus Ziegeln und Glas, das zwischen den großen viktorianischen Häusern und den Läden aus dem neunzehnten Jahrhundert fehl am Platz wirkte. Nahe dem Fenster zur Straße standen in zwei Drehgestellen Taschenbücher, Comichefte und Zeitschriften waren auf flachen Regalen aufgereiht, sodass jeweils ein Streifen des farbigen Titelblatts als Anreiz zu sehen war. Er blätterte rasch durch *Hot Rod* und dann *Stag*. Beide Welten waren gleichermaßen fiktiv. An der Theke kaufte er einen Umschlag mit Stanback-Kopfschmerzpulver und eine *Jacksonville Times-Union*. Verließ den Laden mit dem Pulver in der Tasche des Regenmantels und der Zeitung unter dem Arm, als wäre es die *Times* aus Los Angeles oder London oder New York.

Er schlenderte im Regen zu dem monumentalen Postamt. Die große Halle war während des New Deal von arbeitslosen Künstlern mit einem Wandbild ausgemalt worden, auf dem Konquistadoren mit verzierten Helmen, Seminolen und Palmen dargestellt waren. An der Wand mit den kleinen Postfächern stellte er an einem Metalltürchen die richtige Kombination ein und nahm seine Post heraus. Dann ging er zum Dock, an dem die Fischerboote vertäut waren. Einige wenige Regentropfen fielen auf den Intercoastal Waterway, der die Insel vom Festland trennte. Stubblefield kaufte ein Pfund Krabben, reichte das Geld auf das Deck des Bootes hinauf. Er hielt dem Mann drei Anzeigenseiten hin, der häufte ein paar Handvoll auf das Papier und fragte: »Sieht das aus wie ein Pfund?«

»Aber sicher«, sagte Stubblefield.

Manche der Krabben bewegten noch den Schwanz und zuckten mit den Fühlern, das Licht in ihren kleinen schwarzen Augen erlosch langsam. Kakerlaken des Meeres, dennoch schmeckten sie. Später würde er sie mit Old Bay kochen, schälen und sie in Ketchup mit so viel Zitronensaft und Meerrettich tunken, dass ihm Tränen in die Augen steigen und die Nebenhöhlen schmerzen würden. Er wickelte das Papier um die sterbenden Kreaturen und drehte die Enden ordentlich zusammen, das Papier war bereits nass und grau, als er das Paket in die Manteltasche stopfte und dann an der Hüfte spürte, wie sich die Krabben bewegten.

Er schaute auf die Titelseite der Zeitung, um sich nicht im Tag zu irren – es war Dienstag –, und genehmigte sich in aller Ruhe einen Wodka-Tonic im braunen Licht der Bar nahe dem Dock. Die Regel war simpel. Sonntags und montags keinen. Freitags und samstags drei oder vier. Aber mittwochs, donnerstags und freitags einen, während er die Zeitung und seine Post las. Danach kein Getrödel. Zahlen und gehen.

Stubblefield nippte an seinem Drink und riss die Umschläge auf. Es waren vor allem Rechnungen. Darunter eine für einen Telefonmast, den er letztes Jahr irgendwo an der Küste von Mississippi umgefahren hatte, wobei sein schöner grüner Austin-Healey einen Totalschaden erlitt. Vier Dollar pro Monat fast bis an sein Lebensende. Dann ein Brief von einem Anwalt aus den Bergen, der ihm zum Tod seines Großvaters kondolierte und ihn von seinem Erbe in Kenntnis setzte. Mehrere Grundstücke sowie das Farmhaus mit Außengebäuden, die Wayah Lodge, und das historische Wirtshaus, ein Relikt aus Postkutschenzeiten.

Alles sehr renovierungsbedürftig und baufällig. So wortwörtlich der Anwalt.

Stubblefield stellte sich vor, wie die Maisscheune, in der er als Kind gespielt hatte, langsam mit der Erde verschmolz, wie das Brunnenhaus einstürzte und der Kudzu den Garten überwucherte.

Weiter unten auf der Seite die positive Information, dass er monatlich Miete bekommen würde und eine prozentuale Beteiligung an den Nettoeinnahmen des historischen Wirtshauses. Das jetzt, laut Anwalt, Roadhouse hieß und eine Kneipe war, in der spätabends Live-Musik gespielt wurde. Doch ein potenzielles Risiko, obwohl es derzeit der einzig profitable Teil seines Erbes war.

Stubblefield interpretierte den Euphemismus so, dass das Wirtshaus, das sein Großvater aus Jux und Tollerei gekauft hatte, so wie andere Porzellan aus dem achtzehnten Jahrhundert oder alte Schwarzpulvergewehre sammeln, zu einer illegalen Kneipe in einem Bezirk mit Alkoholverbot geworden war. Was es zu einem passenden Vermächtnis machte, da sein Großvater nie so puritanisch gewesen war, dass er sich oder anderen die schlichte Freude eines Drinks am Abend missgönnt hätte.

Von Kindesbeinen an bis zu seinem achtzehnten Lebensjahr hatte Stubblefield jeden Sommer auf der Farm verbracht. Die Besuche hörten auf, nachdem seine Großmutter gestorben war, und es schien, als wollte sein Großvater sein Lebensende mit möglichst wenigen Ablenkungen oder Unannehmlichkeiten verbringen, die von außerhalb herangetragen wurden. Ein Sommer waren drei Monate, er brauchte nur zusammenzuzählen. Er schätzte, dass er mehrere Jahre seines Lebens dort oben in den nassen grünen Bergen verbracht hatte. Wie schön und überraschend, alle diese vertrauten pittoresken Ruinen zu erben. Trotzdem hatte Stubblefield ein schlechtes Gewissen, weil er nicht bei der Beerdigung gewesen war, auch wenn niemand daran gedacht hatte, ihn zu informieren, bis es zu spät war für die lange Fahrt.

Der Brief des Anwalts endete mit einem unerfreulichen Absatz. Diverse Steuern waren nicht beglichen, Rechnungen standen offen. Leider nur sehr wenig Bargeld auf den Bankkonten. Was war zu tun? Bitte um Rücksprache.

Stubblefield dachte darüber nach, wie beschissen es war, über Besitz zu verfügen. Und dann fiel ihm das Stanback ein. Er bestellte noch einen Drink und spülte das heilende bittere Pulver mit dem ersten Schluck hinunter.

Da Stubblefield sich selbst als Land- und Panoramastraßentyp betrachtete und die Sonne wieder schien, entschied er sich für eine indirekte Route. Ein paar Tage fuhr er die Küste entlang nach Norden, hielt an, um an irgendeinem Strandimbiss etwas zu essen und zu trinken und in den Städten spazieren zu gehen. Jekyll Island, Savannah, Beaufort, Charleston. All die schönen alten Orte, die dem schönen Ort glichen, den er gerade verlassen hatte. Viktorianische Häuser, Louisianamoos auf Virginia-Eichen, nachmittags Fischerboote an den Docks und Fischbuden am Strand, die den Fang des Tages brieten. Der Atlantik wechselte stündlich die Farbe, Grünspan, Schiefer, Taupe. Ganz spezielle Farben.

Auf Sullivan's Island besichtigte er das feuchtkalte Fort, in dem Poe während seiner Militärzeit stationiert gewesen war. Und dann nach Isle of Palms, wo jeder einen Kombi voller Kinder in Badeanzügen fuhr und aufgeblasene Wasserbälle und Luftmatratzen in leuchtenden Primärfarben gegen die Heckfenster drückten. Er hielt an und schwamm parallel zum Strand, weiter und weiter, bis er nicht mehr konnte, dann ruhte er sich auf dem nassen Sand am Ufer aus und schwamm zurück.

Nach Sonnenuntergang fuhr er landeinwärts durch die sandige, mit Kiefern bewachsene Ebene und über sanfte Hügel und dachte an den See in den Bergen und das große weiße Holzhaus. Grün umrandete Fenster und Traufbleche, das rostende galvanisierte Blechdach. Eine breite Veranda über die gesamte Vorderseite, in deren Schatten er an Sommernachmittagen die Kurbel der Eismaschine gedreht hatte. Das Haus war die Hinterlassenschaft eines längst dahingegangenen Vorfahren, der große Ländereien gekauft hatte, als der Staat zu Beginn des neunzehnten Jahrhunderts Cherokee-Land bei Auktionen verscherbelte. Später, mitten im Bürgerkrieg – oder, wenn man genau sein wollte, wahrscheinlich danach während des Wiederaufbaus und der Wiedereingliederung der abtrünnigen Staaten –, hatte seiner Familie ein Viertel eines riesigen Berges gehört. Ein kuchenstückförmiges, ausgefranstes Stück Land, dessen Spitze der Berg bildete und das sich vom Gipfel aus nach Osten erstreckte. Tausende Morgen, vielleicht Zehntausende. Doch damals war ein Morgen abschüssiges Land gerade mal fünf Cent wert gewesen, so man einen Käufer fand. Im Lauf der Jahrzehnte stieg der Wert jedoch, und der ältere Bruder des alten Stubblefield verkaufte es schließlich doch bis auf ein paar Teilstücke.

Ein Jahr vor der Weltwirtschaftskrise entwickelte der Bruder eine Vorliebe für traurige Cowboymusik. Er war Mitte dreißig, eine gefährliche Zeit im Leben. Von Beginn des Frühjahrs an bis zum Ende des Herbstes saß er fast jeden Nachmittag auf einem hölzernen Safaristuhl mit gestreifter Segeltuchbespannung auf der Veranda des Farmhauses und trank guten Scotch. Hin und wieder streckte er den Arm aus, um die Kurbel des Victrola zu drehen und Schellackplatten zu spielen. »Bury Me Not on the Lone Prairie«, »Red River Valley«, »Streets of Laredo«. Sollten die Leute eines Tages anhand seines Aufzugs erkennen, dass er ein Cowboy war, hätte er es im Leben weit gebracht. Und dann war er eines Tages ohne Vorwarnung verschwunden, nachdem er still und leise das meiste Land weit unter Wert verkauft hatte. Jahrzehnte später fand der alte Stubblefield heraus, wo sein Bruder lebte, und besuchte ihn. Er fand einen großen, o-beinigen, weißhaarigen Mann vor, der in einem kleinen Bungalow in Rawlins, Wyoming, wohnte. Der Bruder hatte es tatsächlich weit gebracht. Er trug Levi's, außer in die Kirche, und jeden Tag des Jahres einen John-B.-Stetson-Hut, helles Stroh im Sommer und brauner Filz zu allen anderen Zeiten. Der Großvater hatte die Geschichte oft erzählt und sie jedes Mal mit der Bemerkung beendet, dass sein kleiner Enkel dem Cowboy sehr ähnlich war. Was Stubblefield bis jetzt als Kompliment aufgefasst hatte.

Am nächsten Morgen fuhr Stubblefield um den Heuschober und die Maisscheune, beide von der Zeit gebleicht und im Begriff, in den Erdboden zu versinken.

Sehr baufällig, in der Tat.

Er rechnete mit noch Schlimmerem, sobald das Haus in Sicht käme. Doch es kam nicht in Sicht. Wo es hätte stehen sollen, formte sich ein großer leerer Raum vor Stubblefields geistigem Auge zum Haus seiner Großeltern. Und darunter befand sich ein schwarzer Kreis aus Asche und Holzkohle, umgeben von ungemähtem Gras. Ein paar verbrannte Dachbalkenstümpfe zeigten in spitzem Winkel gen Himmel. Das Laub der jahrhundertealten Eichen im Hof war auf der dem leeren Raum zugewandten Seite versengt. Die Buchsbäume neben acht rußigen Steinstufen, die ins Nirgendwo führten, bis zur Unkenntlichkeit verbrannt.

Stubblefield stellte den Wagen neben dem Tor ab und schlenderte zu der verbrannten Fläche. Er ging in die Hocke und betrachtete den Kreis, in dem sich mehr als ein Jahrhundert Leben abgespielt hatte, auch ein Teil von seinem. Am Rand lag die bleiche Asche locker und leicht. Jede Andeutung einer Brise wirbelte ein Wölkchen davon auf, das Stubblefield wie der im Wind verstreute Inhalt einer Urne erschien. Er griff tief hinein, um eine Handvoll in die Luft zu werfen, zog jedoch die Hand rasch zurück. Heiß. Die Asche war noch verdammt heiß. Er lief zum versengten Brunnenhaus und tauchte die Hand in das kalte klare Wasser, das tief aus unterirdischen Quellen kam.

7

DIE LETZTEN TAGE des Sommers. Ein gesellschaftliches Ereignis auf einer frisch geschlagenen Lichtung zwischen Stadtrand und Urwald, der sich von hier steil die hohen Berge hinaufzog. Zwei Dutzend Autos standen zwischen der planierten Fläche und der Straße. Überwiegend Chevys und Fords. Ein paar ausgefallene Modelle wie ein tief liegendes Hudson-Coupé und ein winziger rosa-weißer Nash Metropolitan und sogar ein sonderbarer blassgelber Vauxhall. Und der verbeulte grüne Pick-up mit den Seitenklappen aus Holz.

Der Vollmond spähte über die Bergkette im Osten, und der Himmel war bereits dunkel genug für einen hell strahlenden Planeten. Aber das Licht reichte noch locker, um zu schießen. Alle hatten eine Waffe in der Hand, einen Hut auf dem Kopf und eine Zigarette im Mundwinkel. Männer in Jeans und Flanell und Khaki standen vor einer roten Lehmböschung, in der noch die Abdrücke der Baggerschaufel zu sehen waren. Jede Menge Bier und ein paar alte Weckgläser mit Maiswhiskey. Zielscheiben aus Papier waren mit abgebrannten Streichhölzern an die Böschung gesteckt. Weißer Untergrund mit schmalen konzentrischen Kreisen um einen tiefschwarzen Punkt in der Mitte. Die Papierblätter auf dem roten Lehm sahen wie moderne Kunst aus. Oder, von einem anderen Standpunkt aus betrachtet, überhaupt nicht wie Kunst, sondern wie geometrische Probleme, die nach einer Lösung verlangten, und die korrekte Antwort war ein perfektes Loch genau im schwarzen Zentrum.

Bud, gerade erst angekommen in der Stadt und neugierig

auf jede Art von Menschenansammlung, war vorbeigefahren, umgekehrt und hatte angehalten. Er mischte sich unters Volk, hoffte irgendetwas über Lilys Familie und den Aufenthaltsort der Kinder aufzuschnappen. Er hatte es schon beim Friseur und im Billardsalon versucht. Nach kurzer Zeit war er mehr als halb betrunken vom Bier und einem überaus großzügig mit Wild Turkey gefüllten Pappbecher.

Er hatte keine Waffe, aber das hieß nicht, dass der Rowdy in ihm kein Ventil brauchte. Er ging zu einem kleinen schlanken Mann mit einer beschlagenen Pabst-Dose in der Linken und einer großen Pistole in der Rechten, Kaliber .45, schwer wie ein Ziegelstein. Der kleine Mann neigte sich leicht nach hinten, um ihr Gewicht auszugleichen. Bud sprach aus, was ihm als Erstes einfiel.

»He, Lit, ein paar von den alten Knackern behaupten, du hast so kleine Füße, dass du dir Schuhe in Kindergröße in dem Laden kaufst, der Florsheim-Schuhe verscherbelt.«

Lit lächelte, zog die Augenbrauen hoch und nippte an seinem Bier. Er trat ganz nahe an Bud heran. Sie waren nur Zentimeter auseinander. Er reichte Bud bis zum Schlüsselbein.

»Wer hat das behauptet?«

Bud trat unwillkürlich einen Schritt zurück. Er sagte: »Niemand.«

»Niemand hat das behauptet? Du hast verdammt nochmal einfach nur erraten, wie ich heiße und wo ich meine Schuhe kaufe?«

»Vielleicht hat jemand was gesagt. Ich erinnere mich nicht mehr genau. Es war komisch gemeint.«

»Komisch? Es sind die gleichen Schuhe für weniger Geld. Du solltest dich komisch fühlen, wenn du den vollen Preis dafür zahlst.«

Bud blickte hinunter auf den kleinen Lit, wie er sich gegen das Gewicht der großen Pistole nach hinten neigte. Er riss sich zusammen, erinnerte sich an seine Umgangsformen, die von größerer Höflichkeit geprägt waren als die der Hillbillys, und sagte: »Slim, du brauchst eine Zweiundzwanziger. Die würde dir besser in der Hand liegen. Eine, die in eine Tasche passt.«

Lit machte den Schritt auf Bud zu, den der zurückgewichen war. Er hielt ihm die Pistole hin, und Bud griff danach und studierte sie von allen Seiten, als wäre eine Botschaft in den Griff graviert.

Lit nahm die halbvolle Bierdose in die rechte Hand und warf sie Richtung Böschung. Sie rollte, Bier verspritzend, ein paar Meter weit.

Lit sagte: »Triffst du sie?«

»Im Schlaf.«

»Na gut, wenn es so einfach ist, kannst du das ganze Magazin hineinjagen?«

»Geh einen Schritt zurück und schau zu.«

Bud stellte sich auf und begann zu schießen, drückte so schnell wie möglich auf den Abzug.

Bei der ersten Runde traf er die Dose problemlos und jagte sie ein Stück die Böschung hinauf. Dann hob er die Hand mit jedem Schuss unwillkürlich immer höher, als wollte die .45 ausholen und ihn auf den Kopf schlagen. Vergeblich mühte er sich, sie unten zu halten. Als das Magazin leer war, deutete der Lauf auf die Stelle, an der sich der Mond um Mitternacht befinden würde.

Lit sagte: »Ja, das habe ich mir schon gedacht.«

»Scheiße. Lass sehen, wie du es schaffst.«

Lit nahm seine leere Pistole zurück, steckte sie in das Holster und schloss die Lasche.

»Ich sag dir was«, sagte Lit. »Wenn du es schaffst, zeig ich's dir.«

Lit ging davon, und sofort kamen mehrere Schützen mit frischem Bier zu Bud. Einer sagte: »Ein ganz normaler Irrtum. Er war außer Dienst und ohne Uniform.«

»Was für ein Dienst?«, fragte Bud. »Als Tankwart?«

Lachend und gutgelaunt fingen sie alle gleichzeitig an zu reden und erzählten dem Neuen die berühmte Geschichte von Deputy Lit und den Einbrechern. Als Lit als stellvertretender Sheriff angeheuert wurde, hielten ihn viele Leute in der Stadt aufgrund seiner Größe zunächst für eine Witzfigur. Doch nur bis zu der Nacht, als drei Männer in den dunklen Stunden nach Mitternacht den Supermarkt ausraubten. Die Einbrecher trugen aus irgendeinem bescheuerten Grund Waffen, und Lit überraschte sie in der Seitenstraße, als sie mit ihrer Beute aus der Hintertür kamen. Neunzehn Dollar, überwiegend in Ein-Dollar-Scheinen, aus der Kasse. Und eine große braune Papiertüte mit Dingen, die sie beim Hinausgehen eingesackt hatten. Eine dicke Rolle mit tausend Daisy BBs für ein Luftgewehr, ein Klappmesser mit gebogener Klinge und einem Griff aus falschem Bein, eine rot-weiße Tube mit Royal-Crown-Pomade und einen Schlüsselanhänger in Form einer rosaroten Hasenklaue. Insgesamt ein Wert von vielleicht dreiundzwanzig Dollar und ein paar Zerquetschten. Eigentlich keine große Sache. Bei einem milden Richter wären sie mit einer Geldstrafe davongekommen. Doch als Lit seine Taschenlampe auf sie richtete und sie davon in Kenntnis setzte, dass sie verhaftet waren, machte einer der Einbrecher den Fehler, seine Waffe zu ziehen. Lit war zu Fuß unterwegs nach Hause und außer Dienst. Er hatte die Taschenlampe und sonst nichts. Allerdings war die Taschenlampe länger als Lits Unterarm vom Ellbogen bis zu den Fingerspitzen, und im Schaft aus schwarzem Metall steckten schwere D-Batterien. Als Lit fertig war, mussten alle drei Männer ins Krankenhaus, und der Mann, der die Pistole gezogen hatte, wäre fast gestorben. Von diesem fatalen Augenblick an war er nicht mehr ganz richtig im Kopf. Auch heute noch saß er an den meisten Tagen auf der Bank vor dem Billardsalon, ein bedächtiger, einfältiger Kerl mit einer tiefen rosa Delle in der Stirn, der jedem zulächelte, ein Freund der Menschheit. Nach diesem Vorfall machte das Gerücht die Runde, Lit sei im Zweiten Weltkrieg ein Ranger gewesen, was hieß, dass er einen auf zehn verschiedene Arten mit bloßen Händen umbringen konnte, ohne ins Schwitzen zu kommen.

»Scheiße«, sagte Bud, als die Geschichte zu Ende war. »Scheiße, Scheiße, Scheiße.«

Einer der Erzähler, der ein Lächeln zu unterdrücken versuchte, sagte zu Bud: »Weißt du, was ich glaube?«

»Was?«

»Lit muss dich ins Herz geschlossen haben.«

Ein schlechter Schachzug gleich am Anfang, dachte Bud, die Aufmerksamkeit der Polizei auf sich zu ziehen. Aber man soll nicht zurückblicken. Man macht Fehler und dann scheiß drauf. Man hält sich nicht damit auf, man macht weiter.

Und tatsächlich, als es Nacht wurde und die Männer aufhörten zu schießen und noch mehr Bier tranken und über alles Mögliche redeten, erfuhr er etwas Nützliches. Sie beschwerten sich, dass es schwierig und teuer war, sich Bier und anständigen Whiskey zu beschaffen, da sie in einem trockenen Bezirk lebten, der in jeder Himmelsrichtung von endlosen Wäldern und in weitem Umkreis von noch mehr trockenen Bezirken umgeben war. Man musste entweder stundenlang mit dem Auto fahren, um die Außenwelt zu erreichen, oder dem einzigen Schwarzhändler horrende Summen zahlen. Bud brauchte ungefähr drei Sekunden, um eine vielversprechende Situation zu erkennen. Und dann einen Tag, um das Roadhouse zu finden und festzustellen, dass dort Alkohol ausgeschenkt wurde, während die Polizei beide Augen zudrückte. Und nur einen weiteren Tag, um den Namen des Schwarzhändlers zu erfahren und ihm einen freundlichen Besuch abzustatten.

Der alte Jones war ein glatzköpfiger alter Mann, der die ersten Erfahrungen mit der Schnapsbrennerei gegen Ende des letzten Jahrhunderts gesammelt hatte. Er trug eine gebügelte Latzhose, ein gestärktes weißes Hemd und ein schwarzes Jackett. Die untere Hälfte Farmer, die obere Geschäftsmann. Er saß im Schaukelstuhl auf seiner Veranda und betrachtete das Panorama jenseits des Tals. Bot an, eventuell eine Wassermelone aufzuschneiden, sollte Bud eine Scheibe haben wollen.

Sie aßen die Melone, ließen den Saft zwischen ihren gespreizten Beinen auf die porösen Verandabretter tropfen, wo er zwischen ihren Füßen versickerte. Jones wurde gesprächig und erzählte von den frühen Tagen des Schnapsbrennens, dem Kupferkessel und der Kupferspule. Wie er dem Fiskus jahrzehntelang entging und nicht einen einzigen Tag saß. Wie er auch jetzt noch jeden Herbst fast zweihundert Liter brannte, wenn die Abende frisch wurden und er und seine weißhaarigen Freunde genug von ihren Frauen hatten und zwei Wochen hoch oben in den Bergen kampierten, ihre Coonhounds laufen ließen und immer dieselben Lügengeschichten aus ihrer Jugend zum Besten gaben. Wie sie spätabends zufrieden Flaschen mit frisch gebranntem

Maiswhiskey in den Feuerschein hielten und sich gegenseitig für die Feinheit des Tropfens lobten. Jetzt brachte nur noch der Schmuggel Geld. Erstklassigen Stoff zu beschaffen. Es war keine Kunst mehr, nur noch Kommerz.

Als Bud es satthatte, sich diese Folklore anzuhören, und zum Geschäftlichen kam, ging er die Sache ziemlich aggressiv an. Die Zeiten hätten sich geändert, war sein Hauptargument. Weniger Bockmist, mehr Profit. Die neue Welt sei gefährlich, und Bud verkörpere sie. Letztlich bedrängte er den alten Schwarzhändler mit einer Kombination aus relativ deutlichen Drohungen und dem Versprechen einer Provision an einem ausgedehnten Alkoholimperium, das Bud nach klaren modernen Maßgaben führen würde, sich aufs Altenteil zurückzuziehen. Lange Rede, kurzer Sinn, der ehemalige Schmuggler könnte in seinem Schaukelstuhl auf der Veranda sitzen und nichts tun, außer einen monatlichen Scheck kassieren.

»Herr im Himmel«, sagte Jones. »Weißt du nicht mal, dass in diesem Geschäft bar bezahlt wird?«

Bud ging mit einem hemdtaschengroßen Adressbuch aus braunem Leder. Darin eine lange Liste von Daueraufträgen, die bis in die Unendlichkeit reichten, von allen in der Stadt, die hochprozentigen Alkohol wollten, ohne einen ganzen Tag dafür fahren zu müssen. Zwei 0,75-Flaschen Smirnoff alle zwei Wochen. Eine Flasche Johnnie Walker Red und zwei Flaschen Bacardi jeden Monat. Drei Flaschen Popov jede Woche. Eine Seite nach der anderen. Jede Bestellung war mit einem Namen und einer Nummer versehen, wenn man 7 und 14-G für Telefonnummern hielt, was Bud zunächst nicht tat. Und so war es eine angenehme Überraschung, als sich auf seine Anrufe hin tatsächlich Schnapskunden meldeten.

Gegen Ende der zweiten Woche in der Stadt hatte Bud vier lange Fahrten mit dem Pick-up hinter sich und staunte, wie schnell man Freunde fand, wenn man der Alkohollieferant war. Erstaunlich auch, wie einträglich er freischaffend arbeiten konnte, kaum dass er in die Stadt gekommen war und sich gefragt hatte, wie lange er die schmierigen Scheine von den Tankstellenüberfällen in seinem Geldbeutel strecken konnte, wenn er frugal lebte, was nicht seinem Lebensstil entsprach. Doch innerhalb von Tagen hatte er ein Einkommen.

Jones' kleines braunes Büchlein hatte diesen neuen Beruf ermöglicht, deswegen fuhr er eines Nachmittags vorbei und gab dem Alten, der sich verglichen mit den meisten anderen als unterhaltsames kleines Arschloch erwies, ein paar Zwanziger als ersten, natürlich unzureichenden Anteil. Er saß mit ihm auf der Veranda, trank seinen Selbstgebrannten, zur Hälfte mit Limonade verlängert, und Jones erzählte jede Klatschgeschichte aus dem Ort, die er kannte. Das war immer ein sympathischer Charakterzug, aber jetzt ganz besonders, wo Bud alles über zwei neu aufgetauchte Kinder wissen wollte.

Als Bud am Gehen war, bereits die Verandastufen hinuntergesprungen und unterwegs zum Wagen war, sagte der alte Mann: »Hast du dich schon mal gefragt, warum es hier in der Gegend nur einen einzigen Schwarzhändler gibt?«

Bud sagte: »Nein.«

Der alte Jones sagte: »Wenn du vor zwanzig Jahren zu mir gekommen wärst und gesagt hättest, was du letztes Mal gesagt hast, hättest du dich um Mitternacht auf dem Grund des Sees wiedergefunden.«

Das regelmäßige Einkommen weckte in Bud den Wunsch nach einem Mercury, ausgerüstet mit allen nicht serienmäßigen Dingen, die ein Auto haben konnte, was Vergaser, Nockenwelle, Getriebe und Radkappen anbelangte. Einen Hurst-Gangschalthebel mit einem Knauf wie eine Achter-Billardkugel. Die Sorte Wagen, bei der die Tachonadel über die Höchstgeschwindigkeitsmarke hinausging, ohne dass er zu keuchen anfing.

Aber dann fuhr er mit einer Frau, die er im Roadhouse kennengelernt hatte, eines Abends ins Autokino und sah *Die letzte Fahrt nach Memphis*. Der Film erwies sich als so lehrreich, dass Bud ihre grapschende Hand von seiner Hose schob, um die Lektion nicht zu versäumen. Robert Mitchum fuhr einen frisierten Wagen, und der Film ließ keinen Zweifel daran, wie man mit so einem Auto endete. Tot. Ruhmreich, aber tot. Tatsache war, dass heiße Autos Ärger bedeuteten. Statt der Polizei in einem nervenzerfetzenden Rennen über gewundene Bergstraßen davonzufahren, war es besser, von vornherein nicht flüchten zu müssen, weil man nicht auffiel und die Polizei nicht auf einen achtete.

Am nächsten Tag ließ Bud jedoch das Autoradio und die Tankanzeige richten. Er kaufte eine braune Plane, um die Ladefläche abzudecken, und ein Dutzend Heuballen, um sie als Tarnung auf seine Ladung zu streuen. Damit hatte es sich, was Investitionen in sein neues Geschäft anlangte.

Er wollte das Gefühl haben, etwas erreicht zu haben, doch er beging den Fehler, seine Gedanken in die Zukunft zu richten. Er rechnete nach und stellte fest, dass er mit dem Alkoholschmuggel wesentlich besser verdiente als mit dem Schmieren von Güterwagenkupplungen, aber auch wenn er so lange arbeitete wie der ehemalige Schmuggler, würde er nicht verdienen, was Lily ihm weggenommen hatte. Und er würde immer mit dem Gefühl leben, den Lauf einer Pistole am Kopf zu haben, die dreckigen Finger der zwei schwachsinnigen Kinder am Abzug.

8

»STELLT EUCH VOR«, sagte Luce. »Hier fährt eine Lokomotive durch, die Flachwagen mit gerade geschlagenen Baumstämmen zieht. Erst riecht ihr schmutzigen Kohlenrauch und Schlacke. Dann, wenn die Wagen vorbeikommen, eben gefällte Eichen und Pappeln und Ahorn, frisch und sauber. Die Erde bebt, und die großen Räder rattern über die Schienen, und die Schwellen ächzen unter dem Gewicht.«

Die Kinder hörten nicht zu, sondern standen mit gesenktem Kopf da und betrachteten den fächerförmigen Zweig einer Hemlocktanne. Langsam wichen sie zurück, als wäre der Zweig gefährlich, ein Bär oder eine Schlange.

»Was ist los?«, fragte Luce.

Dolores und Frank wandten sich ab und gingen weiter, das eingesunkene Bett einer aufgegebenen Schmalspur-Holzverladebahn vom Beginn des Jahrhunderts entlang, das auch jetzt noch taugte für den täglichen Ausflug durch die Wälder und über die Wiesen, den die Kinder so sehr brauchten wie ein Paar nervöser Jagdhunde. Das leitete ihre Energie wie Elektrizität in den Boden ab und beruhigte sie.

Luce gab die Hoffnung nicht auf, dass Sprache auf die Kinder abfärben würde, wenn sie nur oft genug über die verlassenen Orte aus der Vergangenheit erzählte, die sie in ihren Tagen der Freiheit entdeckt hatte. Und sie schienen gern zu wandern, folgten Bächen und Flüssen über lange Entfernungen, wateten darin, als wären es Wege. Nass bis zu den Knien hüpften sie über bemooste Steine, die im Wasser unter ihrem Gewicht wegzurutschen drohten, und ruderten wie verrückt mit den Armen, um das Gleichgewicht nicht zu verlieren. Und wenn sie nicht gerade das taten, musste sie sie den gewundenen Pfad entlang dirigieren, um sie davon abzuhalten, einfach immer geradeaus weiterzumarschieren, gleichgültig, welche Hindernisse sich ihnen im Gelände entgegenstellten, so als würden sie von einer Schnur einen Weg entlanggezogen, den höchstens ein Wünschelrutengänger finden konnte, der mit seinen gabelförmigen Ruten nach unterirdischen Wasseradern und anderen Ausstrahlungen unbekannter Kräfte suchte.

An diesem Tag hielt Luce als Nächstes an einem magischen Ort im Fluss, wo bei Niedrigwasser ein Stück flussabwärts noch das V eines Fischwehrs der Cherokee zu sehen war. Sie war überzeugt, an dieser Stelle immer einen Fisch fangen zu können. Was sie demonstrierte, indem sie einen biegsamen Buchenzweig abschnitt, Schnur und Haken aus der Tasche nahm und einen Steinköder, den sie zuvor an einer geheimen Stelle aus einem Bach geholt hatte. Der alte Stubblefield hatte ihr einmal, als sie gemeinsam gewandert waren, die Stelle gezeigt und dabei getan, als gäbe er ihr die Kombination für einen Safe voller Geld, und gesagt, dass nur drei Menschen die Stelle kannten, und zwei von ihnen seien schon tot. Sie holte eine Regenbogenforelle aus dem Wasser und zeigte sie den Kindern, auf die sie keinen besonderen Eindruck machte, obwohl sie sich im Sonnenschein schillernd wand. Sie entfernte den Haken aus ihrer Lippe und ließ sie zurückgleiten in die Geschichte, aus der sie gekommen war.

Später, nachdem sie sich einen Pass hinaufgemüht hatten, über den kaum mehr jemand ging, zeigte sie ihnen einen Steinhaufen und erklärte, dass er entstanden war, weil die Leute am Ende des Aufstiegs immer einen Stein daraufgelegt hatten. Er war kniehoch und hatte einen Durchmesser von fast zwei Metern. Luce erzählte den Kindern, wenn man in dem Haufen graben würde, würde sich möglicherweise herausstellen, dass der erste Stein aus der fernen Zeit stammte, als die behaarten Höhlenmenschen noch Felle trugen und riesige Füße hatten.

Dann, auf einem Pfad, den Luce schon mindestens ein Dutzend Mal gegangen war, fiel ihr etwas Neues auf. Eine stämmige alte Eiche, die von jüngeren Bäumen fast verdeckt wurde. Die untersten eineinhalb Meter des Stammes waren hohl, und die Krone war so gut wie abgestorben. Was Luce zunächst für einen niederen Ast gehalten hatte, viel dicker als ihr Oberkörper, verlief parallel zum Boden und bildete dann einen unnatürlichen rechten Winkel nach oben. Ein vernarbter Knubbel bildete die Ecke des L.

Luce ging zu dem Baum, hob einen Arm und legte die Hand auf den Knubbel. Ihr wurde klar, dass der seltsame Ast eigentlich der deformierte Stamm war und es sich um einen Wegweiserbaum handelte. Vor zwei- oder dreihundert Jahren, in einer anderen Welt, hatte jemand den Schößling niedergebogen, ihn parallel zum Boden gezogen, im Winkel angeschnitten und mit Gerten oder Bändern an einen in die Erde getriebenen Pflock gebunden, damit er für alle Zeit so wuchs. Nachdem der Schnitt geheilt war, wuchs die Narbe, so wie die Nase eines alten Mannes, und wichtig war, wohin die Nasenspitze zeigte. *Geh dorthin*, lautete die Botschaft, die seit langer Zeit niemand mehr erhalten hatte.

»Wohin zeigt sie?«, fragte Luce die Kinder. Vielleicht zu einer Quelle oder einem überhängenden Felsen, der einen guten Schutz bietet und wo wir vielleicht einen alten Kreis aus Steinen für eine Feuerstelle finden, Zeichen einer vergessenen Sprache oder Felszeichnungen von Tieren. Vielleicht zu einer Höhle mit einem Schatz, den man vor den

Spaniern versteckt hat, als die Konquistadoren auf der Suche nach Gold waren.

Die Kinder standen teilnahmslos da, offenkundig desinteressiert. Luce sagte, sie sei bereit, dem Vorschlag des Baums zu folgen, wenn keiner von ihnen einen besseren habe. Sie streckte den rechten Arm aus, sodass ihr Zeigefinger in die Richtung deutete, in die der Baum wies.

Die Kinder marschierten voran zwischen Laubbäumen, Lorbeerbüschen und Bronzeblatt, das nach feuchten menschlichen Körpern roch. Luce ging hinter ihnen und hielt Ausschau, doch sie sah nichts, was es wert gewesen wäre, einen Baum zu verstümmeln. Sie durchquerten einen Bach und stiegen auf eine Anhöhe – trockenes Gelände, bewachsen mit Hickory, Robinien und ein paar Kiefern. Lichter Wald.

Dann hinunter in eine feuchte Mulde, umstanden von dichten alten Hemlocktannen. Die Äste der riesigen Bäume überlappten einander, dämpften das Licht. Luce roch den beißenden Geruch der Nadeln und nasse Fäulnis. Das Licht war gefiltert und grün, und ihre Schritte waren kaum zu hören auf den toten Nadeln, die seit einer Million Jahren hier vermoderten. Sie wichen großen, umgestürzten Stämmen aus, aus deren Moder junge Tannen, Moos und Farne wuchsen, gingen hügelabwärts, bis sich das Gelände zu einer Lichtung abflachte. Nicht wirklich eine Lichtung, sondern eine leere Stelle in der Welt. Am Rand eines Abgrunds blieben sie stehen.

Seit sie sich erinnern konnte, schon auf den unbeschwerten Streifzügen ihrer Kindheit, war Luce davon überzeugt, sie würde unweigerlich auf geheimnisvolle, spirituelle oder rituelle Orte stoßen, wenn sie nur weit genug in den Wald vordrang. Aber noch nie hatte sie einen Ort wie diesen gefunden, und sie hatte nicht damit gerechnet, dass sie solche

Angst haben würde. Es war ein vollkommenes rundes Loch in der Erde. Ein tiefer Zylinder, gefüllt mit regloser Luft, umgeben von dunklen Felsen. Der Durchmesser nicht viel größer, als man einen Softball werfen konnte. Tief unten eine schwarze Flüssigkeit, so glatt wie ein Spiegel. Das Loch war von Hemlocktannen mit dunklen, massiven Stämmen umstanden. Die Kinder gingen vor zum Rand und schauten hinunter, und Luce bekam Angst und fasste nach ihnen, erwartete, dass sie zusammenzucken würden, doch das taten sie nicht. Aber sie ließen es zu, dass sie ihre kleinen, feuchten schmutzigen Hände hielt.

Sie umrundete mit ihnen das Loch und suchte nach einem etwas eingesunkenen Pfad in einem Korridor jüngerer Bäume. Wenn der Ort einst ein Steinbruch gewesen war, mussten dann nicht irgendwo Überreste einer alten Straße oder von Gleisen zu sehen sein, auf denen die Steine weggeschafft wurden? Irgendwelche Splitter und Bruchstücke auf dem Boden? Aber Luce konnte kein Anzeichen dafür entdecken, dass der Boden irgendwann bearbeitet worden war, sah nirgends eine Lücke im Kreis der Baumstämme, die so mächtig waren, dass viele davon existiert haben mussten, bevor die Weißen in das Land einfielen. Die Felswände rings um das Loch wiesen weder halbrunde Bohrstellen auf noch graue Zacken von Sprengungen, so scharf wie gespaltener Flint. Nichts als unberührter glatter Stein, in Nischen und Ritzen mit Flechten und ein paar Farnen bewachsen.

Luce ließ Dolores' Hand los, hob einen Stein auf, so groß wie eine Grapefruit, warf ihn hoch in die Luft und nahm dann wieder die Hand des Kindes. Der Stein beschrieb einen Bogen und fiel und fiel und fiel und tauchte dann lautlos in die Oberfläche der schwarzen Flüssigkeit, als wäre dort unten dickflüssiges Motoröl. Sie vermutete, dass der Stein langsam und in totaler Dunkelheit eine Ewigkeit lang durch die zähe Brühe sinken würde. Leute, die Brunnen oder Löcher für Plumpsklos oder Gräber aushoben und ungefähr knietief geschaufelt hatten, scherzten gern, dass sie bis nach China graben würden. Doch wie tief auch immer das Loch war, Luce meinte, dass China längst nicht weit genug entfernt war, dass es nicht der Ort sein konnte, wo es endete.

Ihr wurde klar, dass sie seit einiger Zeit nichts mehr gesagt hatte, und so dachte sie sich etwas aus. Etwas über junge Krieger, die hier als Mutprobe allein eine Nacht verbringen mussten. Oder dass vielleicht Zeremonien mit großen Feuern und Trommeln und Tänzen stattgefunden hatten. Darauf wies der Baum die Leute hin. Sie sagte nicht, dass die Botschaft des Baums mit Sicherheit lautete: *Geh nicht dorthin.* Und dass das Zeichen für *nicht* im Lauf der Zeit verlorengegangen war.

Als Luce diesen Abend im Bett lag und leise WLAC hörte, was nicht viel half, konnte sie nicht einschlafen, weil sie ständig an das schwarze Loch denken musste. Sie fragte sich nicht eine Sekunde lang, was für Kreaturen dort unten lebten. Ein einziger Blick, und sie hatte gewusst, dass dort nichts lebte. Leben wäre nur im Weg. Das schwarze Loch existierte vor dem Leben und jenseits davon. Wenn man eine Kelle von diesem Wasser schöpfte und es trank, hätte man so düstere Visionen, dass man nicht mehr in der Welt leben wollte, die sie enthielt. Man wäre bereit, sich in die andere Dunkelheit zu flüchten, für die der Tod steht, der nur ein entfernter Verwandter des schwarzen Lochs und der darin enthaltenen Flüssigkeit ist. Eine Dunkelheit aus der Zeit vor der Schöpfung. Eine Erinnerung an die Zeit vor dem Licht. Bevor es diese Wälder gab, diese Berge, die Erde und sogar die Sonne, gab es ein schwarzes Loch, gefüllt mit schwarzem Wasser. Das Schwarz hatte nichts zu tun mit der grünen Welt, die es umgab. Und was war die grüne Welt wert, wenn es das Schwarz gab und schon immer gegeben hatte?

Das war eine Frage, die Luce nicht sofort beantworten konnte. Aber sie wusste, dass das schwarze Loch eine unheimliche Anziehung ausübte. Man stellte sich ihm entgegen, oder man ging unter. Wenn die Kinder den Weg dorthin allein wiederfanden, würden sie sich hineinstürzen und wie Steine tief in die Dunkelheit fallen. Es war genau die Art Ort, die sie suchten, und Luce war auferlegt worden, sie vom Rand des Felsens und vom Spiegel des schwarzen Wassers dort unten fernzuhalten. Daran war nicht zu rütteln.

In dem Zwischenreich zwischen Schlaf und Wachen, bei Sinnen, aber träumend, wanderten Luce' Gedanken, und alles mögliche schlimme Zeug, das sie definitiv und für immer hatte hinter sich lassen wollen, tauchte an die Oberfläche und erwachte in ihrem Kopf zu neuem Leben.

Wenn man in der Stadt zum Telefon griff, um jemanden anzurufen, meldete sich eine Frauenstimme und sagte: Die Nummer, bitte? Der Besitzer der Telefongesellschaft konnte mit einer gemurmelten Formel und Wasser aus einem alten Baumstumpf Warzen besprechen. Außerdem gehörte ihm der einzige Tennisplatz im Umkreis von fünfzig Meilen, ein Rechteck aus rotem Lehm, von Unkraut bewachsen und mit einem rostenden, durchhängenden Maschendrahtzaun umgeben, den er in den goldenen zwanziger Jahren angelegt hatte, als er selbst auch zwanzig gewesen war. Die Telefongesellschaft hatte nicht einmal ein Dutzend Angestellte. Wollte man die monatliche Telefonrechnung bezahlen, ging man durch die dunklen Flure im Obergeschoss eines Gebäudes, das zu Zeiten des Ersten Weltkriegs ein Hotel gewesen war, jetzt aber praktisch leer stand. Das geölte Stabparkett knarzte. Nachts waren drei Viertel der Milchglaslampen ausgeschaltet, nur hinter einer Tür brannte Licht. In diesem Raum nahm ein Rattennest farbiger Kabel, silberfarbener Buchsen und silberfarbener Stecker mit runden Griffen aus schwarzem Bakelit eine ganze Wand ein. Jedem Telefonanschluss um den See, im Tal und auf den Hügeln entsprach eine Buchse, insgesamt waren es etwas weniger als siebenhundert. Wenn 7 mit 30W sprechen wollte, musste die Verbindung hergestellt werden, indem der richtige Stecker in die korrekte Buchse gesteckt wurde.

Tagsüber und abends taten zwei Telefonistinnen Dienst, während der Friedhofsschicht eine. Die meisten sahen aus wie die abgebrühten jungen Frauen in schwarzweißen Kriminalfilmen. In einer Ecke des Zimmers stand, was eigentlich unzulässig war, ein durchhängendes Feldbett mit einer Patchworkdecke, auf dem das Mädchen von der Nachtschicht schlafen konnte. Die Friedhofsschicht war einfach, wenn einem die Arbeitszeit nichts ausmachte. Nach zehn Uhr telefonierte so gut wie niemand mehr, aber man konnte nie wissen. Man durfte nicht fest schlafen. Dubiose Telefonate mitten in der Nacht. Notfälle, geheime Verabredungen oder Drohungen mussten übermittelt werden. Ein trauriges einsames Mädchen schlief mit einem offenen Auge um drei Uhr morgens in Erwartung eines traurigen Anrufs.

Ein paar Jahre nach der Highschool war Luce eine Weile lang das Friedhofsmädchen. Sie wohnte in einem Zimmer über dem Drugstore neben dem Kino, und auf dem Weg zur Arbeit sah sie die verwegenen Kinogänger aus der Spätvorstellung unter den nackten blendenden Glühlampen der Markise auf die Straße herauskommen. Die drei Ampeln auf der Main Street blinkten gelb. Sonntags und mittwochs, freitags und samstags, wenn das Programm wechselte, entfernte ein Junge, an den sich Luce vage aus der Schule erinnerte, mit einer langen Stange mit einem Zangenkopf am Ende die roten Buchstaben des nicht mehr aktuellen Filmtitels und brachte die des Films an, der am nächsten Tag lief. Und freute sich, wenn er zwei, drei Buchstaben des alten Titels für den neuen übernehmen konnte, wie Frauen beim Abwasch sich über unbenutztes Besteck freuen und halleluja rufen. Wenn Luce auf die Straße trat, standen die Nachteulen herum, gähnten, schauten auf die Uhr und dachten ans Bett, und der Junge, der die Filmtitel anbrachte, sah ihr nach, wie sie die zwei Blocks zur Arbeit ging. Wahrscheinlich war es für ihn der Höhepunkt des Abends.

Luce machte die Nachtschicht nichts aus. Sie hatte eine Menge Freiheit. Normalerweise konnte sie nach Mitternacht zwei, drei Stunden schlafen, und um acht kehrte sie in ihr Zimmer zurück und schlief noch ein paar Stunden, und dann konnte sie den Nachmittag und den Abend verbringen, wie sie wollte. Zum Beispiel in der tollen kleinen Carnegie-Bibliothek mit der steilen Treppe und der zweiflügeligen Tür, den hohen Fenstern und Decken und den vollen Regalen. Die kleine strenge Bibliothekarin trug stets Schwarz und linste durch ihre Brille kritisch auf die Auswahl der Bücher, um zu sehen, ob es sich lohnte, sie zu lesen, oder man eine dumme, zwielichtige Person war, weil man sie mit nach Hause nehmen wollte. Damals las Luce vor allem Reisebücher, und eine Zeitlang konnte sie nicht entscheiden, ob *Kon-Tiki* oder *Um die Erde auf dem Zweirad* das beste Buch war, das je geschrieben worden war.

Trotz der Missbilligung der Bibliothekarin las Luce zahlreiche Western wie *Wanderer of the Wasteland* und hatte vor, sich eines Tages in einen Bus zu setzen und loszufahren. Erstaunlicherweise führte die eine Straße, die durch die Stadt verlief, überallhin, wo man hinwollte. Aus dem Studium der Atlanten in der Bibliothek schloss sie, dass Hinton, Oklahoma, der richtige Ort für sie wäre, obwohl diese Ansicht sich auf nichts anderes gründete als auf die Art und Weise, wie sich leere Flächen um den Punkt auf der Landkarte gruppierten im Vergleich mit anderen Punkten und dem Straßennetz, das sich über den ganzen Kontinent erstreckte.

Dann ging Luce eines Tages ihre Stromrechnung bezahlen und sah eine regierungsamtliche topografische Karte ihrer unmittelbaren Umgebung an einer Wand hängen. Es war so etwas wie eine Offenbarung. Sie musste sie eine Zeitlang studieren, um sich in dem Viereck zurechtzufinden. Die Stadt war ein kleiner roter Fleck am Rand einer schmalen blauen Scheibe, die sich inmitten überwältigender Berglandschaften in unterschiedlichen Schattierungen von Grün befand. Dünne schwarze wellige Linien zeigten an, wie steil und komplex geschachtelt die Gebirgszüge waren. Unterhalb des Damms breitete sich das Tal aus, und das flache Ackerland war ein hellgrüner Keil. Ein blauer Fluss wand sich in der Mitte das Tal hinunter und floss von der Karte und über den Rand der Welt in leeren Raum.

Luce fand, die Stadt sehe aus wie eine winzige Insel in einem unermesslichen Meer. Die Karte an der Wand, die ihre gesamte Welt beschrieb, wirkte wie ein Kunstwerk, und nicht wie irgendetwas Informatives. Luce verstand sie als Erklärung dafür, warum sie nie weggegangen war, eine der großen Fragen, die sie während ihrer Zeit als Telefonistin beschäftigten.

Luce' Vergewaltiger war ein relativ junger, verheirateter Mann. Mr. Stewart. Luce kannte ihn gut. Er war einer ihrer Lehrer aus der Highschool. Damals war er gerade mit dem College fertig gewesen. Luce fand ihn wie die meisten Mädchen süß und irgendwie lustig. Mr. Stewart unterrichtete Chemie, nicht Luce' bestes Fach, und sie gab sich mit einer bequemen Zwei zufrieden.

Für Luce gab es keinen Zweifel, was passiert war. Er kam schrecklich spät, um seine Rechnung zu bezahlen. Und es war deutlich zu sehen, dass er befremdliche Erwartungen hegte. Er rauchte nervös und hektisch. Flirtete ein bisschen, erklärte, dass sie jetzt viel hübscher sei als damals in der Schule, und doch sei sie mit siebzehn auch schon hübsch gewesen. Wäre Mr. Stewart nicht verheiratet gewesen, wäre Luce vielleicht mit ihm ausgegangen. Er war nur sechs Jahre älter als sie. Nichts Weltbewegendes. Ins Kino oder an einem Freitagabend zu einem Footballspiel. Aber Mr. Stewart war vergeben, und damit hatte es sich.

Er zog ein letztes Mal heftig an seiner Zigarette und ließ sie auf den Boden fallen. Plötzlich griff er nach ihr, packte sie. Dann stieß er sie durch den Raum zu dem schmalen Feldbett, zerrte an ihren Kleidern und grapschte. Als Nächstes hielt er sie an den Handgelenken fest und legte sich auf sie drauf. Sie erinnerte sich deutlich, dass sie *Aufhören* geschrien hatte. Sie schrie *Nein*. Wieder und wieder. Vielleicht brüllte sie sogar, aber wer hätte sie hören sollen? Und sie versuchte, ihn wegzustoßen, aber er ließ nicht locker. Sie drehte das Gesicht zur Seite, damit er sie nicht küssen konnte. Sie weigerte sich zu weinen, bis er fertig war.

So abrupt fing es an, und so abrupt endete es. Er hatte sich nicht ausgezogen, stand also nur auf, zog den Reißverschluss zu, entschuldigte sich und ging. Sein Scheck für die monatliche Telefonrechnung lag auf dem Tisch. Drei Dollar und sechzehn Cent. Außerdem ein goldenes Medaillon mit dem heiligen Christophorus an einer goldenen Kette.

Komisch. Kurz nachdem Mr. Stewart gegangen war, schlug der Klöppel der Glocke an und meldete einen Anruf. Luce stand vom Feldbett auf und zog ihren Rock herunter. Sie konnte nicht denken. Ihr Geist hatte sich von ihrem Körper gelöst, und ihr Körper hatte sich von der Welt gelöst. Die Zigarettenkippe auf dem Holzboden qualmte noch, und sie trat sie mit der Schuhspitze auf dem Weg zur Schalttafel aus. Sie setzte den Kopfhörer auf, stöpselte den Stecker ein und sagte: Die Nummer, bitte?

Erst nach Mitternacht begriff sie. Sie saß auf einem Stuhl auf einem feuchten Fleck und machte ihren Job, nur weil eine Glocke klingelte. Luce stand auf, nahm den Kopfhörer ab und ging, ohne die Tür hinter sich zu schließen. Ohne das Mädchen, das für sie eingesprungen wäre, zu verständigen. Luce dachte nicht viel in diesem Moment außer: Eine Nacht lang kann niemand telefonieren, na und?

Und normalerweise hätte sie recht gehabt. Nur dass in dieser Nacht die Schule abbrannte, und plötzlich mussten die Leute unbedingt telefonieren. Die Schalttafel blinkte wie verrückt. Die meisten wollten um drei Uhr morgens zwar nur sinnlos plaudern, weil Sirenen heulten und der Himmel von den Flammen gelb erleuchtet war. Aber ein Anruf war tatsächlich ein dringender Notruf in die nächste größere Stadt mit der Bitte, einen Feuerwehrwagen mit Leiter und Feuerwehrleute zu schicken. Die Schule brannte zu einem Haufen versengter Ziegel herunter, die geölten Dielen, die Wandverschalung, die Balken und Querträger wurden zu Asche und Holzkohle. Der Haufen qualmte wochenlang.

Luce' Name wurde selbstverständlich durch den Dreck

gezogen, ungeachtet der Tatsache, ob der Feuerwehrwagen und die Männer noch rechtzeitig eingetroffen wären, um das Schlimmste zu verhindern, oder nicht. In einer Kleinstadt scheuen die Menschen keine Mühe, um ihre eigenen Leute zu schonen, aber es gibt eine klare Linie, die man nicht überschreiten darf, und Luce fand sich weit jenseits davon wieder. Sie hätte genauso gut die Telefonzentrale mit den schwarzen Steckern und silberfarbenen Buchsen verlassen und mit einem Benzinkanister und einem Streichholzbriefchen die Schule anzünden können, statt die leeren Straßen entlang zu ihrem Zimmer zu gehen und in dem schmuddeligen Bad zu duschen, das außer von ihr von einer Kellnerin aus dem Diner und einer Verkäuferin aus dem Drugstore benutzt wurde. Dann zu versuchen zu schlafen und sich zu fragen, was sie wegen Mr. Stewart unternehmen sollte. Schließlich bei eingeschaltetem Radio so fest zu schlafen, dass sie nicht einmal die Sirenen hörte.

Luce kehrte nie zur Arbeit zurück. Zwei Tage lang versuchte sie sich einzureden, dass sie vielleicht anders reagiert hätte, wenn Mr. Stewart ein Fremder und nicht ihr Lehrer gewesen wäre. Vielleicht hatte sie sich in dem Augenblick des Schocks nicht heftig genug gewehrt. Aber wie sehr sie sich auch bemühte, diesen Augenblick so zu deuten, dass sie sich selbst die Schuld geben konnte und nicht versuchen müsste, Mr. Stewart dafür zahlen zu lassen, sie kehrte doch fortwährend zur Wahrheit zurück.

Und sie konnte nicht umhin, immer wieder Dinge vor sich zu sehen, die sie nie vergessen würde. Wie er ihr den Hals leckte und sie ins Ohr biss. Wie sie, als er gegangen war, ihr Ohrläppchen berührte und auf den Blutstropfen auf ihrem Finger schaute, der im matten Licht schwarz war. Und dass damals in der Schule, wenn er gestikulierte, um etwas zu betonen, die Haut von Mr. Stewarts Fingern kreidigweiß und schuppig war von den Chemikalien, mit denen er den ganzen Tag Experimente machte. Und sie dachte daran, dass es von nun an eine Tatsache war, dass diese Finger in ihr gewesen waren.

Sie ging zum Büro des Sheriffs. Setzte sich auf den Stuhl gegenüber von Lits metallenem Schreibtisch, erzählte ihre Geschichte und blickte ihm dabei unverwandt in die Augen.

Lit versuchte, sich ein bisschen väterlich zu geben, aber Luce ging nicht darauf ein. Sie sagte: »Wir laufen uns auf der Main Street über den Weg und reden kaum miteinander. Letzte Woche habe ich dich vor der Post gesehen, und wir haben uns zugenickt, als wären wir Bekannte. Wir haben uns nie nahegestanden, nicht bevor Lola wegging und auch nicht danach. Belassen wir es dabei, und kommen wir zur Sache.«

Lit sagte: »Na gut, wenn du es so willst, dann muss ich dir sagen, dass du es mit dieser Anklage schwer haben wirst. Du behauptest das eine, und er wird was anderes behaupten.«

»Natürlich wird er das.«

»Du weißt es vielleicht nicht, aber das letzte Mädchen, das die Friedhofsschicht gemacht hat, nur für ein paar Monate, war so was wie eine Amateur-Nutte. Meistens, wenn sie die Miete zahlen musste.«

»Na und?«

»Das ist nicht gerade hilfreich.«

Lit beschrieb, wie es lief: »Irgendein Mann hört was im Billardsalon oder beim Friseur oder in der Tankstelle und geht spätabends seine Telefonrechnung zahlen. Klopft an die Tür und geht rein. Sagt was Nettes, wie, ich hab an dich gedacht. Zahlt die Rechnung und lässt ein Geschenk da. Ein

Schmuckstück oder irgendwas anderes, was leicht zu versetzen ist. Sie hat kein Geld genommen, nur Geschenke. Eine Viertelstunde später geht er wieder raus auf die Straße wie Adam, als er aus dem Paradies geschmissen wurde.«

»Na und?«, sagte Luce.

»Ich rede von Erwartungen. Vielleicht gab's da irgendein Missverständnis«, sagte Lit.

»Das Missverständnis besteht vermutlich darin, dass er mich für eine Nutte gehalten hat wie das letzte Mädchen von der Nachtschicht. Aber ich verstehe nicht, was das an der Sache ändert.«

»Er wird schwer zu überführen sein. Einer behauptet das, und der andere behauptet was anderes. Es wäre hilfreich, wenn es das erste Mal gewesen wäre.«

»Das erste Mal, dass ich vergewaltigt werde?«, sagte Luce.

»Das habe ich nicht gemeint.«

»Ich weiß, was du gemeint hast.«

»Ich denke an die Geschworenen. Das kann viel ausmachen, vor allem wenn der Verteidiger die Sache richtig lebhaft darstellt.«

»Großer Gott.«

»Ich sage ja nur, dass es ein schwieriger Fall ist.«

»Das ist es doch immer, außer der Täter gesteht von vornherein. Sitzt in diesem Staat jemand wegen Vergewaltigung im Gefängnis?«

»Weiße?«

»Ja.«

»Verdammt wenige«, sagte Lit.

»Vielleicht einer oder zwei?«

»Du hast gesagt, kommen wir zur Sache, aber das ist noch nicht alles. Ich will nur sagen, dass es nicht leicht werden wird für dich, wenn die Sache vor Gericht geht. Ein kleiner Scheißkerl von Verteidiger kann dir in zwei Stunden Dinge antun, die du dein Leben lang nicht mehr loswirst. Die Leute haben alle möglichen verrückten Vorstellungen, und Tatsachen zählen nicht viel. Stewart gilt was in der Stadt. Er trägt ein Jackett und eine Krawatte bei der Arbeit, und du bist eine Nachteule, wohnst in einem Zimmer mit einem Bad auf dem Flur.«

Auf dem Weg zur Tür hinaus sagte Luce: »Fahr zur Hölle.«

Eine Woche später, an ihrem ersten Abend als Hausmeisterin der Lodge, saß Luce nach einem Abendessen, bestehend aus Weißbrot und Käse, auf der Veranda. Farbe blätterte in trockenen Schuppen vom Geländer der Treppe und von den Pfosten, das nackte Holz war verwittert und ausgebleicht, die Maserung uneben. Die Schaukelstühle waren ebenso verwittert und skeletthaft, hatten durchhängende Sitzflächen aus Kraftpapier, zu einem komplizierten Muster geflochten von jemandem, der wahrscheinlich längst tot war. Sie hätte gern gegrillten Käse gegessen, aber es war zu mühselig, nur für ein Sandwich ein Feuer im Herd zu machen.

Es wurde langsam dunkel und kühl. Luce wickelte sich eine Decke um die Schultern und goss bernsteinfarbenen Whiskey aus einer gewichtigen Flasche in ein kleines Kristallglas mit Stiel. Der alte Stubblefield hatte gesagt, sie könnte alles nehmen, was sie fand, und am Nachmittag hatte sie diese Flasche gefunden, als sie in jedem Zimmer, jedem Schrank, jeder Ecke und unter jedem Bett gesucht hatte. Stundenlang. Sie wollte nicht ins Bett gehen und sich verborgene Orte vorstellen und sich aufregen. Im Keller, in einer Ecke, in der ausrangierte Esszimmerstühle mit Sitzflächen aus Rohrgeflecht durcheinander standen, hatte sie

Stapel hölzerner Kisten mit verstaubten Scotchflaschen und französischem Rotwein gefunden.

Luce schaukelte und blickte über das Wasser auf die Stadt und empfand die Entfernung als gerade richtig. Je nachdem, wie man maß: eine Meile oder eine Stunde. Sie nippte an dem Scotch, der wesentlich älter war als sie, der Geschmack der vergangenen Zeit in Einklang mit der Natur, in der die Pappeln schon halb kahl und lange Gräser vom ersten Frost verbrannt waren. Ein Vogel rief, und die Sonne stand niedrig. Bänder lavendelfarbener und schiefergrauer Wolken zogen an einem metallischen Himmel vorbei, es hatte trockenes Laub auf die Veranda geweht. Anzeichen des fortgeschrittenen Herbstes. Der Planet trieb wieder einmal dem Winter entgegen.

An diesem ersten Abend und an vielen der nächsten tausend Abende saß Luce da und betrachtete jede Phase des Sonnenuntergangs. Venus und die Mondsichel und einen anderen Planeten, die nacheinander durch einen indigoblauen Himmel fielen und in immergleichem Abstand denselben geschwungenen Weg bis zu einer gezackten Linie schwarzer Berge nahmen. Ferne Straßenlampen gingen in der Stadt an, winzig und gelb, und wurden vom stillen Wasser in Streifen reflektiert. Lange nach Einbruch der Dunkelheit glaubte Luce, sie hätte beobachtet, wie die Jahreszeiten einstürzten, eine in die Asche der anderen. Im Osten zogen wieder einmal die Konstellationen winterlicher Sterne auf. Orion jagte die Sieben Schwestern, alte Erinnerungen an eine aufgegebene Ordnung wie ein tiefes, unauslöschliches Muster in der Erde. Ein Indianerpfad, ein langer Weg. Sie ging widerstrebend ins Haus und hatte das Gefühl, dass ihr vieles versagt war.

9

IM SCHUMMRIGEN BRAUNEN Licht kramte ein alter Mann
in einer hölzernen Kiste auf der Suche nach einer glänzenden Sechskantmutter für seine rostige Schraube. Zwei Jungen in Keds und Wranglers studierten die Größenanga-
ben auf rot-weißen Schachteln mit Fahrradschläuchen, um
ihre platten Reifen zu reparieren und ihre Freiheit zurück-
zuerlangen. Der Raum hinter dem schmalen Schaufenster
war vollgestopft mit Nägeln, Dübeln, Klammern, Rasen-
mähern, Schrotflinten und Gewehren, einer Glasvitrine mit
Taschenmessern, rindsledernen Hundehalsbändern, Spalt-
sägen, Stichsägen, Bogensägen und langen Fuchsschwän-
zen, die an Haken hoch oben an der Wand hingen und fast
bis zum Boden reichten. Zudem zwei Meter lange Wasser-
waagen aus Holz, in denen silberne Blasen in einer geheimnisvollen grünen Flüssigkeit schwammen. Ahlen, Hobel,
Dechsel und Meißel in vielen Größen. Wunderbare Schrau-
benschlüssel mit verstellbarer Maulweite und spiralförmi-
gen Gewinden, die sich endlos vor und zurück drehen und
alle möglichen Schrauben anziehen und lockern konnten.
Brutale, mörderische Rohrzangen, über einen halben Meter
lang und mit Kiefern voller spitzer Zähne. Vorschlaghäm-
mer und Doppeläxte. Es roch nach Eisen und Öl, darunter
ein muffiger Männergeruch, der Bud unangenehm ans Gefängnis erinnerte.

Er war nicht hier, um eine kleine Tüte mit Stiftnägeln
oder einen Kugelhammer zu kaufen. Er war gekommen, um
sich ein Alibi zu verschaffen. Er wählte eine billige Angel-
rute, eine Spule und den größten und grellsten Blinker, aus

rein schauspielerischen Gründen. Dann fiel sein Blick auf ein Filetiermesser. Er nahm es wegen der dünnen, eleganten Klinge.

An der Kasse rief Bud: Was, drei beschissene Dollar für dieses beschissene Angelzeug?

Köpfe wandten sich um.

Er wollte mit einem Hunderter zahlen, auf den der Kassierer nicht herausgeben konnte. Er meckerte noch ein bisschen herum, holte schließlich eine Handvoll Ein-Dollar-Scheine heraus und ging hinaus zu seinem Wagen, überzeugt, dass sich alle im Laden daran erinnern würden, wie er sich für einen Angelausflug ausgestattet hatte.

Dann die ausgedehnte malerische Fahrt um den See. Denn nachdem er sich lange in Geduld und Diskretion geübt hatte, hatte er endlich die Andeutung einer Klatschgeschichte aufgeschnappt über zwei Kinder, die seit kurzem bei einer Frau, die Lilys Schwester sein musste, in einer alten Lodge lebten. Einem Haus mit einem Namen aus Cherokee-Zeiten.

Es war ein Tag Ende August. Die Sonne stand schon verhältnismäßig tief, und das Licht war so klar, dass die Menschen sagten: Jetzt ist es fast schon Herbst. Bud warf seit einer halben Stunde seine Plastikangel aus, ließ den großen Köder auf dem Wasser aufklatschen, das zwei Schattierungen blauer war als der Himmel, und blickte über die Schulter auf das rindenverschalte Gebäude mit dem Dach aus Holzschindeln. Sah aus wie ein Haufen toter Bäume, die sich entschlossen hatten, sich zu einem Haus zusammenzufügen.

Niemand da. Nun war der Plan einfach. Mit der Angel in der Hand an die Tür klopfen. Lilys Schwester konnte ihn nicht kennen. Wenn sie öffnete, wollte er sie fragen, ob sie etwas dagegen hätte, dass er unterhalb der Lodge im See angelte. Oder besser noch, sie nach dem richtigen Köder fragen. Gehen Barsche eher auf Würmer oder Brotkügelchen? Irgendeine bescheuerte Geschichte. Egal was für eine. Einfach drauflosquatschen und wieder Leine ziehen. Wichtig war, auf Schatzsuche zu gehen, wenn niemand zu Hause war.

Zweimal höflich mit den Fingerknöcheln geklopft. Die Angel in der Hand, grinste Bud durch das Fliegengitter. Die untere Hälfte beulte sich nach außen, weil Kinder dagegen gedrückt hatten, wenn sie die Tür aufstießen. Draußen war es hell, drinnen war es dunkel. Bud hielt das Gesicht nahe an die Tür, zog an einer Lucky Strike. Rauch umwölkte sein Gesicht und drang durch das Fliegengitter ins Innere. Er klopfte noch einmal. Nichts.

Bud griff nach dem Knauf und rüttelte an der Tür. Haken in der Öse. Kein Problem. Die dünne elastische Klinge seines neuen Filetiermessers passte locker in den breiten Spalt zwischen Tür und Rahmen. Er hob den Haken an und öffnete die Tür so weit, dass er den Kopf durchstecken konnte, begleitet vom Rauch.

Mit der Zigarette im Mund sagte er: Hallo?

Immer noch nichts. Er trat ein und wartete, horchte auf jedes noch so leise Geräusch. Er hörte nichts außer der Stille eines leeren Hauses.

Er schlich durch die Halle, und sofort war ihm klar, dass die Lodge sehr groß sein musste. Und das war nur das Erdgeschoss. Hier zwei Zentimeter dicke Bündel Hunderter finden zu wollen, war wie die Suche nach der Nadel im Heuhaufen. Und was für ein bizarres Haus es war. Wie ein Museum, das niemand besuchen wollte. Offenbar schliefen alle in der Halle. Einzelbetten, die ihn an die Feldbetten im Gefängnis erinnerten, mit verblichenen Patchworkdecken darauf, gruppiert um einen monumentalen steinernen Kamin.

Bud sperrte die Ohren auf und spähte ständig aus dem Fenster, während er an den offensichtlichen Stellen suchte. Unter einer dünnen Waschpulverschicht in der Ivory-Schachtel und zwischen den Haferflocken in der runden Quaker-Dose, hinter dem Herd und im antiken Kühlschrank mit dem Spulenaufsatz darauf. In der Hoffnung, frisches Bargeld zu riechen, schnüffelte er an den Warmluftklappen und atmete nur Asche und Mehltau ein. Er klopfte den Kamin nach losen Steinen ab und steckte die Hand in den Rauchabzug, um auf dem Mauerabsatz nach Geldbündeln zu tasten.

Bud schaute nach den persönlichen Dingen und fand eine Kommode voller Sachen, die der Schwester gehören mussten. Langweilige Alltagsklamotten. Und eine enttäuschende Schublade mit Unterwäsche. Nichts, was die Bezeichnung *Lingerie* verdient hätte. In der untersten Schublade, sorgfältig gefaltet und eingemottet, ein rot-schwarzes Cheerleader-Kostüm aus einer Zeit, als die Faltenröcke noch fast bis zu den Knöcheln reichten. Doch was man alles zu sehen bekam, wenn die Mädchen herumwirbelten.

Er zog die schwindelerregende Möglichkeit in Betracht, dass sein Geld aufgeteilt und an einem Dutzend Plätzen versteckt war. Wo zum Beispiel? In einem dicken Buch, in dem in der Mitte mit einem Rasiermesser ein Loch in Geldscheingröße aus den Seiten geschnitten war. Bud blätterte im Webster's. Nichts. Fest zusammengerollt und einer Babypuppe in den Bauch gesteckt? Er überprüfte die wenigen Habseligkeiten der Kinder, doch offenbar waren die beiden nicht zu Kindern geworden, die mit Babypuppen spielten. Wo also war sein gottverdammtes Geld? Er konnte sich beim besten Willen nicht vorstellen, dass Lily schlau und gerissen gewesen war.

Bud geisterte überall herum, kundschaftete das Terrain aus. Passte auf, dass nichts durcheinandergeriet, Unsichtbarkeit war von großem Vorteil, zumindest vorläufig. Doch mit der Zeit wurde er kribbelig. Schließlich hielt er es nicht mehr aus. Auf der Veranda fand er einen roten Kanister mit Kerosin. Er nahm die kostbare Cheerleader-Uniform aus der Schublade und ging damit zur Feuerstelle. Darauf bedacht, nicht zu übertreiben, tröpfelte er gerade so viel Kerosin darauf, als würde er pinkeln, und trug den Kanister dann zurück. Ein Streichholz, und die Uniform brannte lichterloh. Nach einer Weile trat Bud das Feuer aus, achtete aber darauf, dass ein paar rot-schwarze Fetzen zu sehen waren, eine perfekte, unheimliche Visitenkarte. Die Leute taten alle möglichen interessanten Dinge, wenn sie Angst bekamen.

10

»WIE VIELE MORGEN?«, fragte Stubblefield.

Nachdem er sich die bedrückende Aufzählung seiner Schulden angehört hatte – der Strommast in Mississippi war nichts dagegen –, war es die einzige Frage, auf die er sich eine positive Antwort vorstellen konnte.

»In toto?«, fragte der Anwalt.

»Ja. Ein großer Haufen toto.«

Der Anwalt, ein glatzköpfiger Kumpel seines Großvaters, schaute Stubblefield an, als hätte sich eine düstere Vorahnung bestätigt. Er suchte seine vielen Papiere zusammen und häufte sie zu neuen Stapeln auf der grünen Schreibunterlage, die nahezu den gesamten Schreibtisch bedeckte. Er trug einen zerknitterten blau-weiß gestreiften Seersuckeranzug. Eine schmale marineblaue Strickkrawatte mit geradem Ende, die mit einer goldenen Spange mit dem Zahnrad der Rotarier darauf an sein bügelfreies Hemd gesteckt war. Sein Gesicht war schlaff, faltig und braun gefleckt, doch auf seinem Kopf spannte sich die Haut glatt und glänzend und reflektierte den sich langsam drehenden Deckenventilator. Stubblefield starrte gebannt auf die Ventilatorblätter, die auf dem braungebrannten Schädel kreisten, als wären sie ein sichtbarer Audruck seiner Gedanken. Oder die Beanie-Mütze eines kleinen Jungen mit kreisendem Propeller.

Der Anwalt leckte an seinem Daumen und blätterte die Stapel durch. Er schraubte die Kappe von einem Schildpattfüller ab und machte sich auf einem gelben Block Notizen, Spalten mit Zahlen in einer Handschrift, wie man sie kaum mehr sah. Große Schleifen und Kringel flossen in blauer Tinte aus der goldenen Feder. Er war penibel wie ein Pfennigfuchser. Bruchzahlen bis zu Zweiunddreißigsteln.

Wohingegen Stubblefield sich immer an ganze Zahlen hielt, aufrundete und das Beste hoffte. Fünfzehn, dachte Stubblefield. Oder sechzehn. So in der Richtung. Es war nur eine grobe Schätzung, aber die Wiesen am Fluss waren ziemlich groß.

Das Hin und Her mit den Zahlen dauerte so lange, dass Stubblefield um eine Zeitschrift bat, woraufhin ihn der Anwalt mit einem weiteren düsteren Blick bedachte.

Doch schließlich sagte er: »Genau fünfzehnhundertsechsundfünfzig und sieben Achtel.« Er streckte die Hände aus, die Handflächen nach unten, und spreizte sie dann langsam. Die Andeutung einer Geste. Eine Spielerbewegung, die bedeuten sollte, dass die Sache keinen Haken hatte. In den Tagen von Mark Twain hatten Falschspieler auf Flussdampfern die Hände so ausgebreitet, vermutete Stubblefield.

»Eine Menge gutes Schwemmland«, sagte der Anwalt. »Dann das Grundstück am See und die Farm. Allerdings ziemlich weitab vom Schuss und nur neununddreißig und ein Viertel Morgen. Schade um das Haus und die Einrichtung.

»War bestimmt nicht versichert«, sagte Stubblefield.

»Nein. Leider nicht. Ich sehe es gar nicht gern, wenn die historischen Gebäude verschwinden. Unsere kollektive Vergangenheit, so dürftig sie auch ist. Alte Leitungen, oder ein Blitz hat es erwischt. Was Sie tun müssen, ist, das Land aufteilen und Ferienhäuser drauf bauen. Das nennt man Fortschritt.«

»Ich habe immer geglaubt, Fortschritt heißt, dass es besser wird«, sagte Stubblefield.

Der Anwalt machte mit der rechten Hand eine nervöse Bewegung vor seinem Gesicht, als wollte er Mücken verscheuchen, und sagte: »Dann ist da noch die Lodge und das Roadhouse. Aber Sie dürfen nicht vergessen, dass die Steuern am dringendsten sind.«

»Sechzehnhundert Morgen sind nicht nichts.«

»Nein. Das hat auch niemand behauptet. Und weil sie nicht nichts sind, hat der Bezirk die Schulden auch länger als üblich gestundet.«

Vielleicht zog Stubblefield unmerklich eine Augenbraue hoch oder einen Mundwinkel nach unten. Ein winziges Zucken, das man als Selbstgefälligkeit hinsichtlich seines neuen Besitzes auslegen konnte.

Der Anwalt hielt inne und hob einen knotigen Zeigefinger, um anzudeuten, dass er nachdachte. Dann sagte er: »Meine letzte Aussage bedarf genauerer Ausführung. Sie könnte ansonsten fehlinterpretiert werden hinsichtlich der Art und Weise, wie die Dinge hier gehandhabt werden. Die Steuern wurden gestundet, weil eine Menge Leute hier Ihren Großvater mochten. Ihn sehr mochten. Wenn er nur einen Morgen besessen hätte, hätten wir uns auch nicht anders verhalten. Aber jetzt ist er tot, und Sie sind derjenige, dessen Name auf diesen Urkunden steht. Keiner kennt Sie. Keiner fühlt sich für Sie verantwortlich. Die Leute im Bezirksamt arbeiten daran, sich so viel wie möglich unter den Nagel zu reißen. Vielleicht kriegen sie sogar alles. Deswegen sage ich, wir müssen etwas verkaufen, um die Steuern zu bezahlen. Bald. In den nächsten drei oder vier Monaten. Das Roadhouse könnte genügend bringen, und wir wären besser dran, wenn wir es los wären. Es ist eine Schweinerei, und früher oder später wird die Sache auffliegen.«

»Es ist das Einzige, was Geld bringt.«

»Die Lodge zu verkaufen brächte bei weitem nicht genug, um die Steuern zu zahlen. Aber wir könnten dadurch Zeit gewinnen. Fahren Sie hin. Ihr Großvater hat eine einsiedlerische alleinstehende Frau, die er sehr mochte, dort als Hausmeisterin einziehen lassen. Aber das Haus ist in schlechtem Zustand. Sie kann auch nicht mehr tun als mich anrufen, wenn irgendwas zusammenbricht, und ich schicke dann jemand zu ihr. Zahle ihn in letzter Zeit aus meiner eigenen Tasche, aber darüber können wir später reden. Und schauen Sie sich auch das Roadhouse an. Dann verkaufen wir was und zahlen die Steuern. Danach setzen wir Fünf-Jahres-Ag-Pachtverträge für das große Schwemmland am Fluss auf.«

»Ag?«

»Mais, Sojabohnen, Tomaten. Kann uns egal sein, was sie anpflanzen, solange die Schecks reinkommen. Wenn das so läuft, wie ich glaube, werden in zwei, drei Jahren unsere Tomaten in dem Ketchup auf unseren Hotdogs sein.«

»Sie tun Ketchup auf Ihre Hotdogs?«

»Ich dachte eigentlich an Sie. Ich habe die letzten fünf Jahre versucht, Ihren Großvater dazu zu bringen, das Land zu verpachten, aber er war zu alt, um sich noch um sein Land zu kümmern. Er hat es brachliegen lassen. Banks-Kiefern wachsen dort. Verdammte sechs Meter hohe chinesische Himmelsbäume. Jedes Mal, wenn ich in das Tal runterfahre, beleidigt der Anblick meinen Sinn für Unternehmertum. Wie auch immer, es gehört jetzt alles Ihnen. Entscheiden Sie sich. Es gibt nur diese zwei Möglichkeiten.«

»Was wird mich das kosten?«

»Vielleicht hätte ich mich klarer ausdrücken sollen«, sagte der Anwalt. »Sie werden Geld verdienen.«

»Ich spreche von Ihrem Anteil.«

»Es ist Ihr Land, aber Sie wissen nicht, was Sie damit anfangen sollen. Vielleicht bin ich ein Schwachkopf, wenn ich nicht fifty-fifty sage. Ich kriege fünfundzwanzig, und beleidigen Sie mich nicht, indem Sie mir mit fünfzehn kommen.«

»Was tun Sie dafür?«, fragte Stubblefield.

»So gut wie alles, außer dass mir das Land nicht gehört. Alle größeren Entscheidungen werden natürlich mit Ihnen besprochen.«

»Tja«, sagte Stubblefield. »Ich muss drüber nachdenken. Vielleicht verkaufe ich alles und fertig. Und ziehe weiter.«

»Wenn Sie schnell verkaufen wollen, werden Sie wenig dafür kriegen.«

»Das versteht sich von selbst.«

Stubblefield stand auf und war schon an der Tür, als der Anwalt sagte: »Sie erinnern sich nicht an mich, stimmt's?«

Stubblefield wandte sich um und musterte ihn, aber es klickte nicht.

Der Anwalt sagte: »Es ist lange her. Beim Angeln im Boot Ihres Großvaters. Sie waren noch ein rotznäsiges Kind. Die Barsche bissen an, und wir wollten im Boot essen, Wiener Würstchen, Cracker, RC-Cola, und dann weiter angeln. Aber Sie haben das Zeug nicht angerührt und ein Theater gemacht. Und erst wieder Ruhe gegeben, als Ihr Großvater an Land gerudert ist und aus dem Café Hotdogs und Pommes und so weiter geholt hat. Und als wir wieder auf dem Wasser waren, waren die Fische weg. Und jetzt, wenn ich Sie so sehe, als Erwachsenen, habe ich eine schlichte Frage. Was ist letztlich der Unterschied zwischen einem verdammten Hotdog und einem Wiener Würstchen?«

Stubblefield sann über sein jüngeres Selbst nach. »Wie bitte?«, sagte er.

Sich nach Jahren der Abwesenheit erneut mit der Landschaft vertraut machen. So rechtfertigte Stubblefield, dass er etliche Nachmittage damit verbrachte, herumzufahren, nachzudenken und sich jedes Mal zu wundern, wenn seine Gedanken weiter als bis zum nächsten Tag in die Zukunft schweiften. Die beiden Häuser anzuschauen musste warten. Der Sommer lag schwer auf der Landschaft, jede Schlucht und jeder Gebirgskamm beanspruchte für ein paar Wochen seine eigene besondere grüne Welt, bevor der erste Frost alles verbrannte.

Im September war hier nichts los, aber Stubblefield versuchte, sich von dieser Art Denken nicht anstecken zu lassen. Nichts, viel. Es bedeutete immerhin, dass er seine Wohnung über der dazugehörigen Garage in der Stadt zu einem günstigen Preis hatte mieten können. Zu dieser Jahreszeit war er noch nie hier gewesen. Früher hatte er Ende August zurückmüssen, weil die Schule wieder anfing, und die Woche vor dem Labor Day am 1. September wurde zu einer eigenen kleinen düsteren Jahreszeit, wie einhundert Sonntagabende zusammengenommen. Jetzt vermutete Stubblefield, dass der September zu seinem Lieblingsmonat werden könnte, wenn er lange genug herumfuhr und aufmerksam schaute.

Das steil ansteigende Land war noch immer schön und manchmal auch heute noch schwierig zu befahren, und er gewann das Gefühl zurück, dass das Leben bereichert werden konnte, indem er ein paar Gallonen billiges Benzin als Opfergabe an die Berge verbrannte. Es war eine spirituelle Transaktion wie bei den Sioux das Tabakrauchen oder bei seinen eigenen Vorfahren die tief verwurzelte Vorstellung, dass bestimmte Landschaften, Pflanzen, Tiere und das Wetter sich selbst genügten und nicht mit größeren Abstraktionen außerhalb ihrer selbst in Zusammenhang gebracht werden müssten.

Eine seiner Lieblingsrouten verlief am Fluss entlang die dunkle Schlucht hinunter, in die nur mittags die Sonne schien, die Windungen der Straße schienen einem Abfluss irgendwo weiter vorn entgegenzuwirbeln. Und später dann die aufregende Fahrt mit quietschenden Reifen über die Serpentinen den Jorre Gap hinauf zu dem klaren, transparenten Licht der Höhe, wo dunkle Balsamtannen wuchsen. An einem Nachmittag fuhr er die unbefestigte Straße ganz hinauf zum Feuerwachturm auf dem Juala Bald. Als Junge hatte er den Eindruck gehabt, dass dort oben legendäre indianische Dinge unter Beteiligung von fliegenden Riesenechsen und Ungeheuern mit lanzenartigen Klauen vor sich gingen. Jetzt fuhren heimliche Liebespaare die kurvenreiche Straße zu einem Rendezvous um Mitternacht hinauf, zumindest hatte er es so beim Friseur gehört. Aber die Müßiggänger dort erzählten, dass Liebespaare sich an allen möglichen Orten trafen. Am See, in der Schlucht, am Fluss. Die verschachtelte Berglandschaft mit ihren vielen versteckten Winkeln bot unendliche Möglichkeiten für heimliche Liebe. In Stubblefields Leben gab es freilich nichts dergleichen, außer dass er immer wieder eine seiner verkratzten Platten, *Kind of Blue*, hörte und melancholisch dabei wurde. Die Liebe oder zumindest das Aufrechterhalten der Liebe war nicht sein größtes Talent. Sein größtes Talent musste sich erst noch herausstellen, außer man zählte unausgeschöpftes Potenzial dazu.

Er bestieg die im Freien um den Turm herumführende Eisentreppe und klopfte an die Tür zu dem winzigen Raum ganz oben. Der verschlafen aussehende Ranger schien nicht gerade glücklich über den Besuch, aber er öffnete. Stubblefield stockte der Atem. Fenster in alle Himmelsrichtungen mit schwindelerregenden Ausblicken auf grüne Täler Hunderte Meter weiter unten, blaue Berge, die sich hintereinander erstreckten, bis sie mit dem Himmel verschmolzen.

Der Ranger, der kaum älter war als Stubblefield, verhielt sich überhaupt nicht, als ob er einsam gewesen wäre und sich unterhalten wollte, sondern als ob er während eines geschäftigen Nachmittags gestört würde, obwohl am ganzen Horizont nicht eine einzige Rauchwolke zu sehen war. Sein Haar klebte ihm links platt am Kopf und stand rechts in fettigen Strähnen ab. Im Zimmer roch es nach schmutziger Bettwäsche, und auf dem Tisch stand eine Schüssel mit kalter Tomatensuppe, auf der sich Haut gebildet hatte. Ein riesiges schwarzes Fernglas auf einem Stativ, ein langer Schreibtisch vor einer Reihe Fenster, bedeckt mit vielen hellgrünen topografischen Rechtecken und verstreuten Notizzetteln, die dicht mit winzigen Bleistiftkritzeln beschrieben waren. Kaum sichtbar auf einem Gipfel in der Ferne ein weiterer Wachturm. Das Funkgerät knisterte, und der andere Ranger sprach davon, dass sich das Wetter ändern würde. Die leise Stimme sagte: »Wenn es eine Woche regnet, dann kommen wir vielleicht für ein paar Tage von diesen Scheißbuckeln runter.«

Stubblefield blickte hinunter auf die Stadt und den See. Er streckte den Arm aus, und seine Hand bedeckte nahezu beide. Sonst überall Berge und Schluchten und das Tal. Das satte Grün des Hochsommers verblasste bereits. Wo waren dort unten die großen zu verpachtenden Wiesen, die Lodge und das Roadhouse? Der schwarze Kreis des abgebrannten Farmhauses?

Er meinte, es wäre aufschlussreich, wenn er seine neuen Besitzungen aus der Ferne betrachten könnte, und fragte: »Darf ich kurz durch das Fernglas schauen?«

»Tut mir leid, dürfen Sie nicht. Das ist ein empfindliches Instrument.«

Der Ranger blickte auf die Uhr. Ungeduldig, als hätte er keine Zeit mehr.

»Eine wichtige Verabredung?«, fragte Stubblefield.

Der Ranger sagte: »Können Sie vielleicht jetzt wieder gehen?«

Bei diesen spätsommerlichen Autofahrten hatte Stubblefield eine Weile den Eindruck, dass er in ein Abenteuer geraten war. Oben auf dem Jorre Gap stand einsam ein längliches Blockhaus, ein Touristenladen, der laut einem handgemalten Schild neben der Straße Folkloreprodukte verkaufte. Honig aus der Gegend, handgetöpferte Keramik, Türkränze aus Ruhrkraut, Patchworkdecken, Pfeilspitzen. Doch der Laden war geschlossen. Entweder hatte er Bankrott gemacht, oder er legte nach dem Labor Day eine Erholungspause ein und öffnete erst Anfang Oktober wieder, wenn die Flachländer wegen der Laubfärbung heraufkamen. Als er an dem Laden vorbeifuhr, bemerkte er im fahlen Licht verschwommen ein Gesicht hinter einem Fenster. Stubblefield hielt es für ein Mädchengesicht, vermutlich ein hübsches. Als er die Serpentinen vom Pass ins Tal hinunterfuhr, fragte er sich, warum er als Erstes Mann von Frau, hübsch von nicht hübsch unterschied. Wahrscheinlich weil er so verdammt einsam war und die Verknüpfungen unseres dummen Gehirns es uns so vorschreiben. Wir sind immer auf der Ausschau nach einer Gelegenheit, unser trauriges kleines Päckchen Hoffnung auf eine Zukunft zu richten, die uns nicht mehr gehören wird.

Stubblefield gab bald alle anderen schönen Strecken auf und fuhr jeden Tag über den Pass. Er sah das Mädchen jedes

Mal, außer das Licht war zu matt oder zu hell. Als Nächstes winkte er, wenn er vorbeifuhr, und meinte, eine Reaktion zu erkennen. Er bildete sich ein, dass die Frau irgendwie aufgeregt wirkte. Nicht, dass sie herumfuchtelte oder so, aber sie wirkte unglücklich und verzweifelt.

Stubblefield begann eine Geschichte zu konstruieren. Die schöne, aber emotional gestörte junge Frau wurde tagsüber in dem Blockhaus eingesperrt, während ihre Familie den alltäglichen Erfordernissen des Lebens nachkam, irgendwelchen Jobs und dem ganzen Mist, den Stubblefield bislang meist gemieden hatte. Aber sie war nicht ernstlich krank, litt nur unter einer romantischen manisch-depressiven Störung, die sich durch Stubblefields Auftauchen vielleicht beheben ließe. Er stellte sich vor, dass sich ihre Vernachlässigung und Verwirrung wie in einem Film durch eine gelöste Haarsträhne, einen schmutzigen Fingerabdruck auf der ansonsten vollkommenen blassen Wange ausdrückten. Wahrscheinlich saß sie den ganzen Tag in einem Schaukelstuhl und starrte deprimiert hinaus auf die kaum befahrene Bergstraße. Sie freute sich vermutlich, dass er jeden Tag vorbeifuhr, und winkte und wartete darauf. Er stellte sich vor, dass sie nur das Radio zur Gesellschaft hatte, eingestellt auf den einzigen Sender, den sie empfangen konnte, den Lokalsender, bis die Sonne unterging und die Welt bis zu ihr hineinreichte. Morgens die *Totenhalle des Äthers*, wo die Namen der Verstorbenen und der überlebenden Anverwandten verkündet wurden bei getragener Orgelmusik, die den Tod klingen ließ wie etwas mit großen schwerfälligen Füßen. Nachmittags *Ruf an und verkauf's*, wo zögerliche Anrufer Käufer für gebrauchte Matratzen und Essnischen und verlassene Welpen suchten. Dazwischen nichts als Countrysongs über leidenschaftliche Liebe, erkaltete Liebe und andauernde Sehnsucht, die jede Möglichkeit der Erfüllung überlebte.

Stubblefield könnte das arme Mädchen von all dem erretten. Er würde sie mit in sein Cottage nehmen, so nannte er jetzt die Wohnung über der Garage. Sie konnte den Fleck auf ihrer Wange in seiner Badewanne wegwaschen, während er im Wohnzimmer saß, Kaffee trank und *Kind of Blue* hörte, das ihr exotisch erschiene. Dann käme sie, gerötet vom heißen Wasser, aus dem Bad. Er wäre ruhig und gelassen und würde ein schlichtes Essen kochen, das sie in der Abenddämmerung draußen unter dem Walnussbaum essen würden.

Kurz und gut, es ging darum, dass jemand sich um sie kümmern sollte. Aber Stubblefield wollte sich nicht zu sehr in lokale Angelegenheiten einmischen. Hier in dieser Gegend konnte man auf diese Weise leicht das Opfer einer Schrotflinte werden.

Doch eines Nachmittags raffte sich Stubblefield auf und fuhr zum Büro des Sheriffs. Am Empfang sagte er, dass er sich Sorgen um die Sicherheit einer Person mache, und er wurde zu Lit geschickt, zweites Zimmer den Flur entlang. Der Deputy saß an einem Schreibtisch aus Metall, und als er aufstand, um ihm die Hand zu geben, ragte Stubblefield dreißig Zentimeter über ihm auf und musste sich ein wenig vorneigen, um seine Hand ergreifen zu können. Lits dunkles, nach hinten gekämmtes Haar glänzte vor Brylcreme, die Spuren des Kamms so gerade wie Reihen mit Sojabohnen. Kein Schmuck, nicht einmal eine Armbanduhr. Seine verblichene Chinouniform war gestärkt und präzise gebügelt, die Nähte an Taschen, Hosenschlitz, Manschetten und Kragen schimmerten silbrig, weil jemand zu heftig auf das Bügeleisen gedrückt hatte. Stubblefield versuchte, sich an den

Namen eines kleinen, dünnen, geschmeidigen Säugetiers zu erinnern, das sich durch die Ritzen eines Hühnerstalls quetschen und alle Hühner reißen konnte. Es war nicht Nerz, aber so etwas Ähnliches.

Lit bedeutete Stubblefield, sich auf den Stuhl auf der anderen Seite des leeren Schreibtischs zu setzen, und hörte sich ausdruckslos die detaillierte Geschichte an.

»Wo genau ist das Blockhaus?«, fragte er, nachdem Stubblefield geendet hatte.

Stubblefield nannte die Nummern der Straßen und der Abzweigungen, schätzte so exakt wie möglich die Entfernungen von größeren Orientierungspunkten und Kreuzungen.

»Wir wissen schon seit einiger Zeit von der Situation«, sagte Lit und nickte. »Aber wir können nichts unternehmen, solange kein Delikt vorliegt.«

»Jemand muss etwas tun, um ihr zu helfen.«

»Ich glaube, es wäre hilfreich«, sagte Lit, »wenn Sie nach dem Mädchen schauen würden. Als Privatperson sind Sie in Ihrer Handlungsfähigkeit nicht so eingeschränkt wie ich. Mir sind die Hände gebunden, wenn Sie verstehen.«

»Ja, ich verstehe«, sagte Stubblefield.

»Berichten Sie, wenn Sie wieder da sind«, sagte Lit.

Stubblefield fuhr geradewegs zum Blockhaus. Stellte den Wagen mit den Vorderrädern auf dem grasbewachsenen Rand der Straße ab. Die Nachmittagssonne brach Risse in die Wolkendecke und warf ein gelb gleißendes Licht auf die Fensterscheibe, sodass man das arme Mädchen gar nicht sah. Stubblefield betrat die Veranda und klopfte an die Tür. Nichts, nicht einmal ein Rascheln. Er ging durch das hohe Gras zu ihrem Fenster, das in abgeflachte Balken gesetzt war. Er hob die Hände an die Schläfen, um besser hineinsehen zu können. Drückte die Nase gegen das Glas.

Was ihr anstarrte, war eine Attrappe, die unbekleidete obere Hälfte einer Schaufensterpuppe. Ihr strähniges dunkles Nylonhaar stand auf der einen Seite ab wie bei einer malträtierten brünetten Barbiepuppe. Ein Arm war an der Schulter abgebrochen. Dem anderen fehlte die Hand, er war jedoch nach hinten gebogen, als wollte sie etwas durch das Fenster direkt auf Stubblefields Kopf werfen. Aber was für perfekte glatte, warzenlose Brüste. Und blaue Augen, weit aufgerissen und mit Wimpern, so dick wie die Borsten einer Venusfliegenfalle.

Stubblefield fuhr zurück zum Büro des Sheriffs. Lit wartete an seinem Schreibtisch. Er hatte den Stuhl nach hinten gekippt und die Hände hinter dem Kopf verschränkt. Ausdruckslos abgesehen von einem angespannten Zittern um die zusammengepressten Lippen.

»Appalachen-Humor?«, fragte Stubblefield.

»Willkommen am See«, sagte Lit.

II

SIE SASSEN MIT nassem Hosenboden auf einem großen flachen Felsen am Ufer des Bachs und befingerten abwechselnd einen moosbewachsenen Flusskrebs. Dolores hielt
ihn sich ans Ohr, sodass sich seine Scheren wie ein Clip um
ihr Ohrläppchen schlossen, und zog ihn dann wieder ab mit
tränenden Augen. Sie reichte ihn weiter an Frank, der ihn
mit den Scheren seine Unterlippe kneifen ließ, bis er jaulte
wie ein Beagle. Dann warf er ihn zurück in den Fluss, wo der
Krebs mit dem Schwanz ausschlug und im Rückwärtsgang
flüchtete. Frank legte sich flach auf den Felsen, tauchte das
Gesicht unter Wasser, öffnete die Augen in eine grüne Welt
aus Glimmersand und Kieselsteinen. Er atmete aus, und silberne Blasen stiegen auf und kitzelten ihn im Gesicht und
am Haaransatz.

Dann lagen sie im Gras am Ufer, die Gesichter in der
Sonne, und kommunizierten auf ihre Weise miteinander
und versuchten, sich an Lily zu erinnern. Die Farbe ihres
Haars, ihrer Augen. An kühle Morgen, wenn sie in ihr Zimmer liefen und sich zitternd zu ihr ins Bett legten. Wie warm
sie war. Sie roch nach nassem Gras, abgefallenem Laub.
Hauptsächlich erinnerten sie sich nur an ihre Anwesenheit
und ihre Abwesenheit. Ein Geist, der ihnen nicht schaden
wollte, aber auch nichts Gutes tun konnte. Ein wunderschöner weißer Dunst. Die Erinnerungen waren in ihren Köpfen gestapelt wie Schachteln. Manche öffneten sie liebend
gern, wann immer sie wollten, andere blieben geschlossen
und dunkel.

Sie gingen hinüber zum Räucherhaus, in das Luce die

nicht geöffnete Kiste mit Lilys Sachen gestellt hatte. Sie rissen das Klebeband mit einem aus der Mauer gezogenen rostigen Nagel auf und setzten sich in dem nach Schweinefleisch riechenden Raum auf den schmutzigen Boden. Sie bargen Schätze. Einen Muff aus weißem Kaninchenfell, eine Schmuckschatulle aus blauem Leder, die aus mehreren Etagen kleiner, mit blauem Samt ausgeschlagener leerer Schubladen bestand, einen grünen Hut mit einem grobmaschigen schwarzen Schleier in einer Hutschachtel, eine Handtasche aus blauem Samt mit sieben identischen dünnen Armreifen aus Silber darin. Eine verklumpte Fuchsstola mit knopfäugigen Köpfen und baumelnden Schwänzen. Zwei Hartschalenbehälter wie zwei kleine Koffer. Alles roch nach Lilys Parfüm, nach Lilys Körperpuder.

Dolores hob einen dünnen Arm und streifte die Armreifen einen nach dem anderen bis über den Ellbogen, dann senkte sie den Arm, sodass sie klimpernd auf den Boden fielen. Und dann noch einmal, wieder und wieder. Frank setzte sich den Muff wie einen Hut auf, dann benutzte er den Hut als Muff. Schließlich setzte er den Hut, in dem eine goldene Hutnadel steckte, auf den Muff und zog den schwarzen Schleier über das weiße Fell. Lily aber fanden sie nirgendwo.

Sie gingen von Natur aus nicht pfleglich mit Dingen um und versuchten, Kontakt mit ihr herzustellen, indem sie ihre Dinge auseinandernahmen. Sie zerbrachen die goldfarbenen Scharniere der Schmuckschatulle aus blauem Leder und rissen die Fächer aus blauem Samt heraus. Die achteckige Hutschachtel mit dem dicken Deckel und dem doppelten Boden wurde zu einem flachen Stücke Pappe, jägergrün mit cremefarbenen Streifen. Den Hut lösten sie in seine Bestandteile auf, grüner Filz und schwarzer Satin und Schleier. Das eine weiße Köfferchen, das fast so groß wie die Hutschachtel war, erforderte einige Mühe, aber schließlich gab es viele duftende Tuben und Töpfchen und Döschen preis und am Schluss die zwei gefältelten Kreise des rosaroten Satinfutters. Das verschlossene rosa Köfferchen enthielt Haar, zwei blonde Perücken, einen ansteckbaren Pferdeschwanz und zwei Kreise aus weißem Futterstoff. Die verklumpte Fuchsstola mit den knopfäugigen Köpfen und den baumelnden Schwänzen war knifflig, aber schließlich, nachdem sie die Nähte mit dem rostigen Nagel bearbeitet hatten, wurde sie zu drei platten Tieren ohne Innenleben.

Sie setzten diese Arbeit fort, bis Teile von Lilys Leben den Boden des Räucherhauses bedeckten. Lily aber kehrte nicht zurück. Frank nahm eine große Puderquaste aus dem einen Köfferchen, hielt sie so hoch wie möglich und schüttelte sie. In der Luft bildete sich eine blasse Form und löste sich wieder auf. Sie legten die Sachen zurück in die große Kiste bis auf den Pferdeschwanz und nützliche Bündel Zunderpapier, die mit roten Banderolen zusammengehalten wurden. Frank hob den Pferdeschwanz hoch, legte den Kopf in den Nacken und fuhr sich mit den Spitzen des langen Haars leicht über das Gesicht. Dolores hielt sich ein Bündel Zunderpapier nahe ans Gesicht und ließ mit dem Daumen die trockenen brennbaren Blätter über ihre Wange flattern.

Dann kehrten sie zum Bach zurück, legten sich ans Ufer, wandten die Gesichter in die Sonne und erinnerten sich, wie Lily sie beide gleichzeitig fest in die Arme geschlossen hatte, bis ihr Bauch kribbelte und sie nicht mehr aufhören konnten zu lachen. Und wie Lily immer wieder sagte: Ich liebe euch, liebe euch, liebe euch, bis ich sterbe.

II

I

EIN SPÄTSOMMERNACHMITTAG. Die Knospen hoher Scheinastern und Goldruten am Rand der ungeteerten Straße kurz
vor dem Aufbrechen. Stubblefield fuhr einhändig, nippte
an einem Bier und versuchte zu verhindern, dass die emp-
findliche Unterseite des Hawk gegen die Steine stieß und
seine glänzende Karosserie von dem urwaldartigen Gebüsch zerkratzt wurde, das neben dem Weg wucherte. Er
hatte sich schon fast durch einen grünen Achterpack kleiner
Rolling-Rock-Flaschen gearbeitet, ein Geschenk des Typs,
der aussah wie der Countrysänger Conway Twitty, der das
Roadhouse gepachtet hatte und seine einträgliche Stellung
unbedingt behalten wollte, da sie so wichtig war für eine
gewisse halblegale gesellschaftliche Betriebsamkeit in der
Gegend.

Noch einträglicher war es, der Besitzer des Roadhouse zu
sein. Während der Besichtigung wurde Stubblefield klar, wie
hoch sein Unterhaltungspotenzial war, obwohl erst Stunden
später geöffnet wurde, weder Jukebox noch Live-Band für
Musik sorgten, die Neonlichter aus waren und die Flipper
im Hinterzimmer dunkel und still dastanden. Das Tageslicht drängte sich mutig durch die offene Tür und warf ein
vampirtötendes Trapez auf den Holzboden aus dem neunzehnten Jahrhundert; die splittrigen Dielen waren hüftbreit
und handgelenkdick, vor fast zweihundert Jahren aus Bäumen gesägt und unverwüstlich. Man konnte noch immer
die Dechselspuren bärtiger Pioniere erkennen, und der festliche schale Geruch von verschüttetem Alkohol und Tabak-
rauch war so tief in die dicken Bretter eingedrungen, dass

ein Archäologe mit scharfen Instrumenten die Holzschichten hätte abtragen und den McCallum's Scotch hätte identifizieren können, den ein Holzhändler zur Zeit der Cherokee verschüttet hatte. Man hätte gut ein Schild anbringen können: HIER GEHT ES SEIT ZWEIHUNDERT JAHREN HOCH HER. Stubblefield stellte sich vor, wie er jeden Monat einen Scheck kassieren würde, ohne weitere Pflichten seinerseits, außer *el patrón* zu sein.

Der Hawk fuhr um eine Kurve, schleifte mit der Ölpfanne beunruhigend über den hohen Streifen zwischen den beiden Spuren und hielt an. Auf die Windschutzscheibe projiziert war eine braune Holzfestung vor grünen Bergen. Unterhalb einer Wiese lag der See wie Glas, die Farbe halbwegs zwischen der des Himmels und der der Berge.

Eine Erinnerung an ländliche Etikette, wie er sie als Kind von seinem Großvater gelernt hatte, meldete sich, und Stubblefield drückte auf die Hupe aus Chrom, ein ganz kurzes freundliches Hupen, bevor er ausstieg. Auch jetzt brachte er es noch nicht über sich, den Weg entlangzugehen, die Stufen hinaufzusteigen und an die Tür zu klopfen. Er wartete vor der Veranda und rief: »Hallo?«

Jenseits des Sees türmten sich blassgraue und silberne Wolken in eindrucksvollen Formationen so hoch in den Himmel auf, dass Stubblefield nicht mehr genau unterscheiden konnte, was Himmel und was Gebirge war. So hohe Gipfel konnte es eigentlich nur noch in Tibet geben.

»He?«, sagte er.

Am anderen Ende, hinter der Reihe Schaukelstühle, tauchten zwei kleine Köpfe über dem Geländer auf. Haar wie vertrocknete Hülsen, dunkle Augen, die ihn anstarrten. Dann duckten sie sich wieder. Stubblefield ging bis zum Ende der Veranda, aber die Kinder waren verschwunden.

Wessen Kinder waren es eigentlich? Enkel der einsiedlerischen alleinstehenden Frau?

Im Hof hinter dem Haus waren sie nicht, nur eine Schar pickender Hühner und ein schlankes Mädchen. Oder vielmehr eine Frau, da sie in Stubblefields Alter zu sein schien. Sie trug eine schwarze Caprihose, eine weiße Bluse und abgewetzte schwarze Mokassins. Sie stand vor einem Hackklotz und spaltete Feuerholz mit einer Doppelaxt, deren breite Blätter aus der Eisenzeit zu stammen schienen, von Wikingern oder Kelten. Wumm, und zwei gelbe Stücke Kiefernholz spalteten sich und fielen auf einen Haufen ihresgleichen.

»Hallo«, sagte Stubblefield.

Die Frau strich sich mit dem Handgelenk das dunkle Haar aus dem Gesicht und starrte ihn an, etwa so freundlich wie die Kinder. Eine unangenehm lange Weile sagte sie nichts.

»Noch einmal, ich grüße Sie«, sagte Stubblefield.

Erst da merkte er, dass er in der rechten Hand noch eine leere Flasche Bier hielt. Er schüttelte sie, tat so, als würde sie sich nicht von seiner Hand lösen, obwohl er versuchte, sie wegzuwerfen. Spielte plötzlich er eine Red-Skelton-Rolle.

Die Frau hob die Axt und legte sich den Stiel über die Schulter.

»Kann ich helfen?«, fragte sie.

»Nein«, sagte Stubblefield. »Oder vielleicht doch.«

»Was jetzt?«

»Mein Name ist Stubblefield.«

»Er ist tot.«

»Enkel.«

»Aha.«

»Ich nehme an, Großvater hat mich erwähnt?«

»Ein-, zweimal.«

»Und er hat Sie angeheuert als was?«

Die Frau sagte nichts, schaute nur neutral geradeaus. Hätte man eine Waage an ihre Augenbrauen gehalten, wäre die Blase zwischen den Strichen geblieben.

Stubblefield blickte zu einer verschwimmenden Bergkette oder dahintreibenden Wolken oder was immer. Ein großer Vogel flog über sie hinweg. Der Schatten eines Flügels streifte ihn, aber er schaute nicht hinauf, um zu sehen, ob es ein Habicht, ein Rabe oder ein Bussard war. Stattdessen sah er zu, wie der Schatten über die Wiese flog und von dem struppigen Garten zerrissen wurde.

Als wollte er sich entschuldigen, sagte er: »Das Haus gehört jetzt mir. Und ich muss ...« Er hielt inne und wollte sagen: »Entscheidungen treffen.« Doch bevor er bekennen konnte, was für schwierige Entscheidungen es wahrscheinlich wären und was für ein Chaos sein Großvater ihm vererbt hatte, indem er einfach starb und alles ungeordnet hinterließ, trug er dem Mangel an aufwallendem Mitgefühl im Verhalten der Frau Rechnung. Die Axt, aber nicht nur die Axt. Irgendetwas war mit ihren Augen. Deswegen überarbeitete Stubblefield den Satz hastig, als würde er eine neue Zigarette an der Kippe der alten anzünden, und sagte: »Mein Erbe besichtigen.«

»Schauen Sie sich um, solange Sie wollen«, sagte sie. »Es gehört Ihnen. Und übrigens, es ist gut möglich, dass die Kinder Ihr Haus abgefackelt haben.«

Sie stellte ein weiteres Stück Kiefernholz auf den Klotz und spaltete es, parfümierte die Luft mit dem scharfen, sauberen Geruch nach Holz. Und bevor Stubblefield »Wie bitte?« betreffs des Hauses sagen konnte, überkam ihn schlagartig die Erinnerung. Irgendetwas an der Art, wie ihr

Haar fiel oder wie das Licht Wangenknochen und Kiefer betonte. Siebzehn Erinnerungen fielen aus einem nutzlosen Speicher in seinem Gehirn, der sich normalerweise nur öffnete, um Stubblefield zu informieren, wo genau er war und was er gerade tat und wie das Wetter war, als er ein Lied zum ersten Mal gehört hatte, und wenn es in seiner Kindheit gewesen war. Als er seine Mutter *When the red red robbin goes bob bob bobbing along along* singen hören hatte, während sie Fleisch durch einen Fleischwolf drehte und die Oktobersonne schräg auf den grün gefliesten Küchenboden fiel, unterteilt von den schwarzen Schatten der Fensterkreuze.

Aber es war nicht Musik, die die Erinnerung an Luce auslöste. Er sah sie vor sich, als würde er einen Acht-Millimeter-Film sehen, der von einem Bell-&-Howell-Projektor an eine weiße Wand geworfen wurde, das einzige Geräusch das leise Rattern der Zahnrolle, die in die Löcher des Filmstreifens griff, und das Rascheln des Films, der von einer Spule abgewickelt und auf die andere aufgerollt wurde.

Es ist das Ende des Sommers. Aber nicht bestimmt von einem vagen astronomischen Datum wie der Herbsttagundnachtgleiche, wenn niemand auch nur aufschaut oder das Einsetzen der Kälte spürt. Sondern vom Labor Day, dem 1. September, dem Tag, nach dem das Schwimmbad schließt und das neue Schuljahr beginnt. Was sich viel mehr danach anfühlt, als hätte etwas Unersetzbares das Zeitliche gesegnet.

Der Schauplatz ist das städtische Schwimmbad neben der eine Meile langen, grasbewachsenen Flugzeuglandepiste. Zwei Dutzend hübsche junge Mädchen stolzieren auf der Betoneinfassung um das dunkelgrüne Wasser. Ein Labor-Day-Schönheitswettbewerb, als die Mädchen noch aussehen wollten wie Marilyn Monroe oder Ava Gardner. Die Badeanzüge sind identisch abgesehen von der Farbe, vorne tief ausgeschnitten mit straffen Einsätzen als Sichtblenden. Intensive Rot-, Blau- und Grüntöne und weniger interessante Pastellfarben. Die beliebtesten Mädchen balancieren ihre kurvenreichen Figuren auf hohen Stöckelschuhen. Leuchtend rote Schmollmünder. Brüste wie zwei Kugeln Vanilleeis bis fast unters Kinn hochgeschoben und schimmernd von Sonnencreme. Das Haar aufgetürmt, mit Außenwelle, zu festen Helmen gesprayt. Wespentaillen und Hintern wie auf dem Kopf stehende Herzen.

Aus Blechmegafonen, die auf mit Teeröl imprägnierten Pfosten in allen vier Ecken des Maschendrahtzauns um das Schwimmbad angebracht sind, dröhnt falsche Latin-Samba-Cha-Cha-Cha-Saxofon-Scheiße, gespielt von heroinsüchtigen New Yorker Jazzern, die träumen, sie lebten in Rio oder in Batistas Kuba. Wie auch immer, was für Musik auch gespielt wird, und wäre es ein Marsch von Sousa, in Stubblefields Film spielen nur hübsche Mädchen mit. Sie gehen um das Schwimmbecken, jede eine Helena von Troja, und veranlassen eine Wagenladung Jungs aus der Highschool, ihre Namen auf den Wasserturm zu sprühen.

Ein alter rot-weißer Doppeldecker hebt von der grünen Graspiste in den hellblauen Himmel über den dunkelblauen Bergen ab. Vier halbwüchsige Jungen ohne Hemd, die bereit sind für die Footballsaison, rennen die Piste entlang und schauen dabei ständig auf ihre Timex-Uhren, die sie innen am Handgelenk tragen, um zu überprüfen, wie nahe sie Bannisters vier Minuten kommen. Leute aus der Stadt sammeln sich hinter dem Zaun und dem Geländer der Plattform zum Sonnenbaden und klatschen all der Schönheit Beifall, die Teil ihres Leben ist.

Nur zwei Schönheiten tragen eine Sonnenbrille. Eine von ihnen ist Luce. Grüne Gläser in einer schwarzen Katzen-augen-Fassung. Und sie ist die Einzige, die einen gefrorenen Marsriegel vom Imbissstand isst, während sie um das Becken geht. Ihre Lippen rot wie ein kandierter Apfel, und alle zwanzig Nägel in derselben Farbe lackiert. Schwarzer Badeanzug. Eine Welle in der Frisur, sodass ein Glas ihrer Brille fast verdeckt ist von dunklem Haar.

Was für ein Aufruhr gemischter Hochgefühle im jungen Stubblefield an diesem Tag nach dem Schönheitswett-bewerb. Während er den Packard seines Großvaters um den See zum Farmhaus fährt und sich das hoffnungslose, leuchtende Bild von Luce jede Minute tiefer in seinen Kopf gräbt. Und dann die gedrückte Stimmung, als seine Mutter am nächsten Tag kommt, um mit ihm nach Jacksonville zurück-zukehren, wo sein letztes Jahr an der Highschool beginnt.

Stubblefield bewahrte die Ruhe und ließ die Erinnerungen vor seinem inneren Auge ablaufen. Er schlenderte zu der Lodge hinüber und inspizierte ein Stockwerk nach dem anderen, öffnete hin und wieder eine Tür, ohne wirklich hin-zusehen, ging bis ganz hinauf zu den traurigen, stickigen Dienstbotenquartieren unter dem Dach. Unten betrachtete er die Halle, die Liegen um den Kamin und das antiquierte Radio. Kerosinlampen und ein paar elektrische Glimmer-glaslampen. Holzofen in der übergroßen Küche, eiserne Bratpfannen, so groß wie Wagenräder, und eine Taschen-lampe neben der Hintertür. Als er mit der Besichtigung fer-tig war, schwindelte ihm von dem Versuch, das Bild von Luce, wie sie jetzt aussah, gleichzeitig mit dem Bild von ihr aus der Vergangenheit im Kopf zu haben.

Als er wieder bei ihr war, murmelte er irgendetwas über

das Potenzial der Lodge und ihre Schwachstellen, er redete wie ein Geschäftsmann, benutzte die Worte des glatzköpfigen Anwalts. Vermögenswerte und Profit und so weiter. Imaginäres Geld. Er unterbrach sich und sagte: »Wenn es einen Stromausfall gibt, merken Sie es vermutlich kaum.«

»Dann fehlt mir das Radio.«

Plötzlich beschloss Stubblefield, Luce von seinen Erinnerungen zu erzählen. Nur dass es nicht wirklich ein Entschluss war. Er platzte damit heraus, bevor er sich daran hindern konnte. Etwas so Dummes wie: Mein Gott, erinnern Sie sich noch an den Schönheitswettbewerb damals, als wir in der Highschool waren?

Auf dem Rückweg schlug er immer wieder mit der Hand auf das Lenkrad und versuchte sich zu erinnern, was genau er gesagt hatte. Sein Gesicht fühlte sich so rot an wie ein Kuss mit Lippenstift. War es möglich, dass er am Schluss gesagt hatte: Sie waren damals wunderschön? Hatte er wirklich in dieser unverzeihlichen Vergangenheitsform gesprochen?

Aber an ihre Reaktion erinnerte er sich ziemlich deutlich, zumindest in der Kurzfassung. Wie peinlich, dass sie jemals so etwas Albernes getan hatte. Aber, Himmel nochmal, sie war siebzehn gewesen. In diesem Alter sind wir meistens hysterisch und leicht wahnsinnig. Alle diese chemischen Stoffe, die in unserem Blutkreislauf verrückt spielen. Und deswegen machen wir gefährliche und peinliche Sachen, als wären wir unsterblich und würden zugleich morgen sterben. Und das ist der Grund, warum wir später, in den ruhigeren Jahren, so gern daran zurückdenken. Uns an die Zeit erinnern, als wir wie griechische Götter waren. Mächtig und dumm.

Etwas in der Art. Es war ein eher unbeholfenes Gespräch.

Doch Stubblefield war sich sicher, dass Luce am Schluss gesagt hatte: Ich bin nicht mehr dieselbe Person wie dieses Mädchen. Sicher war auch, dass er sich so weit gesammelt hatte, um eine feste Überzeugung zum Ausdruck zu bringen: Wir sind, wer wir sind. Ob mit zehn oder mit achtzig. Es verändert sich nur, was wir im Spiegel sehen. Wir haben dieselben Ängste, dieselben Hoffnungen, wie ein Hamster in einem Rad.

»Das ist deprimierend«, hatte Luce gesagt. »Wie auch immer. Ich habe damals nicht gewonnen.«

»Dann haben sie sich falsch entschieden.«

»Die Sonnenbrille?«

»Vielleicht der Marsriegel.«

Nachdem Stubblefield sich zum Gehen gewandt hatte, sagte Luce entweder zu seinem Rücken oder zu sich selbst: »Es brennt also noch eine Flamme?«

Auch in diesem benommenen Augenblick war Stubblefield klar genug im Kopf, um eine sarkastische Bemerkung zu erkennen, wenn er eine hörte. Oder war es Ironie? Es war manchmal ein schmaler Grat.

Er war weitergegangen, hatte jedoch eine Hand so hoch wie möglich über den Kopf erhoben, eine horizontale Bewegung damit gemacht und gesagt: »Ja, so hoch.«

Als er um die Ecke ging, sah er die Kinder in Schaukelstühlen zu beiden Enden der Veranda sitzen; sie starrten ihn finster an und wirkten wild entschlossen wie Streikposten, die ein Tor bewachten. Stubblefield dachte: Wenn sie Musketen hätten, würden sie mich erschießen.

Später am Abend, zurück im Cottage, fiel Stubblefield ein, dass er Luce noch einmal gesehen hatte. Im Sommer nach dem Schönheitswettbewerb. Sein letzter Sommer am See. Ein Burgerladen, Treffpunkt der Teenager. Luce beugte sich über die Jukebox und studierte die Lieder. Ihr langes Haar fiel nach vorn und verbarg ihr Gesicht, bis sie es hinter die Ohren schob und er ihr Profil erkannte. Sie trug Jungenkleidung. Ein weißes Hemd über einer verschossenen Jeans. Schwarze Collegeschuhe mit Zehn-Cent-Münzen in den Schlitzen. Und nachdem die Erinnerung eingesetzt hatte, spulte sie sich ab, bis Luce die Münze in den Schlitz steckte und der Fächer der glänzenden Singles zu kreisen anfing, eine davon auf den Plattenteller fiel und Johnny Ace »Never Let Me Go« zu singen begann, krächzend und blechern, da die Platte schon eine Zeitlang in der Wurlitzer war. Luce tanzte langsam den Stroll zurück zu ihrer Nische und setzte sich zu ihren Freunden, einer kläglichen Verabredung zu sechst, Cheerleaderinnen und Footballspieler. In dieser lange zurückliegenden Nacht hatte es geregnet, als Stubblefield hinaus zum Wagen seines Großvaters ging. Das Neonschild des Cafés brachte die Wassertropfen auf seiner Windschutzscheibe zum Leuchten, pink und lavendelfarben.

2

LIT FUHR VORMITTAGS langsam eine Schotterstraße entlang, damit die Farmer, die ihre Ernte einbrachten, ihre Steuerdollar bei der Arbeit sahen. Das war einer der Vorteile des Jobs, dass er genügend Zeit hatte, um herumzufahren und nachzudenken. Das und der Streifenwagen, eine Spezialausführung für die Polizei, der große Motorblock so auffrisiert, dass man nicht einfach zum Händler gehen und so was Ähnliches kaufen konnte. Im Leerlauf schaukelten die riesigen Kolben den Wagen leicht hin und her trotz der extrastarken Aufhängung.

Lit fühlte sich beschissen. Er hatte eine Kanne Kaffee getrunken, was seine Laune nicht wesentlich gebessert hatte. Er stellte das Funkgerät leise, damit es seine Gedanken über das Recht nicht störte. Das so gut wie überall zu einem bestimmten Preis zu kaufen war, mal kostete es mehr, mal weniger. Lit wusste sehr wohl, dass es sich hierbei um eine Tatsache handelte, die auf kleine Bezirksdeputys bis hin zu Richtern am Obersten Gerichtshof zutraf und nur selten widerlegt wurde. Aber für ihn galt sie nicht. Er war ganz und gar nicht bestechlich. Wenn ein Gesetzesbrecher versuchte, ihm einen Zwanziger zuzustecken, um sich aus der Affäre zu ziehen, war sich Lit nicht zu gut, einen Totschläger aus der Hosentasche zu ziehen und ihn damit mitten auf der Straße niederzuschlagen.

Und Deputy zu sein war ihm recht. Er hatte keine höheren Ambitionen, vor allem weil man zum Sheriff gewählt wurde und die Schwachköpfe, die für einen stimmten, dann glaubten, man wäre ihnen verpflichtet. Das hochheilige öffentliche Vertrauen und dieser ganze langweilige Schwachsinn. Deputy war ein Job wie jeder andere. Wenn der Sheriff nicht mehr mit dir zufrieden war, konnte er dich feuern. Wenn du mit ihm unzufrieden warst, konntest du Leck mich am Arsch sagen und gehen.

Der derzeitige Sheriff war ein dicker alter Kerl, der einen Haufen Geld mit einer Kiesgrube und betrügerischen Straßenbauverträgen mit dem Staat machte. Die unangenehme Seite des Polizistendaseins interessierte ihn überhaupt nicht. Das war Lits Job. Wenn es galt, jemanden zu Boden zu schlagen, am Genick zu packen, dann auf den Rücksitz des Streifenwagens zu zerren und anschließend ins Gefängnis zu verfrachten. Lit war stolz darauf und Experte darin, schnelle Reaktionsfähigkeit glich auf großartige und unerwartete Weise vieles aus.

Lits Fehler als Polizist bestanden vor allem darin, dass er dazu neigte, selbst Urteile zu fällen. Er schaute weg, wenn ein Mann, der eigentlich ganz in Ordnung war, vom rechten Weg abkam und niemand deswegen großen Schaden litt. So wie der Schwarzhändler, der vor kurzem aufgetaucht war und den lokalen Schnapshandel übernommen hatte. Lit hielt das nicht für problematisch. Schwarzhändler gehörten zu den Gegebenheiten des Lebens. Was die Leute nicht wollen, kann man nicht verkaufen, und fast jeder braucht hin und wieder – oder auch täglich – etwas, um seine Stimmung ein bisschen aufzuheitern oder zu dämpfen.

Die richtigen wunderbaren Aufputsch- und Beruhigungsmittel waren seit kurzem illegal, wenn sie nicht von einem Arzt verschrieben wurden. Aber damals im Krieg gab die Regierung Amphetamine aus wie Gummibärchen, wenn sie wollte, dass man zweiundsiebzig Stunden am Stück hellwach war und Leute umbrachte, die dringend umgebracht werden mussten. Deswegen war es einfach falsch, dass man jetzt einen Arzt für ein Rezept und dann einen Apotheker nur dafür bezahlen musste, dass er Tabletten abzählte und sie in ein Fläschchen tat. Während der langen Schlachten in Frankreich und Italien hatte niemand gezählt. Man nahm sich Hände voll davon aus Eimern. Ein Eimer für Rauf, ein anderer Eimer für Runter.

Lit war ein friedfertiger Mensch. Zumindest wollte er es eines Tages sein. Der Zweite Weltkrieg hatte ihm so viele Kämpfe beschert, dass es für ein Leben genug war. Er hatte jede nur erdenkliche schreckliche Scheiße erlebt und selbst nicht wenig davon angerichtet. So war das Leben damals. Aber er war auch noch sehr jung gewesen. Sein Blut hatte nach fremdem Blut gelechzt. Sogar heute noch konnte er kaum glauben, wie viel Spaß so manches gemacht hatte. Ein perfekter Traum, wie es ihn danach nie wieder gegeben hatte, gespeist von den Hormonen der Jugend und von Amphetaminen.

Das war schon eine Weile her. Doch auch in diesen Friedenszeiten wurde Lit den Wunsch nach einer Handvoll aus dem Rauf-Eimer nicht los. Er machte ein großes Kapitel seiner Sehnsucht nach der Vergangenheit aus. Nach seiner Jugend, als er immer aufgeputscht und glücklich war.

Bis vor kurzem hatte man im Drugstore statt Pillen einen Benzedrin-Inhalator kaufen können. Man musste ihn nur aufbrechen, und alles war gut. Jetzt hatte die Regierung auch die verboten, und es war eine Straftat, auch nur ein bisschen was von dem zu konsumieren, womit sie einen früher vollgestopft hatten. Was für einen Sinn hatte dieses Gesetz? Wahrscheinlich hatte es sich eine Pharmafirma oder eine Ärztegewerkschaft ausgedacht. Und wer war der Beschissene? Alle außer den Pharmafirmen und den

Ärzten. Und der alte Schmuggler war zu nichts zu gebrauchen. Er handelte nur mit Litern und halben Litern und Millilitern.

Als der Kies auf Asphalt stieß, auf die Straße durch das Tal, musste Lit nicht überlegen, wohin er als Nächstes fahren sollte. Er kehrte in die Stadt zurück. Der neue Mann musste unter die Lupe genommen werden.

Eine leere blaue Frühstücksfleischdose stand auf einem Zaunpfosten aus Robinienholz hinter Buds gemietetem Haus, doch eine Fehlfunktion der Waffe verhinderte das Vergnügen.

»Man kann sich gar nicht vorstellen, dass ein Revolver so kaputt ist, dass man ihn nicht mehr reparieren kann«, sagte Bud. »Das sind verdammt simple Dinger. Nicht viel mehr als ein Hammer, der mit einem Rohr verbunden ist. Aber der hier ist hinüber.«

Unwirsch und ohne im mindesten zu zielen, drückte Bud sechs- oder achtmal erfolglos auf den Abzug.

»Ziel nach oben für den Fall, dass er losgeht«, sagte Lit.

»Scheiße, der ist nur noch Schrott.«

Er drückte deprimiert dreimal langsam ab. Und dann ein hoffnungsloses viertes Mal, als das Ding mit einem ohrenbetäubenden Krach losging.

Blei flog mit Überschallgeschwindigkeit an Lits linkem Ohr vorbei.

Bud schaute Lit an, hielt sich den Revolver dann mit beiden Händen vors Gesicht, betrachtete sein Profil und blickte dabei übertrieben ängstlich und erstaunt drein.

»Verdammt. Er ist geheilt.«

Lit, der das nicht witzig fand, hob den Zeigefinger und drohte Bud damit.

»Leg ihn für einen Augenblick weg«, sagte er. »Ich habe ein paar Fragen. Zum Beispiel, wo du her bist.«

»Von der Küste. Mehrere kleine Städte in drei Bundesstaaten.«

»Warum bist du hier?«

»Netter Ort, wo sich Geschäfte machen lassen.«

»Hast du Verwandte hier in der Gegend?«

»Nee.«

»Kann ich mal deinen Führerschein sehen?«

»Klar, nur dass er gewaschen worden ist.«

Bud nahm seine Brieftasche, die die Form seiner Hinterbacke angenommen hatte, aus der Gesäßtasche seiner Jeans. Er öffnete sie und holte seinen Führerschein heraus. Hielt ihm ein schlaffes bleiches Viereck hin, das anzufassen Lit sich weigerte.

Hatte sowieso keinen großen Sinn. Ein kleines Stück Pappe, auf das jemand Namen, Größe und Gewicht, Haar- und Augenfarbe einer Person tippte. Nachdem Lit seine Aufsichtspflicht halbherzig erfüllt hatte, ließ er sich sofort darüber aus, dass man nicht verkaufen konnte, was die Leute nicht haben wollten, und wie bescheuert die örtlichen Vorschriften waren. Und das lediglich aufgrund der Laune ignoranter Wähler, die dafür sorgten, dass diese bergigen Bezirke trocken blieben, obwohl man zwei, drei Stunden in jede Richtung fahren und dann legal Alkohol kaufen konnte. Oder was immer man sonst brauchte, um die eigene Stimmung aufzuheitern, wenn man sich nicht zu penibel an jede lächerliche Vorschrift hielt. Dann gab er seine Ansichten zum Zweiten Weltkrieg und zu der vernünftigen Rauschmittelpolitik jener Jahre zum Besten. Zum neuesten Blödsinn, dem Verbot von Benzedrin-Inhalatoren.

Während er redete, hatte Lit immer mehr den Eindruck, dass Bud seine Gedanken lesen konnte. Als würden Signale zwischen ihnen hin und her geschickt, vergleichbar den unergründlichen verbalen Codes und dem komplizierten Händedruck der Freimaurer. An diesem Punkt möglicher Verständigung blickte Lit auf seine Uhr und sagte: »Ich muss los zur Arbeit.«

Drei Tage später stand der schwarzweiße Streifenwagen wieder auf der Straße. Lit, verdrossen und wütend, bearbeitete in Buds Garage einen störrischen Inhalator mit einem Nussknacker aus Chrom. Es war Lits Nussknacker, Eroberer von tausend Inhalatoren, aber sein Durchmesser war zu groß. Entweder waren Buds neue Inhalatoren ein bisschen dünner, oder Lits Nussknacker war vom vielen Gebrauch ausgeleiert. Lit arbeitete konzentriert und verfluchte dabei ununterbrochen den Kapitalismus und die Regierung.

»Wie geht's?«, fragte Bud.

»Ich halte durch. Unkraut verdirbt nicht.«

»Kriegst du das Zeug nie über?«

Lit blickte von der Arbeit auf, setzte eine übertriebene ungläubige Miene auf und wandte sich wieder dem Inhalator zu.

Das Ziel war, den wolligen Streifen darin zu schlucken, das Ding, das Lit für den Tag rüstete, ihn mit Energie und einem Daseinszweck ausstattete.

Zum Glück für Lit hatten schlaue Unternehmer den Profit vorhergesehen, der mit Inhalatoren zu machen war, bevor die Regierung sie verbot. Ein Jahr zuvor hatte ein Kumpel, den Bud unten im schmalen Ende von North Carolina kannte, angefangen, eine Kiste mit den kleinen Röhren nach der anderen in jedem Drugstore der Gegend aufzukaufen.

Und jetzt war ein mächtiger Preisanstieg zu verzeichnen. Der Gewinn wurde höher, je kleiner der Vorrat wurde.

»An dem finsteren Tag, wenn es keine mehr gibt, was dann?«, sagte Lit. »Zwanzig Tassen Kaffee vor dem Mittagessen.«

Bud beugte sich vor, sein Kopf im hellen Lichtschein einer Lampe mit Schutzgitter, die er an die geöffnete Motorhaube gehängt hatte. Er schaute in das aufgeschraubte Vergaserrohr, als würde er tatsächlich verstehen, wie die Antriebsfedern, Düsennadeln, Düsen, Klappen und Schwimmer darin so funktionierten, dass der Wagen fuhr.

Er sagte: »Manche dieser Teile muss man in eine Richtung drehen, damit sich die Luft und das Benzin dünnflüssig vermischen, und in die andere Richtung, damit es ein fettes Gemisch wird. Und wieder andere Teile rührt man besser nicht an, wenn man auch nur noch einen Meter fahren will.«

»Verdammte Regierung«, sagte Lit und hebelte mit Ellbogen- und Schulterkraft an dem Nussknacker herum. Er fühlte sich elend, weil er für sein Land gekämpft hatte und völlig kaputt nach Hause gekommen war, wo angeblich Frieden herrschte, und weil er nun mit seinen dürftigen Mitteln selbst schauen musste, woher er seine tägliche Energie kriegte. Es waren traurige Zeiten, wenn Helden einen Haufen Geld an Schwarzhändler zahlen mussten.

»Mann, lass mich mal«, sagte Bud. »Ich habe gedacht, die Herausforderung würde dich reizen.«

Er nahm Lit den Inhalator ab, warf ihn auf den Betonboden und trat fest darauf. Er beugte sich hinunter und nahm das Band aus der zertretenen Hülse, schnippte den Schmutz mit dem Mittelfinger weg, blies darauf und reichte es Lit.

Lit drehte das Papier penibel zu einer perfekten festen Spirale und überlegte, welche Richtung seine Gedanken für den Rest des Tages einschlagen sollten. Vorsichtig legte er sich die Spirale auf die Zunge und schluckte, schmeckte den köstlichen, tränentreibenden, scharfen Geschmack bis in den Magen.

Als seine Augen nicht mehr tränten, sagte Lit: »Kaffee ist damit überhaupt nicht zu vergleichen.«

Bud sagte: »Wenn Kaffee verboten wird, komm zu mir. Ich besorg ihn dir.«

»Für den entsprechenden Preis.«

»Da kannst du Gift drauf nehmen. Sag mir, was es sich lohnt zu haben, das keinen Preis hat. Die erste Regel im Leben: Du musst zahlen. Je mehr verboten wird, umso besser funktioniert der Kapitalismus meiner Meinung nach so, wie er eigentlich funktionieren soll.«

»Das ist mir so oder so scheißegal«, sagte Lit.

»Du brauchst die Inhalatoren nicht. Die fallen nicht wirklich in meinen Arbeitsbereich, aber wenn du willst, kann ich dir Pillen besorgen. Amphetamine und so Zeug. Was die Lkw-Fahrer nehmen.«

Lit blickte himmelwärts und bedankte sich bei dem göttlichen Licht, in das er plötzlich gebadet war.

Sofort nachdem Bud ihm einen wunderbaren Vorrat an Amphetaminen geliefert hatte, blieb er drei Tage und Nächte wach. Während der Arbeitszeit stellte er Leuten, die fünf Meilen zu schnell durch die Stadt gefahren waren, Strafzettel aus und kläffte ihnen zornig allen möglichen Unflat ins Gesicht. Später, gegen drei Uhr morgens, erschien ihm das Testbild des Fernsehers, untermalt von Musik aus dem Radio, ziemlich faszinierend. Er hatte sich mit ein paar Bier beruhigt, ohne dass es das Bier vermocht hätte, ihn schläfrig zu machen. Dazu wäre eine Handvoll Beruhigungsmittel der Armee nötig gewesen.

»Muss runter. *Mucho mucho* runter«, sagte Lit immer wieder zu sich selbst, bis er einen Rhythmus in den Worten fand, und es schien ein guter Anfang für den Refrain eines Countrysongs, nur dass er wahrscheinlich ein paar Zeilen mehr brauchte. Und eine Überleitung. Lieder brauchten Überleitungen, aber Lit wusste nicht genau, was das war. Er entschied, dass Bud sich vielleicht als Koautor eignen würde. Bud sah ziemlich musikalisch aus, vor allem seine Frisur. Und auch wenn sie keinen Hit zustande brächten, könnte Bud auf jeden Fall Beruhigungsmittel beschaffen.

LUCE BRAUCHTE EINE Weile, bis sie davon überzeugt war, dass die Kinder nicht böse waren, sondern Angst hatten. Oder um an einem schlechten Tag der unliebsamen Wahrheit näher zu kommen, sie waren nicht *nur* böse, sondern hatten *auch* Angst. Sie waren darauf bedacht, ihre Angst weder Luce noch jemand anderem zu zeigen. Luce betrachtete ihr neues Verständnis als Hypothese. Sie wollen weiterkommen, sich nicht mehr jeden Tag fürchten müssen. Wollen die Last woanders abladen. Also entfachen sie ein Streichholz und halten seine Macht zwischen Daumen und Zeigefinger. Und haben ungefähr fünf Sekunden Zeit, um zu entscheiden, was sie am besten damit anfangen sollen. Kein Wunder, dass brennbare Dinge wie ehrwürdige Cheerleaderuniformen und wunderschöne alte Farmhäuser in Flammen aufgingen und zu Asche verbrannten.

Warum dem Groll nicht eine wütende Stimme geben? Luce konnte verstehen, dass diese heftigen lodernden Minuten der Zerstörung ihnen Freude machten. Danach jedoch war nichts weiter übrig als ein schwarzer Kreis im grünen Wald. Und das Danach war es, was ihr beständig Sorgen bereitete.

Den Gedanken überlassen, die aus dem Feuer aufstiegen, würden die Kinder in fünfzehn Jahren vielleicht allen, die sich auch nur ein bisschen mit ihnen anlegten, Angst einjagen, würden sie verletzen oder umbringen. Sie würden im Staatsgefängnis enden, wo sie auf der falschen Seite des grünen Bullauges säßen, Eimer mit Säure zwischen den Füßen, Augen, so ausdruckslos wie in einen Teppich gebrannte

Löcher. Als würde sie sich in der Highschool auf eine De-
batte vorbereiten, dachte Luce über Argumente gegen Feuer
nach.

Ein Septembertag mit blauem Himmel. Manche Bäume
begannen sich schon zu verfärben, vor allem Pappeln und
Hartriegel. Luce und die Kinder gingen an einem ehemaligen Maisfeld vorbei, das die schönen hoffnungsvollen
Prozesse der Fruchtfolge in ein Brer-Rabbit-Gestrüpp ver-
wandelt hatte. Das Zuckerrohr zeichnete eine chaotische
Geometrie vor den Himmel, und gelb-schwarze Gimpel
stürzten sich auf die letzten vertrockneten Brombeeren. Auf
einer gerodeten Fläche, ungefähr so groß wie eine Bühne,
trottete ein Pony, angeschirrt an einer langen Stange, im
Kreis um eine schlichte, überwiegend hölzerne Konstruk-
tion, eine Mühle, die das Zuckerrohr presste, um Melasse
daraus zu machen. Eine fast vergessene traditionelle Me-
thode aus der Vergangenheit, jedoch keiner unwiederbring-
lichen Vergangenheit. Die Menschen konnten zwar alles
Leben vergiften oder in die Luft jagen, aber auch immer
wieder umkehren und zurückgehen, wie wenn man eine falsche Straße eingeschlagen hatte – wenn sie nur wollten.
    Luce glaubte, dass die Kinder hier etwas lernen konn-
ten. Innere Ruhe. Eine jahreszeitliche Lektion über die Zeit,
die sich ständig weiterbewegte, und dass dieser Tag mit allen anderen Tagen, dieses Jahr mit allen anderen Jahren ver-
knüpft war. Dass nicht jeder Tag allein für sich stand und
seine eigene Apokalypse sein musste.
    Maddie trug einen Männerhut mit breiter Krempe und
wachte über ein kleines Holzkohlenfeuer unter einem großen Kessel auf drei Beinen, in dem der ausgepresste Zucker-
rohrsaft köchelte. Sie saß mit gekreuzten Beinen und aufge-

schnürten Stiefeln auf einem niedrigen Holzklotz, und als Luce und die Kinder kamen, hob sie das Gesicht aus dem Schatten der Hutkrempe und zwinkerte ihnen mit einem blassen Auge zu. Sie kratzte mit einem Taschenmesser ein aufgeschnittenes Zuckerrohr aus und leckte dann das weiße Mark von der Klinge. Wenn das Pony langsamer als notwendig im Kreis ging, stupste Maddie die Stute mit einem langen Stock und erinnerte sie sanft an die Arbeit, die sie gemeinsam verrichteten. Es duftete süß nach den ausgepressten Stängeln, die in hellgelben Haufen dalagen, dem köchelnden Melassesirup und nach Holzkohle. In der unmittelbaren Umgebung war kein Geräusch lauter als das Mahlen der Zuckerrohrpresse, und das war so gedämpft, dass es das Geräusch der Hufe und das gelegentliche Knacken des Hickory-Feuers nicht übertönte.

Normalerweise hätten die Kinder sich heftig für das Feuer interessiert, aber die Stute zog ihre ganze Aufmerksamkeit auf sich, sodass sie alles andere ignorierten. Und Luce hoffte, dass dieses Interesse nicht daher rührte, dass sie hin und wieder mit dem Stock angetrieben wurde.

Das Pony war ein stämmiges altes Welsh Cob, staubschwarz, und es hatte bereits sein Winterfell, obwohl es noch keinen Frost gegeben hatte. Es stammte von Grubenponys ab, gezüchtet, um Loren zu ziehen – sie waren mit einem Riemen um den Bauch in einen schrecklichen dunklen Schacht hinuntergelassen worden und fristeten dort ihr kurzes Leben, ohne jemals wieder das Tageslicht zu erblicken. Seit mehreren Generationen gab es allerdings diese brutale Tradition in der Neuen Welt nicht mehr. Die Nase des Ponys war rosa wie das Blütenblatt einer Rose, darunter vom Koppen abgenutzte gelbe Zähne. Blasse Flecken an Flanke und Schultern, wo das Fell im Lauf der Zeit fast bis auf die Haut abgewetzt war. Der Rumpf war breit, der Hals kurz, und sein Rücken hing durch. Luce fand, dass es dreinblickte, als hätte es alles gesehen und keine Illusionen mehr. Doch seine Ohren zeigten nach vorn, als hoffte das Tier, dass irgendetwas Bedeutsames auftauchen würde, obwohl es jetzt, da es im Kreis ging, alle dreißig Sekunden immer wieder das Gleiche sah.

Maddie blickte von der blubbernden Melasse auf und bemerkte das Interesse der Kinder. Sie ging hinüber zu Dolores und sagte: »Du kannst auf ihr reiten, wenn du willst.«

Maddie fasste Dolores unter den Armen und schwang sie auf den durchhängenden Rücken der Stute. Dolores wehrte sich weder gegen Maddies Berührung, noch erstarrte sie und zog sich in irgendein schwarzes Loch tief in ihrem Inneren zurück. Sie saß auf dem Rücken des Ponys und grinste.

Frank schaute zu seiner Schwester hin und hob die Arme, um ebenfalls hinaufgehoben zu werden.

Die beiden passten perfekt auf den geschwungenen Rücken der Stute. Dolores, die vorn saß, griff nach der Mähne, und Frank schlang die Arme um Dolores' Taille und drückte das Gesicht an ihren Rücken, zunächst mit geschlossenen Augen, als wollte er erst einmal nur fühlen. Maddie gab dem Pony einen Klaps, und die Kinder ritten zusammen im Kreis wie normale Kinder, genossen die Aussicht von einer höheren Warte als gewohnt, den Geruch nach Holzkohle und verbranntem Zucker und nach dem in die Erde getretenen Dung.

Nachdem Maddie die Kinder vom Pony gehoben und auf den Boden gestellt hatte, blickte Dolores aufmerksam zu ihr auf.

Maddie sagte: »Sie heißt Sally, zumindest seitdem ich sie habe.«

Dolores nickte ernst, als erschiene ihr dieser Name perfekt. Sie sagte: »Sally Sally Sally.« Dann sagte auch Frank den Namen, aber nur einmal.

Als die Kinder an diesem Abend im Bett lagen, sagte Luce: »Erzählt mir was. Was für ein Wetter mögt ihr beiden am liebsten?«

Sie schauten sie an, als wäre sie nicht ganz dicht, und dann sahen sie einander an. Keiner von beiden sagte ein Wort.

Luce sagte: »Ich weiß, dass ihr reden könnt. Ich habe euch gehört.«

Die Gesichter der Kinder blieben ausdruckslos.

»Ich bin diejenige, die das Essen auf den Tisch bringt«, sagte Luce. »Das ist überhaupt keine Drohung, sondern eine Tatsache. Es gehört zu den Dingen, die ich für euch tue. Ich stelle euch eine Frage zum Wetter. Tut mir den Gefallen und beantwortet sie, einfach weil es mich glücklich machen würde.«

Hinter den dunklen Augen drehten sich Räder. Schließlich sagte Dolores, völlig lustlos und als fühlte sie sich ausgenutzt, als läge die Antwort auf der Hand: »Blitz.«

»Gut«, sagte Luce. »Das ist so was wie Wetter. Jetzt bist du dran, Frank.«

»Blitz.«

»Immer noch eine gute Antwort. Also, Frank, nächste Frage. Was ist deine Lieblingsfarbe?«

Der Junge drehte den Kopf zur Seite und spuckte, wie ein Raucher, der seine Zigaretten selbst dreht und einen Tabakkrümel auf der Zunge hat.

Luce wartete und wartete.

Sie sagte: »Frank, du sollst eine Farbe nennen. Es gibt

keine falsche Antwort, und niemand wird dir einen Strick draus drehen. Also sag was.«

Ohne Luce anzublicken, sagte Frank: »Schwarz.«

»Ja, das ist eine Farbe. Und auch eine meiner Lieblingsfarben.«

»Feuerfarbe«, sagte Dolores.

»Gut, sagen wir, das ist Rot und Gelb und Orange. Das war eine gute Wahl. Ich danke euch beiden.«

Sie berührte sie ganz sanft mit den Fingerspitzen an der Stirn, schaltete das Licht neben ihrem Bett aus und blieb eine Weile im Dunkeln sitzen. Sie hörte die leise Musik aus dem Radio und genoss das seltene Gefühl, einen Tag in dem Wissen zu beenden, dass sie alles so gut gemacht hatte, wie es ihr nur irgend möglich war. Obwohl sie nach dem Reden über Feuer und Blitz vielleicht besser ein Auge offen halten sollte.

Luce wollte, dass das mit dem Sprechen weiterging, und glaubte, Gutenachtgeschichten könnten ein guter Ausgangspunkt sein. Sie wünschte, sie hätte ein paar Familiengeschichten zu erzählen, aber was Vorfahren anbelangte, war sie zu kurz gekommen. Kein verrückter Urgroßvater, der an einem frostigen Winterabend vor dem Kamin saß, legendäre Geschichten von früher zum Besten gab und sein rosa-weißes Gebiss aus der Brusttasche seiner Latzhose fischte, damit er mit der Mundharmonika eine Geschichte, in der eine Dampflokomotive vorkam, musikalisch untermalen konnte. Zu etwas Folkloristischerem als Lolas Wild-Turkey-Gefasel und Lits blutigen Geschichten aus dem Zweiten Weltkrieg reichte es nicht.

Luce suchte in den Bücherregalen in der Halle und fand eine Sammlung grausamer Geschichten aus der Alten Welt.

Ich rieche, rieche Menschenfleisch. Sie las sie alle, von vorn bis hinten, und versuchte sich vorzustellen, welche für Dolores und Frank von Nutzen sein könnten. Lektionen über Macht und Verwundbarkeit, die Kinder seit Jahrhunderten lernten. In diesen alten Geschichten wurden Menschen schrecklich ungeniert verprügelt und getötet. Immer wieder ging es um die Verletzlichkeit des menschlichen Körpers, die Bedrohungen und Schrecken, die in der Dunkelheit lauerten und manchmal auch bei helllichtem Tag.

Sie begann mit der Geschichte vom Jungen und dem Nordwind in der Hoffnung, dass sie zumindest mit ihr am Schluss des Märchens »Schlag zu, Stock, schlag zu« sagen würden. Es war ein ruhmreicher Moment, und wer hätte nicht gern so einen Stock, um stärkere Feinde zu bezwingen? Aber Dolores und Frank interessierten sich nicht dafür, genauso wenig wie für das Märchen, in dem die Prinzessin schwört, sieben Jahre lang nicht mehr zu lächeln.

Schließlich stieß Luce durch Versuch und Irrtum auf eine Goldader. Zwei ganze Wochen lang wollten die Kinder als Gutenachtgeschichte nur »Drei Ziegenböcke namens Gruff« hören. Luce las den Text des kleinen, des mittleren und des großen Ziegenbocks in unterschiedlichem Tonfall. Den Troll sprach sie mit einem leisen drohenden Knurren. Wenn die Ziegen tripp-trapp über die Brücke gingen, machte sie entsprechende Geräusche, und am überzeugendsten war sie, als der große Ziegenbock brüllte, dass er dem Troll mit den Hörnern die Augen durch die Ohren rammen und ihn mit den Hufen zermalmen würde, bis nur noch Haut und Knochen blieben.

Die Kinder bibberten und zogen sich die Decke bis zur Nasenspitze, und Luce, die auf der Bettkante saß, spürte, wie sie näher zu ihr hinkrochen, um mit den Füßen unter der Decke ihre Hüfte zu berühren. Als der große Ziegenbock den Troll erledigt hatte, holten sie tief Luft und atmeten langsam wieder aus. Am dritten Abend waren sie so weit und riefen mit ihr den letzten Satz: *Schnipp schnapp schnaus, und die Ziegenmär ist aus.*

4

STUBBLEFIELD KONNTE NICHT anders. Nachdem er Luce wiedergesehen hatte, fuhr er alle paar Tage mit nostalgischen Gefühlen die Sackgasse entlang und stellte den Wagen unterhalb der Lodge ab. Vorgeblich kam er, um von dem kleinen Stück Strand aus zu schwimmen, den sein Großvater in dem Jahr für ihn angelegt hatte, als er für ein Schwimmabzeichen trainierte. Ein Dutzend Wagenladungen leuchtend weißer Sand, abgeladen auf dem roten Lehm am Ufer. In jenem Sommer hatte Stubblefield die meisten Nachmittage dort verbracht, sich gesonnt, trainiert und gelesen. Er hatte davon geträumt, bis zur Stadt zu schwimmen. Der See war an dieser Stelle angeblich nur eine Meile breit, was ihm damals nicht unüberwindlich erschienen war.

Jetzt kam es ihm viel weiter vor. Und es gab nicht mehr genügend warme Tage, um sich in Form zu bringen. Stubblefield begnügte sich damit, jeden Tag hundert Meter weiter parallel zum Ufer zu schwimmen. Danach lag er in der Sonne, bis seine Badehose getrocknet war, und zog sich dann wieder an. Ging zum Haus und klopfte an die Tür, das war der eigentliche Grund seines Kommens. Wenn Luce zu Hause war, unterhielt er sich ein paar Minuten lang mit ihr. Bis sie nervös wurde, dann verabschiedete er sich.

Als er eines Tages aus dem Wasser watete und zur Lodge schaute, glaubte er, hinter einem der großen Esszimmerfenster Luce zu sehen, die ihn beobachtete. Nur ein verschwommener Schatten hinter dem Glas. Das Wasser reichte ihm noch bis zu den Waden, und er beugte sich vor und machte eine tiefe Verbeugung. Als er wieder aufblickte, war jedoch niemand mehr am Fenster.

Später klopfte er an der Tür, doch niemand öffnete. Er schrieb eine Nachricht und steckte den Zettel zwischen Fliegengittertür und Rahmen. Nichts Originelles, nur *Hallo, S.* Ein Bemühen, Interesse an ihrem freien, einsamen eingegrenzten Leben zu bekunden.

Und er interessierte sich wirklich dafür. Sonst hätte er alles verkauft trotz des Ag-Verpachtungspotenzials. Hätte die ganze Chose zu einem Schleuderpreis abgestoßen, einen roten Healey gekauft und das Verdeck weggeworfen. Und nur das Tonneau benutzt, sich in die Tropen verzogen und auf Sanibel oder Key Largo gelebt, jahraus, jahrein Shorts und Flipflops getragen und Zackenbarsch gegessen, bis er kein Geld mehr hatte.

Das hätte er zumindest früher getan. Sich seinem reichen Innenleben gewidmet, wie seine Freunde in Florida es nannten. Sie sagten es stets mit schneidender Ironie. Aber hier war diese schöne, beunruhigende Frau, für die Stubblefield mit siebzehn alle möglichen idiotischen Dinge empfunden hatte. Im Moment fiel es ihm schwer, sich davon zu distanzieren und weiterzuziehen. Obwohl schlaue Menschen genau das getan hätten.

Wenn er schlau gewesen wäre, hätte sich Stubblefield mehr darum bemüht, seine frühere Verlobte glücklich zu machen. Und würde jetzt einen marineblauen Blazer mit Goldknöpfen tragen, auf der Insel Coupe de Villes verkaufen und darauf warten, dass sich ihr Vater mit dem Sterben beeilte, sodass er die Niederlassung übernehmen könnte. Oder hieß es Coupes de Ville?

Und man schaue sich bloß Luce an, eine junge Einsiedlerin. Und man sehe sich bloß an, was er über ihre verkorkste

Familie erfahren hatte. Die Mutter vor langer Zeit über alle Berge. Der Vater ein komplett verrückter, gewalttätiger Polizist. Die Schwester ein Mordopfer. Nichte und Neffe zwei pyromanische Teilzeitstumme, die sein Haus niedergebrannt hatten.

Was hätten schlaue Menschen getan?

Sich aus dem Staub gemacht, das hätten sie getan.

Doch Stubblefield ging zu Maddie und versuchte, ihr das Pony abzukaufen, um Luce einen Gefallen zu tun, weil sie immer wieder erzählt hatte, dass die Kinder in Anwesenheit der Stute kurze Zeit ruhig und friedlich gewesen seien und sogar ein paar Worte gesagt hätten.

Luce ging mit einer Sichel gegen das wuchernde Unkraut neben dem Rinnsal vor, das aus der Quelle lief. Die Kinder saßen im Schneidersitz auf der Veranda hinter dem Haus mit einem bunten lädierten Halmabrett zwischen sich. Es ging geräuschvoll zu. Sie verrückten die Steine schnell und knallten sie auf das hohle Blechbrett; es schien, als hätten sie beide nicht das Geringste miteinander zu tun, sondern als würden sie gleichzeitig für sich selbst und nicht gegeneinander spielen, ohne dass es ein Ende gab, einen Gewinner oder einen Verlierer.

Stubblefield stieg aus dem Auto, ging um die Lodge und sagte umstandslos: »Ich habe mit Maddie gesprochen.«

Luce hörte auf zu sicheln und stellte sich vor Stubblefield hin. Ihre Jeans waren bis zum Knie grün vom Unkraut.

»Warum?«, fragte sie.

»Weil ich sie mag und sie besser kennenlernen will und wünschte, ich hätte sie schon als Kind gekannt. Und wegen diesem Pferd, von dem du mir erzählt hast.«

Luce sagte: »Es ist ein Pony.«

»Ich dachte, das wäre ein junges Pferd.«

»Klar.«

»Ich wollte es ihr abkaufen. Für dich. Oder vielmehr für die Kinder.«

Luce wandte sich ab und schwang erneut die bogenförmige Sichel im Trauben- und im Springkraut, als müsste sie das tun, oder sie würde ihn anschreien. Nach Stubblefields Ansicht wurde hier viel zu viel umgenietet.

»Ich wollte nur helfen«, sagte er.

Luce hielt inne und sah ihn an, angespannt und verkniffen. Ihre Augen blickten müde.

Sie sagte: »Du kaufst mir nichts. Keine Geschenke. Nicht einmal eine Schachtel Pralinen oder ein Glas Honig.«

Stubblefield wollte fragen, warum sie so sauer war. Stattdessen drehte er die Handflächen nach oben in der universalen Geste: Was habe ich jetzt wieder getan? Luce war so begeistert gewesen von dem stillen Interesse der Kinder an dem Pferd und vor allem von dem einen Wort, das Dolores und Frank gesagt hatten. Sally, Sally, Sally. Warum also sollte er das Pferd nicht kaufen? Oder vielmehr das Pony. Es schien eine gute Sache. Eine Hilfe. Ein altes abgehalftertes Pony durfte eigentlich nicht viel kosten. Viele Leute würden es verschenken, wenn man versprach, es zu füttern und nicht zu verkaufen, damit es nicht zu Hundefutter oder zu Steaks für Franzosen verarbeitet wurde. Aber er hatte sich eindeutig und in jeder Hinsicht getäuscht. Vielleicht brauchte er eine handliche Liste mit kleingedruckten Regeln, die er jeden Augenblick konsultieren könnte.

Stubblefield sagte, vielleicht ein bisschen bitter im Ton: »Wie auch immer. Maddie wollte Sally sowieso um keinen Preis verkaufen.«

Luce sagte: »Oh, war ich unhöflich?«

Stubblefield suchte nach einem Wort. Nicht *heftig*. Und *leidenschaftlich* kam nicht in Frage. Er sagte: »Entschieden?«

Luce' Miene veränderte sich unmerklich. Als würde sie leicht die Augen verdrehen oder kurz mit dem Mund zucken. Sie sagte: »Mr. Höflich.«

Stubblefield fragte: »Wäre *spitz* oder *barsch* besser gewesen? Oder *schroff*?«

Kaum hatte er es ausgesprochen, wünschte Stubblefield, er könnte es zurücknehmen, als rechnete er damit, am Ohr von seinem eigenen Grund und Boden gezogen zu werden. Stattdessen blickte Luce zur Seite, ganz offensichtlich bemüht, keine Miene zu verziehen, nicht zu lachen. Er sah, dass sie tief Luft holte.

Sie sagte: »Verbleiben wir so. Ein Glas Honig würde ich vielleicht annehmen, aber das ist die Obergrenze. Blumen, wenn du sie selber pflückst. Aber keine Ponys und keinen Schmuck.«

»Gut«, sagte Stubblefield, »Maddie hat gesagt, dass die Kinder jeden Tag reiten können, wenn sie wollen, aber sie müssen dafür zu ihr kommen. Ich glaube, sie ist einsam und hätte sie gern bei sich. Und dich auch.«

»Besser so«, sagte Luce.

»He«, sagte Stubblefield ins Blaue hinein. »Wie wär's, wenn wir losziehen und auf dieser Sally reiten würden?«

Die zwei Paar dunklen Augen blickten überallhin, auf der Veranda und im Hof, nur nicht in Stubblefields Richtung.

»Mit dem Auto oder zu Fuß?«, fragte Stubblefield.

Die Kinder blickten zum Hawk und gleich wieder weg.

Luce sagte: »Wir gehen zu Fuß. Es ist schönes Wetter, und sie sind immer besser aufgelegt, wenn sie am Ende des Tages müde sind. Und ich auch.«

Die Kinder liefen auf der unbefestigten Straße voraus.

Stubblefield und Luce gingen jeder auf einer Spur neben dem unkrautbewachsenen erhöhten Streifen in der Mitte. Stubblefield sagte: »Also ein Glas Honig und vielleicht, irgendwann in der Zukunft, ein Film? Eine Kinokarte, eine Tüte Popcorn und ein Coke. Mehr nicht.«

»Das habe ich nicht gesagt. Aber es ist nicht auszuschließen. Wenn Maddie die Kinder für ein paar Stunden nimmt.«

»Samstagabend gibt es eine Doppelvorstellung. *Der Schrecken des Amazonas* und irgendwas mit einer Riesenspinne oder einer großen Echse.«

»Ich habe früher neben dem Kino gewohnt. Ich kenne alle Monsterfilme.«

»Freitag in einer Woche *Licht auf der Piazza*.«

»Das Buch hat mir gefallen. Also vielleicht.«

Sally stand auf drei Beinen, weil Maddie einen Hinterhuf auskratzte. Als sie fertig war, klopfte sie den Dreck am Zaun ab, richtete sich auf und ächzte dabei tief aus dem Zwerchfell wie ein alter Mann, der aus seinem Sessel aufsteht. Dolores und Frank drängten sich so nah an Sally, dass ihnen das Pony fast auf die Füße trat. Sie hatten Bürsten in der Hand und warteten ungeduldig, dass sie mit dem Striegeln anfangen konnten.

Maddie konnte sie nicht davon überzeugen, dass sie in Richtung des Fellwuchses striegeln mussten. Sie bürsteten über Sallys Flanken, als würden sie die Farbe von einer Wand abkratzen. Seit zwei Jahrzehnten hatte Sally, auch wenn sie weniger heftig provoziert worden war, viele blaue Flecken in Armen, Oberschenkeln, Nacken und Köpfen von Hufschmieden und Tierärzten und sogar von Leuten hinterlassen, die ihr unbedingt in einer kalten Nacht eine Decke über den Rücken hatten legen wollen. Aber bei den Kindern hielt sie still, senkte den Kopf und spitzte die Ohren.

Maddie rief Luce und Stubblefield, die auf der Veranda saßen, zu: »Wenn man einfach keine Ahnung hat, lässt Sally einem viel durchgehen.«

Während sie striegelten, sang Maddie »Back in the Saddle Again«. Vor allem zum eigenen Vergnügen, kaum lauter als ein Summen. Aber als zum zweiten Mal der Refrain einsetzte, stimmten Dolores und Frank ganz leise bei den Whoopi-ty-aye-ohs mit ein. Ihre Stimmen waren dünn und hoch wie bei normalen Kindern, nur dass sie jeden Ton haargenau trafen.

Maddie hielt inne und sagte: »Ich wusste gar nicht, dass ihr singen könnt.«

Sie verstummten beide und widmeten sich den Bürsten.

Sally zuckte mit dem Schwanz, wenn sie in die Nähe ihres Hinterteils kamen. Ihr dünner Schwanz streifte so leicht über die Gesichter der Kinder, dass sie beinahe tanzten vor Freude. Frank hob die Hände hoch, und sie flatterten wie Vogelflügel, als wäre das Fliegen die einzige noch mögliche Steigerung dieses Augenblicks.

Als Maddie glaubte, dass Sally genug vom Striegeln hatte, packte sie die Kinder unter den Armen und hob sie hoch, gab Dolores die Zügel in die Hand und sagte langsam, ein Wort nach dem anderen: »Zieh nicht daran. Lass sie hängen. Schau, wohin du reiten willst, und drück ihr die Beine in die Seiten. Wenn ihr danach ist, geht sie dorthin. Reitet den Zaun entlang, schau nach links.«

Dolores schaute zu Maddie, drehte den Kopf dann nach rechts, als wollte sie sehen, was hinter ihrer Schulter war, und das war Frank.

Maddie sagte: »Andere Seite.«

Dolores blickte weiterhin über die Schulter zu Frank, und Maddie schnalzte mit den Fingern, damit Dolores zu ihr hinsah, und zeigte mit der Hand nach links.

Dolores schaute in die richtige Richtung, und Frank berührte Sallys Flanken mit den Fersen. Sie trottete langsam vorwärts, den Zaun der Koppel entlang.

Maddie öffnete das Gatter, ging zur Veranda und setzte sich demonstrativ auf den Platz zwischen Stubblefield und Luce. Sie zog die Knie fast bis zum Kinn, sodass sich der Rock ihres Baumwollkleides fest zwischen ihren knochigen Gelenken spannte. Interessiert sahen sie den Kindern beim Reiten zu. Goldrute, Purpurwasserdost und Scheinastern wuchsen höher als der Zaun, und die herbstlichen Farben ihrer Blüten passten gut zueinander und zu dem herben blauen Himmel.

Die Kinder hatten eine Runde bis zum Gatter gedreht, und als Sally langsamer wurde, stieß Frank sie an, damit sie nicht stehen blieb. Sie versuchte sich in einem leichten Trab, aber als die Kinder zu hüpfen anfingen, wurde sie wieder langsamer, die Ohren nach vorn gerichtet. Sie drehten eine weitere Runde. Es war ein großer Erfolg. Vielleicht konnten Dolores und Frank aufhören, griesgrämige kleine Delinquenten zu sein, die es darauf abgesehen hatten, ihre Welt zu zerstören.

Luce sagte: »Ein schöner Anblick.«

Maddie wurde Zeugin eines seltenen Vorkommnisses: Luce lächelte strahlend übers ganze Gesicht. Dann blickte Maddie zu Stubblefield, der zu Luce schaute und ebenfalls lächelte.

»Wie lange kennst du sie?«, fragte Maddie Stubblefield.

»Zwei oder drei Wochen«, sagte Luce rasch. Sie hielt

drei Finger in die Höhe. Vorsichtshalber für den Fall, dass Stubblefield über seine Teenagererinnerungen reden wollte.

Maddie sagte: »Drei ganze Wochen?« Ihr Tonfall hatte etwas Schauspielerisches, adressiert an ein Publikum, das nicht anwesend war außer in ihrem Kopf, und sollte mindestens zwei Dinge gleichzeitig zum Ausdruck bringen.

»Richtig«, sagte Stubblefield.

Maddie sagte: »Ich kenne deine Familie schon lange. Als kleines Mädchen kannte ich einen Stubblefield, der aus Antietam noch eine Minié-Kugel im Bein hatte. Ein alter bärtiger Mann, der es gern hatte, wenn man seine Narbe berührt und gespürt hat, wie sich die Kugel unter dem Finger bewegte.«

Stubblefield sagte: »Aha. Dann hast du wahrscheinlich auch den Cowboy gekannt?«

»Ich erinnere mich an ihn. Wir waren zusammen in der Schule. Er war zwei Jahre älter. Hat nie einen Finger gerührt. Hat den ganzen Tag nur rumgesessen und Platten gehört und getrunken. Mit ihm zu reden war unglaublich unterhaltsam, aber man konnte sich nie auf ihn verlassen. Statt ihn nach der Uhrzeit zu fragen, war es besser, zum Himmel hinaufzuschauen und nach der Sonne zu sehen.«

»Mein Großvater hat immer gesagt, dass ich ihm sehr ähnlich bin.«

Maddie betrachtete Stubblefield, als sähe sie ihn zum ersten Mal. Und sagte: »Du siehst ihm ein bisschen ähnlich. Er war auch so ein großer, gutaussehender Dummkopf.«

Luce stieß Maddie mit der Schulter an. Und flüsterte ihr zu: »Sei nicht so streng zu ihm.«

Maddie wandte sich Luce zu und wollte etwas sagen, doch sie sah Luce' Miene und überlegte es sich anders. Stattdessen drehte sie sich wieder zu Stubblefield um und sagte ebenfalls flüsternd: »Wenn du sie nicht gut behandelst, kriegst du's mit mir zu tun.«

Stubblefield fuhr langsam die schmale Straße zu einer Farm entlang. Zu beiden Seiten hingen drei Stränge rostiger Stacheldraht zwischen grauen Holzpfosten herunter und zäunten unkrautbewachsene Weiden ein, auf denen eigentlich Kühe hätten stehen sollen. Er fuhr an einer leeren Scheune vorbei und hielt in der Nähe der Hintertür eines großen Farmhauses aus dem neunzehnten Jahrhundert an. Geschnitzte Ornamente an den Giebeln und weiße Farbe, die von den Schindeln abblätterte in Stücken, so groß wie Schmetterlingsflügel. Als er die Tür öffnen wollte, sagte Luce: »Nein. Entweder bleibst du sitzen oder fährst eine halbe Stunde herum.«

Stubblefield hob die Hände. Was immer du willst. Kein Problem.

Es war sowieso keine richtige Verabredung, da Luce nur einen Chauffeur brauchte. Doch unterwegs zu ihr hatte Stubblefield an einem Stand an der Straße angehalten, ein Glas Honig gekauft und es ihr, nachdem sie die Kinder bei Maddie abgegeben hatten, überreicht mit den Worten: »Sag mir, wenn ich mich irre, aber ich glaube, der steht auf der Liste der zulässigen Geschenke.«

Luce hielt das Glas ins Licht und betrachtete die Beine und Flügel, die in dem nahezu kaffeefarbenen Honig hingen, und die blasse Wabe, die sich kaum sichtbar in der dunklen Masse versteckte. Da sagte Stubblefield: »Ich glaube allmählich, dass da was drin ist, was aussieht wie das katzenköpfige Baby in der Karneval-Freakshow, das in einem Glas mit schmutzigem Formaldehyd geschwommen ist.«

»Ja, vielleicht. Aber trotzdem danke.«

Luce wunderte sich über sich selbst. Ein Nachmittag ohne Kinder, und sie hatte nichts anderes vor, als ihre alten Lehrerinnen aus der Grundschule zu besuchen. Sie merkte, dass auch Stubblefield sich fragte, warum. Aber er schien zu spüren, wie angespannt sie war, und fuhr sie hin, ohne Fragen zu stellen. Er tastete unter dem Sitz und zog aufs Geratewohl eins von mehreren Büchern hervor. *Franny und Zooey*, auf dessen weißem Umschlag ein fusseliges Bonbon klebte.

»Lass dir Zeit«, sagte er.

Luce stieg die drei Stufen zur Hintertür hinauf, klopfte mit dem Knöchel des Zeigefingers zweimal an den Rahmen der Fliegengittertür und trat in die düstere Küche.

Die Lehrerinnen waren hagere helläugige Schwestern mittleren Alters und von scharfem Verstand. Alle hatten sie die klugen toten Engländer der vergangenen Jahrhunderte gelesen und auch ein paar sehr ausgewählte ältere amerikanische Schriftsteller.

Während die meisten ihrer Kolleginnen ledig waren, sodass man den Eindruck gewinnen konnte, Lehrerinnen schworen einen Eid gegen Männer, der so bindend war wie der einer Nonne, waren diese drei Rebellinnen verheiratet. Miteinander hatten sie herausgefunden, wie man eine Ehe zu führen hatte, damit so wenig Schaden wie möglich angerichtet wurde. Ihre Männer wohnten zwei Stunden weit weg, in Richtungen, die den Kompass in Drittel teilten wie einen großzügig aufgeschnittenen Kuchen, und keiner der Männer kam je vorbei außer zu den allerseltensten Anlässen, als wäre um die Frauen als Mittelpunkt mit einem Zirkel eine entmilitarisierte Zone gezogen, die sie nicht zu betreten wagten. Niemand wusste genau, welcher Arbeit diese Männer nachgingen. Jeden Freitagnachmittag um drei Uhr stiegen die drei Schwestern in ihre Hudsons, die sich nur in der Farbe unterschieden, und fuhren übers Wochenende zu ihren Männern. An den wichtigen Feiertagen blieben sie etwas länger, und im Sommer waren es zwei, drei Wochen. Sie hatten keine eigenen Kinder, aber Jahrzente mit den Kindern anderer verbracht.

Luce wurde von einer Schwester ins Wohnzimmer geführt, während die andere Kaffee in die elektrische Kanne gab und sie auf den Herd stellte. Die dritte Schwester, die jüngste, saß bereits im Wohnzimmer neben einem Fenster und las. Luce war seit ihrer Kindheit nicht mehr hier gewesen, doch selbst das Bonbonglas stand noch auf seinem alten Platz auf dem Kaminsims. Es war die Art Zimmer, in dem Schondecken über den Lehnen lilafarbener Samtsessel lagen und die Sitzflächen in vielen Jahrzehnten, die fast bis zur Präsidentschaft von Grant zurückreichten, von Hinterbacken zu einem blasssilbrigen Flor abgewetzt worden waren. Überall standen Bücherregale, gefüllt mit ledergebundenen Miltons und Burnses und Tennysons, auf den Vorsatzblättern in der schönen verschnörkelten Handschrift längst verstorbener Menschen beschrieben. Eine der Schwestern konnte »Thanatopsis« rezitieren, ohne ein Wort auszulassen, eine andere konnte »Snowbound« auswendig, und die Jüngste konnte voller Überzeugung »Die Maske des roten Todes« aufsagen, obwohl es überhaupt kein Gedicht war, weswegen sie des Paraphrasierens verdächtigt wurde. Man stelle sich also feierliche Januarabende, ein knisterndes Feuer und eine große Schüssel Popcorn vor, das mit einem Streifen Speck gebraten war.

Luce war in den ersten Schuljahren von allen drei Schwestern unterrichtet worden, und weil sie sich ähnlich sahen, waren sie in ihrer Erinnerung miteinander verschmolzen. Auch weil alle drei sie über die Maßen gelobt und ihr so dringend empfohlen hatten, etwas aus ihrem Leben zu machen, wie es kein Erwachsener zuvor oder danach je getan hatte. Jede von ihnen hatte sie am Ende eines Schuljahrs fest an den Schultern gefasst, ihr in die Augen geschaut und gesagt: »Du kannst werden, was immer du willst.«

Seltsam, ihnen jetzt wieder von Angesicht zu Angesicht gegenüberzustehen als Erwachsene, als die, zu der sie geworden war.

Als der Kaffee fertig war, setzten sich die Schwestern nebeneinander auf ein Sofa gegenüber Luce. Sie tranken jede eine halbe Tasse Kaffee auf einen Zug und zündeten sich dann ein Zigarette an. Drei verschiedene Marken.

Das ungewohnte Koffein wirkte sich als Kribbeln in Luce' Backenzähnen und als Rauschen in ihren Gedanken aus.

Sie platzte gleich am Anfang mit einem Teil dessen, was sie vorbereitet hatte, heraus: »Ich habe viel über meine Schulzeit nachgedacht und über die Erziehung von Kindern. Lilys Mädchen und Junge leben jetzt bei mir. Meine Mutter war für nichts ein Vorbild, war einfach bloß verrückt. Und es ist nicht so, dass ich Sie in meiner Erinnerung zu lieben Damen verkläre. Sie hatten große Erwartungen. Wenn wir aufgerufen wurden, mussten wir vortreten und für uns geradestehen. Lilys Kinder sind schwierig.«

Die älteste Schwester brach in ein kurzes Raucherlachen aus, das nicht zu unterscheiden war von einem TB-Husten. Sie sagte: »Willst du, dass wir dir erklären, wie man eine Mutter ist? Wenn ja, bist du am falschen Ort.«

Und dann fingen alle gleichzeitig zu sprechen an, fielen einander ins Wort und beendeten die Sätze der anderen, wie sie es seit einem halben Jahrhundert taten. Es hörte sich an, als würden sie streiten, aber sie waren alle drei einer Meinung.

Im Großen und Ganzen waren sie der Ansicht, dass ein großer Unterschied bestand zwischen Mutter und Lehrerin. Eine Lehrerin unterrichtet neun Monate im Jahr sechs Stunden am Tag. Und hat es mit dreißig Kindern gleichzeitig zu tun. Man gibt sein Bestes und erwartet das Gleiche von den Kindern. Dann schickt man sie in die nächste Klasse und hofft, dass es mit dem nächsten Pulk besser klappt.

»Inwiefern ist das vergleichbar mit deiner Situation?«, fragte die jüngste Schwester.

Luce hatte das Gefühl, wieder an einem brutalen Wettbewerb mit Lernkarten teilzunehmen. Sie sagte: »Überhaupt nicht?«

»Falsch«, sagte die Älteste. »Oder zumindest ist die Antwort nicht vollständig.«

Luce überlegte und sagte: »Nicht vergleichbar, außer dass man sein Bestes gibt und das Gleiche von ihnen erwartet?«

»Ja«, sagte die Jüngste.

Die Mittlere sagte: »Du lernst noch immer schnell.«

Luce wollte sich verabschieden und gehen. Aber dann sagte sie: »Das ist alles schön und gut, aber es hilft mir nicht, wenn ich morgens aufstehe und nicht weiß, wo ich anfangen soll. Oder wenn ich ins Bett gehe und Angst habe, versagt zu haben. Sie streiten miteinander und zünden Sachen an und bringen Hühner um. Manchmal sind sie böse, aber meistens haben sie Angst vor der ganzen Welt. Irgendetwas stimmt nicht mit ihnen, und ich glaube, Lilys Mann hat ihnen was angetan. Sie lassen sich nicht von mir waschen. Sie berühren Menschen nicht gern und lassen sich nicht gern berühren. Ich weiß nicht, ob man da was machen kann. Oder wenn doch, wie viel.«

Die jüngste Schwester sagte: »Glaubst du etwa, wir hätten nie mit einem Kind zu tun gehabt, das von einem Mann misshandelt wurde, weil es das Einzige in seiner Welt war, das schwächer war als er? Aber wir konnten es nicht beweisen.«

Die älteste Schwester sagte: »So etwas wird man nie wieder ganz los.«

Die mittlere Schwester, Luce' Lehrerin in der ersten Klasse, die mit der blitzenden Brille und den Veilchen am Revers, neigte sich vor, um ihre leere Tasse auf die Untertasse zu stellen. Sie sagte: »Luce, als du ein kleines Mädchen warst, hattest du vor nichts Angst. Das ist mir als Erstes an dir aufgefallen. Wahrscheinlich weil ich nie so gewesen bin. Jedes Jahr am ersten Schultag, auch heute noch, schaue ich in diese kleinen Gesichter, und jeder von ihnen braucht etwas von mir, und wenn ich dann an die hundertachtzig Tage vor mir denke, habe ich das Gefühl, keine Luft mehr zu kriegen. Ich habe gelernt, mich daran zu erinnern, dass es gute und schlechte Tage geben wird. Für mich und für sie. Zwischen Herbst und Frühjahr gibt es viele Höhen und Tiefen.«

Als Luce zum Wagen zurückkam, hielt Stubblefield das Buch hoch. Er sagte: »Vierzig Seiten, und ich fühle mich ruhig und melancholisch. Es ist wie meditieren, wenn ich die Zeit hätte, dabeizubleiben.«

Im Auto heiterte sich Luce' Stimmung ein wenig auf. Sie wollte noch ein bisschen weiterfahren, auf Umwegen, um den sowieso schon langen Nachhauseweg noch zu strecken.

»Den Kindern geht's gut bei Maddie«, sagte Luce. »Es hat irgendwas damit zu tun, wie sie mit ihnen redet, im gleichen Tonfall, den sie bei Sally anschlägt. Als wären alle glücklich und zufrieden, und niemand will etwas von dir, außer dass du dich über das gemeinsame Abendessen freust.« Heute würde es eine Suppe mit weißen Bohnen und viel Schinken und eine Pfanne mit Maisbrot geben.

Stubblefield fuhr den Fluss entlang unterhalb des Damms durch das Tal. Auf den Feldern wurde der sommerliche Betrieb allmählich eingestellt, Mais musste als Viehfutter geerntet werden, breite Tabakblätter mussten gebündelt und in offene Scheunen zum Trocknen gehängt werden, bevor sie versteigert wurden. Lange Reihen Kohlköpfe, die staubigen grünen äußeren Blätter geädert wie die Hand eines alten Mannes. Jenseits der Felder erstreckten sich Wälder die Hänge hinauf bis zu den Gipfeln, das Laub färbte sich gelb, orange und rot.

Luce blickte zu Stubblefield und dann wieder aus dem Fenster. Sie sagte: »Ich versuche den Kindern zu helfen, wenn das möglich ist. Erst mit zwei oder drei haben sie sprechen gelernt. Lily hat in Briefen die Wörter erwähnt, die sie konnten. Sie haben aufgehört zu reden, und jetzt fangen sie wieder an. Ich lese ihnen vor, gehe wandern mit ihnen und versuche ihnen beizubringen, wo sie hier sind. Ich erzähle von Blumen und von Geschichte. Musik. Ich versuche, sie nicht zu bedauern. Sie scheinen kein Mitleid zu wollen, und ich glaube, es wäre nur schlecht für sie. Wenn man anfängt, sie zu bedauern und zu verhätscheln und keine Erwartungen an sie zu haben, dann werden sie bleiben, wie sie sind. Vielleicht werden sie das sowieso. Sie haben zwei Hähne umgebracht, was für kleine Kinder nicht ganz leicht ist. Schau dir einen großen Gockel an und stell dir vor, du wärst nicht mal einen Meter groß, und dieses wilde Tier reicht dir bis zur Brust, stellt die Nackenfedern auf, starrt dich an und pickt mit seinem gelben Schnabel nach dir. Sie greifen dich an, hacken mit den Krallen nach dir, picken dir ins Gesicht.

Ich weiß nicht, wie sie es getan haben ohne Waffen, sie hatten ja höchstens einen Stock.«

»Du bewunderst sie also?«, fragte Stubblefield.

»Ich will nur sagen, dass es besser wird. Nachdem sie versucht haben, die Lodge anzuzünden, die sie eigentlich nur ein bisschen versengt haben, haben sie nicht mehr gezündelt.«

»Hast du das Farmhaus meiner Großeltern mitgezählt?«

»Es ist eine Möglichkeit, dass sie das waren, aber eine Tatsache ist es nicht«, sagte Luce.

»Könnte die Möglichkeit ein dunkles holzkohlengraues Areal sein?«

»Na gut, wenn du sarkastisch sein willst, dann waren sie es natürlich. Ich habe es nur nicht mit eigenen Augen gesehen. Und du hast dich übrigens großartig verhalten, was das angeht.«

»Freut mich, dass du es bemerkt hast.«

Als sie auf die unbefestigte Straße bogen, die auf die andere Seite des Sees führte, langte Luce zu Stubblefield, fasste nach seiner Hand, hielt sie einen Augenblick fest und gab sie ihm wieder zurück, als würde eine Dreizehnjährige bei ihrer ersten Verabredung ein Experiment durchführen. Und Luce hoffte, dass er vernünftig genug war, der Sache keinerlei Bedeutung beizumessen, außer für sich selbst.

5

ES DÄMMERTE GRAU, und Lit hatte schon die Scheinwerfer eingeschaltet, als ein geflecktes Schwein über die Straße hetzte, flach an den Boden gedrückt und wahnsinnig schnell, während schwarzes Blut aus einer Wunde an seinem Kopf floss. Auf dem weißen Begrenzungsstreifen auf der anderen Straßenseite gaben seine Beine nach, und es schlitterte vorwärts ins Unkraut.

Bud sagte: »Was zum Teufel war das?«

Lit bremste und stieg aus. In der Ferne johlten Männer wie die konföderierten Soldaten vor Pickett's Charge und anderen historischen Fehlentscheidungen.

Lit betrachtete das niedergesunkene Tier. Vor dem Schlachten geflohen. Was sonst. Kein Schwein mehr, aber auch noch kein Schweinefleisch.

Bud öffnete die Tür, um auszusteigen, aber Lit sagte: »Bleib sitzen. Das dauert nur eine Minute.«

Lit langte durch die offene Tür und schaltete die Scheinwerfer aus, ließ den Motor jedoch laufen. Stellte sein Bier auf das Autodach, kramte in dem Kasten mit rostigem Werkzeug im Kofferraum und holte ein Beil heraus. Er ging zu dem Schwein und stieß mit dem Fuß dagegen. Nichts als toter Speck.

In geringerem Abstand grölten die Betrunkenen im Wald jetzt: Mich laust der Affe und andere Ausdrücke größter Verwunderung.

Lit arbeitete mit dem Beil, als würde er einen gefällten Baum zerlegen. Aber nur so weit, dass er an die Hinterbeine kam. Scheiß auf den restlichen Bauernfraß. Kutteln, Ohren,

Rückenspeck und Schnauze. Das ganze eklige Zeug für Schweinskopfsülze. Er schleifte die Hinterbeine zum Wagen, warf sie und das tropfende Beil in den Kofferraum und fuhr mit ausgeschalteten Scheinwerfern weiter. Sollten die Hillbillys das Rätsel doch selber lösen, wenn sie jetzt gleich kamen, um ihr entlaufenes Schwein zu holen.

Nach der ersten Kurve trat Lit aufs Gas, und die vergessene halbvolle Bierflasche fiel über den Kofferraum auf die Straße und zerbrach mit einem lauten Knall. Bud hielt seine leere Flasche aus dem Fenster und warf sie nach hinten über den Wagen, damit sie wie die andere fröhlich zu Bruch ging.

Eine nächtliche Autofahrt. In dieser Nacht tranken sie wie in so vielen Nächten in letzter Zeit Bier und hörten Radio, teilten sich die Aufputschmittel und sprachen von ihren Hoffnungen und Träumen. Die Lichter des Armaturenbretts warfen grüne Schatten auf ihre Gesichter, die Luckys hingen ihnen aus dem Mundwinkel, außer sie schnippten Asche aus dem Fenster.

Sie waren weit entfernt von der Stadt. Und fuhren noch weiter. Es war kein Licht zu sehen in der indigoblauen Nacht außer den gelben Kegeln der Scheinwerfer und den winzigen weißen Himmelskörpern, die dank einer glücklichen Mischung von Pillen ein bisschen wie Feuerräder aussahen, wenn sie länger als ein paar Sekunden durch die Windschutzscheibe nach oben blickten. Lit fuhr schnell, lenkte mit der rechten Hand, den linken Ellbogen hatte er auf der Fensteröffnung abgelegt. Kalte feuchte Bergluft strömte herein, gemäßigt durch die Hitze, die von der Spritzwand aufstieg. Die ersten heruntergefallenen gelben Pappelblätter lagen wie nach oben gedrehte Hände auf dem dunklen Asphalt.

Die schmale Straße verlief neben einem Wildwasserbach bergauf zu einem Pass und folgte den Windungen des Flusslaufs. Eine Kurve ging rasch in die nächste über, der Wagen schaukelte rhythmisch hin und her, die Sportfedern und Stoßdämpfer wurden auf der Innenseite leicht zusammengedrückt und hoben sich ein wenig auf der Außenseite. Kaum mehr als ein Achselzucken in die eine oder andere Richtung. Sie überquerten schmale einspurige Holzbrücken, die Bohlen silbermetallic gestrichen, damit sie wie Stahlträger aussahen. Fuhren durch Tunnel aus Bäumen, die sich über die Fahrbahn wölbten, die so schmal war, dass ein entgegenkommendes Auto rechts auf den Grasstreifen hätte ausweichen müssen. Aber zu dieser Nachtzeit war das nur eine theoretische Möglichkeit.

Noch zwei Kurven, und das Ziel ihrer Fahrt erstreckte sich vor ihnen am Ende der gewundenen Bergstraße. Ein auffallend gerades Stück Straße, länger als der Lichtkegel der Scheinwerfer. Ein Philanthrop mit einem Pinsel hatte eine Viertelmeile gemessen und einen schlampigen weißen Strich am Anfang und am Ende über den Asphalt gezogen. Am Ende war kaum ausreichend Platz, um vor der nächsten scharfen Linkskurve zu bremsen.

Lit hielt vor der Linie an, schaltete herunter und trat aufs Gas. Der Wagen senkte sich über den Hinterrädern und heulte auf, hinterließ zwei lange Reifenspuren im ersten und noch einmal beim Hinaufschalten in den zweiten Gang. Brummte gleichmäßig im vierten, als die rote Tachonadel über die Hundert-Meilen-Marke hinauszitterte. Die beiden Männer sprachen kein Wort während der rasenden Fahrt.

Als sie über den zweiten Streifen fuhren, sagte Bud: »Ich habe dreizehn gezählt.« Lit sagte: »Es waren zwölf.«

Um Mitternacht, es war neblig und kalt, stießen sie auf ein Dutzend Jugendliche aus der Highschool, die Bier tranken, zur Musik eines Autoradios tanzten und sich an einem großen Feuer aus Autoreifen wärmten, das sie um das zehnte Loch des Golfplatzes gemacht hatten. Bud blieb im Auto sitzen und wartete auf das gewaltige Donnerwetter. Doch Lit ging zum Feuer, wärmte sich die Hände und sagte hallo zu einem großen, schlanken blonden Mädchen, als würde er sie kennen. Dann holte er zwei Bier aus der Kühltasche der jungen Leute und setzte sie davon in Kenntnis, dass alles, was sie taten, gegen die Gesetze verstieß. Die Anklagepunkte waren mutmaßlich unbefugtes Betreten eines Grundstücks und Vandalismus, wenn nicht gar Brandstiftung. Zudem Konsum von Alkohol in der Öffentlichkeit, und die meisten von ihnen waren noch dazu minderjährig. Und dabei hatte noch keiner von ihnen den Mund aufgemacht oder war davongelaufen, was bedeutet hätte, dass er sich der Festnahme widersetzte. Ja, da hatten sie sich ganz schön tief in die Scheiße geritten.

Lit fragte: »Weiß einer von euch, was der Audruck *mildernde Umstände* bedeutet? Hebt die Hand, wenn ihr glaubt, dass ihr es wisst.«

Niemand meldete sich, und Lit sagte: »Jetzt in diesem Moment bedeutet er, dass jeder grauhaarige Golfspieler, der jemals dieses Loch getroffen hat, alles dafür geben würde, einer von euch zu sein. Deswegen sage ich jetzt nichts weiter als gute Nacht. Allerdings möchte ich noch hinzufügen, dass morgen Schule ist. Aber scheiß drauf.«

Lit stieg in den Wagen, gab Bud eins der zwei Bier und fuhr weiter.

Später saßen sie im Auto hinter dem Roadhouse und tranken ihr Bier aus, bevor sie hineingingen, um weitere zu bestellen. Bevor Lit ihn kommen sah, steckte ein großer betrunkener Mann mit einem Gesicht wie einer der rohen Schinken im Kofferraum den Kopf durch Lits offenes Fenster und brachte brüllend seinen Zorn zum Ausdruck.

»Erinnerst du dich an mich? Du hast mich mit dem Totschläger niedergeschlagen, du Scheißkerl. Nur weil ich was gesagt hab, als du versucht hast, mich wegen Einbruchs und Diebstahls zu verhaften. Dabei hab ich nur einen alten Fernseher mitgenommen.«

»Ich habe nicht *versucht*, dich zu verhaften«, sagte Lit. »Ich *habe* dich verhaftet.«

»Manchmal kann ich meine Finger immer noch nicht spüren. Aber jetzt hast du keine Uniform an. Du bist nicht im Dienst, und das heißt, dass du ein ganz normaler Bürger bist, du kleiner Wichser. Ich zieh dich beim Arsch aus dem Wagen und tret dich über den Parkplatz.«

So rasch, dass Bud es erst wahrnahm, als es passiert war, kurbelte Lit das Fenster hoch, klemmte den Hals des Mannes ein und schlug ihm immer wieder auf den Mund, so schnell, dass Bud die Schläge nicht zählen konnte. Lit kurbelte das Fenster wieder herunter, und der Kopf des Betrunkenen sackte nach unten.

Lit drückte die Tür auf und stieg aus. Der Mann rappelte sich auf, von seinem Kinn tropfte Blut, aber er war bereit, sich zu prügeln. Er baute sich auf und rechnete mit Faustschlägen mit der Rechten und Kinnhaken, in klassischer Boxermanier. Als würde ein Schiedsrichter in weißem Hemd und mit Fliege neben ihm stehen und Regelverstöße benennen.

Lit, nicht annähernd so romantisch, holte den Wagenheber unter seinem Sitz hervor und beendete die Sache mit einem harten Schlag parallel zum Boden.

Der Mann lag auf dem Kies und versuchte sein zerschmettertes Knie mit seinem Oberkörper zu schützen. Und verfluchte dabei Lit und Gott gleichermaßen.

»Da dran bist du selber schuld«, sagte Lit. »Das wäre nicht nötig gewesen, aber du hast es so gewollt. War deine eigene freie Entscheidung.«

Schlägereien gehörten zum Job. Bud hatte bereits ein halbes Dutzend miterlebt. Irgendein besoffener Schwachkopf glaubte, gegen die Polizei antreten zu können, genau wie sein Rebellen-Urgroßopa. Für Bud war es immer lehrreich zu sehen, wie es ausging.

Wenn er nass aus dem See kam, brachte Lit vielleicht fünfundsechzig Kilo auf die Waage. Aber die waren athletisch und angespannt für das ausdrückliche Ziel, erstaunlich schnell zu reagieren. Bei einem Kampf Mann gegen Mann arbeiteten seine kleinen wilden Fäuste auf zutiefst destruktive Weise, suchten nach der Milz, die dringend einen Riss brauchte. Die Aktionen von Lits Händen drückten sich in keiner Weise auf seinem Gesicht aus, das so ausdruckslos blieb wie der Boden eines leeren Eimers. Er kam ins Schwitzen während einer Schlägerei, aber seine Miene war so sanft wie die von Jesus bei den jungen Tieren, getaucht in einen Sonnenstrahl. Säufer oder Kriminelle mochten versuchen, ihm den Kopf in den Unterleib zu rammen oder sich an ihn zu drängen, Nase an Nase, und ihn dabei aufs übelste verunglimpfen, doch Lits Augen blickten weiterhin, als würde er in eine ganz andere, grüne und absolut friedliche Welt schauen.

6

STUBBLEFIELD KONNTE SEIN Leben nicht fassen. Es kam ihm vor, als wäre er an eine Science-Fiction-Zeitmaschine angeschlossen oder hätte eine neue Droge genommen, die ihn zurückwarf zu einem vergangenen Höhepunkt seines Lebens, als er schwer versagt hatte. Aber jetzt hatte er unerwartet eine zweite Chance. Diesmal musste er draufgängerischer, schlauer, komischer, gescheiter sein und nicht der dumme Jugendliche, der vor Stolz und Scham und Angst ganz verkrampft gewesen war. In jeder Hinsicht besser, weil er mehr vom Leben wusste, mehr Bücher gelesen und mehr Musik gehört hatte. Doch wie sollte er den Siebzehnjährigen mit der unerwarteten Gegenwart in Verbinduung setzen?

Stubblefield beschloss, den Interviewer zu spielen. Wenn sie mit den Kindern spazieren gingen oder auf der Veranda saßen, horchte er mit – zumindest für ihn – überraschendem Taktgefühl Luce aus und förderte Bruchstücke ihrer Vergangenheit zutage. Er beobachtete sie genau und hörte aufmerksam zu, stellte Fragen nur bis zu dem Punkt, an dem er spürte, dass sie zurückschreckte. Meistens musste er sie drängen, manchmal aber auch nicht. Er kam sich vor wie ein WPA-Interviewer während der Weltwirtschaftskrise, der einen widerspenstigen Neunzigjährigen zu der großen Überschwemmung von 1873 und zugleich zu einem folkloristischen Flussdampfer-Wettrennen befragte, bei dem ein Kessel explodiert war und Dutzende im heißen Dampf verbrüht wurden und starben. Ein bisschen was von der einen Geschichte, ein bisschen was von der anderen, und nie war man sich ganz sicher, wie viel man glauben konnte.

Als Stubblefield fragte, warum Luce den Job in der Lodge angenommen hatte, antwortete sie, dass sie weit weg von der Stadt leben wolle und der See so schön sei. Der alte Stubblefield war gut zu ihr gewesen und ein interessanter Mann, für den sie gern arbeitete, wenn man es denn Arbeit nennen wollte.

Und damit hätte es sich gehabt, wenn Stubblefield nicht weitergebohrt hätte. Als er das Thema erneut aufgriff, sagte sie, dass sie den Job zu einem Zeitpunkt angenommen habe, als sie nicht länger über Hoffnungen und Befürchtungen und Wünsche habe nachdenken wollen. Das alles nützte kein bisschen, wenn es darum ging, einen Tag unbeschadet hinter sich zu bringen. Erstrebenswert war es, jeden Tag so zu leben, wie er kam, und sich nicht von anderen Leuten stören zu lassen. Man musste den Mund halten und hoffen, dass alle anderen das Gleiche taten. Man mühte sich wochenlang ab, und nichts passierte, außer dass sich das Wetter änderte. Sie bemerkte, dass es überaus interessant war, das Wetter zu beobachten, schließlich beschäftigte es die Menschen seit Jahrtausenden. Und nicht nur das aktuelle Wetter, sondern auch das Wetter im Verlauf der Jahreszeiten. Man musste lernen, langfristige Veränderungen zu spüren, und sich nicht mit dem Alltäglichen aufhalten. Ein großes Wachsen und Schrumpfen, ein Auf und Ab in einem langsamen Rhythmus, den Millionen kleinster Teile bestimmten – Tiere, Pflanzen, Minerale –, nicht nur die Temperatur und die Länge der Tage. Zum Beispiel wie sich ein Rhododendron im Lauf des Jahres veränderte, Monat für Monat. Sie behauptete, an die hundert Dinge ihrer unmittelbaren Umgebung auf diese Weise beobachtet und verstanden zu haben. Sie sagte: Stell dir vor, du weißt alles, was diese Welt hier ausmacht, bis hin zu dem, was die Salamander in jedem

Monat des Jahres tun. Sie presste die zusammengedrückten Fingerspitzen an die Schläfen und sagte: Bumm. Dann spreizte sie die Finger und hob die Hände in einer Geste, die eine Explosion andeutete.

Als Stubblefield sie zum Thema Eitelkeit befragte – nach den Zeiten, als Luce am Cheerleader-Schönheitswettbewerb teilgenommen hatte –, war sie erstaunlich mitteilsam. Im Augenblick war sie so hübsch, wie sie sein wollte in Anbetracht der Tatsache, dass Hübschsein vor allem Ärger bedeutete. Sie schminkte sich nie und schaute oft viele zufriedene Tage lang nicht in den Spiegel. Sie schnitt sich selbst das Haar, aus Sparsamkeit und weil es ihr so lieber war. Wenn es ihr ein Stück über die Schulter reichte, schnitt sie die Enden ab. Sie sagte: »So sieht es gut aus.« Es war nicht modisch, hatte aber doch Stil, vor allem weil es nicht wichtig war, was man gerade für eine gute Frisur hielt.

Wenn Luce doch einmal in den Spiegel schaute, fand sie sich noch immer recht hübsch, wenn man sich an die landläufige Vorstellung von hübsch hielt. Und wenn man sich daran hielt, hatte man auch Probleme. Hübsch zu sein war keine Errungenschaft und im Übrigen nicht von Dauer. Es war also ein Fehler, sich deswegen allzu verrückt zu machen. An dieser Stelle blickte sie Stubblefield in die Augen.

Was Kleidung anging, so gab es in der Stadt nur zwei Geschäfte, die Frauenkleidung verkauften, und sie konnte sich nur das wenigste leisten. Es gab ein Stoffgeschäft mit Stoffballen, die fast bis zur Decke übereinandergestapelt waren, mit Behältern mit den transparenten Schnittmustern von Butterick und Simplicity, gefaltet und verpackt in Umschlägen mit optimistischen pastellfarbenen Illustrationen von Frauen mit Wespentaille, Nähkästchen voll Fingerhüten aus

gehämmertem Silber und glänzenden Nadeln, präzise aufgereiht hinter dem Zellophansichtfenster der Heftchen, und
jede Nadel durchbohrte zweimal das mattschwarze Papier.
Was Luce betraf, hätte es den Laden nicht geben müssen. Ihr
genügte es, einen Knopf annähen zu können.

Angesichts ihrer knappen Mittel trug sie jahrelang dieselben bunt zusammengewürfelten Kleider. Im Sommer
wechselte sie abwechselnd Jeans und Slipper und rote oder
schwarze Caprihosen und weiße oder blaue Oxford-Hem-
den und weiße Turnschuhe oder abgestoßene Capezios aus
ihrer Zeit vor der Lodge. Im Herbst zog sie weite Rollkragenpullover und spitze, schwarze knöchelhohe Stiefel an.
Alles war immer sauber und akkurat gebügelt, sodass man
nicht wusste, ob sie zwei oder ein Dutzend dieser Kombina-
tionen besaß. Stubblefield war hingerissen. Er stellte sich
vor, dass sie ihre Kleidung nach einem Zeitplan wechselte,
der vom Wachstum der Bäume oder einem anderen winzigen zyklischen Ereignis bestimmt wurde, das den Über-
gang von einer Jahreszeit zur nächsten markierte. Das Blü-
hen der Scheinastern oder ein spezieller Einfallswinkel der
Abendsonne.

Was ihre finanzielle Lage betraf, sagte Luce nur, sie komme
zurecht. Sie mochte ebenso wenig über Geld reden wie über
Religion und Politik. Schließlich aber brachte Stubblefield
sie dazu, über ihren Sold zu sprechen und davon, wie sie damit zurechtkam. Was für ein netter Zug des alten Stubblefield, diesen dezenten Ausdruck zu gebrauchen, sagte sie.
Und dann erzählte sie begeistert davon, wie sie sich manchmal etwas dazuverdiente, indem sie bearbeitete Flintsteine
und Pfeifenköpfe aus Lehm verkaufte, die im Frühling auf
den gepflügten Feldern oder das ganze Jahr über nach star-

ken Regenfällen auftauchten. Indianische Pfeil- und Speerspitzen und Klingen aus einer früheren Welt. Im Kopf einer guten Pfeife befand sich oft noch die Kruste von verbranntem Tabak, und man konnte sich gut vorstellen, wie ein Ureinwohner am Ende des Tages seine Pfeife geschmaucht hatte. Die Touristenläden an der Straße kauften ihr die Sachen ab, zudem Ginsengwurzeln. Die Fundstücke verscherbelten sie an Touristen, und der Ginseng wurde wie schon seit zwei Jahrhunderten überwiegend um die halbe Welt nach China verschifft. Für Männerprobleme, erklärte Luce.

Als zusätzliche Einnahmequelle hatte sie versucht, Tabak anzubauen, aber die dafür zugelassene Fläche war so klein, dass man nahezu darüber hinwegspucken konnte. Die Regierung erlaubte nicht mehr und hatte einen Mann und einen Jungen mit einem Maßband geschickt, mit dem sie das Feld bis auf den letzten Quadratzentimeter ausmaßen. Nach einem Sommer Arbeit hatte sie kaum die Unkosten gedeckt, und danach gab sie die kommerzielle Landwirtschaft wieder auf. Während der Angelsaison schauten manchmal Angler in der Lodge vorbei, um Spinner und Wobbler und Regenwürmer zu kaufen.

Stubblefield erfuhr, dass Luce nicht viel Verwendung für Geld hatte, was ihn verwirrte. Das meiste, was man damit kaufen konnte, wollte sie nicht. Sie legte keinen Wert auf moderne Annehmlichkeiten, und ihre Wünsche galten unpraktischen Dingen, denen jeglicher finanzielle Wert fehlte.

Luce sagte: »Am meisten wünsche ich mir, so pfeifen zu können wie jeder Vogel hier in der Gegend.«

Da glaubte Stubblefield, Ironie auf seine Kosten herauszuhören.

Er sagte: »Was ist mit Fernsehen? Das kann man mit

Geld kaufen. Paladin könnte dir gefallen. Er hat manchmal einen wirklich trockenen Humor.«

Luce sagte: »Ich habe das Radio.«

Außerdem, so erklärte sie, brauche man immer mehr Geld, wenn man sich Dinge zu sehr wünsche. Sie versuchte, weitgehend ohne Geld zu leben. Wenn man eine Arbeit annahm, verkaufte man seine Zeit unweigerlich an jemanden, der sie geringschätzte. Luce dagegen schätzte ihre Zeit sehr. Sie hatte die Sache durchschaut. Lebe außer Sichtweite des alltäglichen kommerziellen Schwachsinns. Gib so wenig Geld wie möglich aus.

Aber die Kinder gefährdeten Luce' Haushaltsplan. Sie würden Schuhe und Kleidung brauchen, und sie verschlangen mehr als zwei Bärenhunde. Ihr Gemüsegarten würde ihrem Hunger keine drei kalten Monate standhalten. Mitten im Winter wären die Kartoffeln, Kohlköpfe, Rüben und Eichelkürbisse im Keller aufgegessen, und die bunten Weckgläser mit eingemachten Tomaten und grünen Bohnen stünden leer in den Regalen.

Wenn die Kinder in die Schule gehen mussten, was dann? Der Staat bestand darauf, doch Luce befürchtete, dass sie die anderen Kinder drangsalieren könnten. Sie befürchtete zudem, dass sie auf der langen Fahrt in die Stadt in einem gelben Schulbus eingesperrt wären. Das viele Benzin im Tank. Sie besserten sich zwar, aber vielleicht nicht schnell genug.

Als Stubblefield Luce fragte, ob sie manchmal einsam war – schließlich lebte sie so gut wie ohne Verbindung zur Welt, kein Telefon, ein Wespennest im Briefkasten –, erwiderte Luce, natürlich sei es manchmal einsam, dafür werde sie jedoch reich entschädigt. Da gab es zum Beispiel Tiere. Erstaunlich war es, dass so große Tiere wie Hirsche und Bären die blutrünstige Vergangenheit überlebt hatten, da doch alle anderen großen Tiere ausgerottet worden waren. Bisons vor 1800, Elche kurz darauf, Wölfe vor 1900 und Pumas kurz nach dem Ersten Weltkrieg. Die Daten bestätigt von Maddie, dem alten Stubblefield und anderen Alten. In diesen Bergen und im Umkreis von mindestens tausend Meilen war nichts mehr von ihnen übrig. Komplett ausgemerzt. Nur dass Luce, als sie letzten Herbst bei Sonnenaufgang spazieren gegangen war, am oberen Ende von Stubblefields Heuwiese etwas gesehen hatte, etwas Großes und Blasses, das sich vor dem dunklen Waldrand bewegte. Es ging den Zaun entlang, und der sandfarbene Körper mit dem langen Schwanz reichte fast von einem Zaunpfahl bis zum nächsten. Luce schritt den Abstand später ab, es waren fast zweieinhalb Meter. Und das Tier bewegte sich, wie ein großer graubrauner Hund oder ein Reh sich nie bewegen würde. Es schlich geduckt am Boden und lautlos im langen Gras, das im Licht des frühen Morgens die gleiche Farbe hatte wie die Wildkatze. Wäre sie nicht allein gewesen, hätte sie den ·Puma nie gesehen, nie die Hoffnung empfunden, die er in der Welt verbreitete wie die Ringe um einen Stein, der in einen stillen See geworfen wurde.

Als Stubblefield das Thema Einsamkeit noch einmal ansprach, erzählte Luce erneut von all den Dingen, die sie dafür entschädigten. Gemüse anzupflanzen machte eine Menge Freude. Und im Herbst flogen Vögel in Wellen über einen hinweg, und ihre Rufe erzählten von weit entfernten Landschaften. Dann gab es die seltsamen Melodien von Maddies Liedern aus einem älteren Amerika. Oder einem jüngeren, je nachdem, welchen Standpunkt man einnahm. Und die Traurigkeit und Tapferkeit der frischen, zum Untergang verurteilten Triebe, die aus toten, von Braunfäule befallenen Kastanien wuchsen. Wenn sie nachts hinausging, sah sie nirgendwo außer in der Stadt auf der anderen Seite des Sees Lichter, nur die dunklen Umrisse der Berge vor dem kohlschwarzen Himmel und die funkelnden Sterne. Und manchmal im Sommer die Fischer mit ihren kleinen Booten, die mit großen Taschenlampen aufs Wasser leuchteten, um Barsche anzulocken. Und seit kurzem die schrecklichen Satelliten, die über den Himmel zogen und die Konstellationen der Gestirne verunstalteten.

Und natürlich war die Freiheit, allein zu leben, auch nicht zu verachten. Bevor die Kinder in ihr Leben getreten waren, hatte Luce an Sommernachmittagen zum Beispiel oft in einer Hängematte gelegen, die sie für einen Dollar fünfzig in einem Armeeladen gekauft hatte. Sie roch nach Mehltau und hatte ein Dach aus Segeltuch und Seitenwände aus Moskitonetzgewebe. Sie hängte sie zwischen zwei Hemlocktannen auf und lag darin wie in einem frei schwebenden kleinen Zelt. Sie konnte darin schaukeln und den Garten und den Wald betrachten, die durch das Netz aussahen, als lägen sie im Dunst, und Bücher aus den Regalen in der Halle lesen. *Seventeen* von Booth Tarkington. Bände der alten Encyclopedia Britannica. Der im gemäßigten Regenwald übliche nachmittägliche Regenschauer trommelte auf das Dach der Hängematte und zog weiter, und dann kam die Sonne wieder heraus. Im Herbst machte sie am späten Nachmittag ein Lagerfeuer im Hof, setzte sich auf einen hölzernen Safaristuhl mit gestreifter Segeltuchbespannung, sah zu, wie es dunkel wurde, und trank dazu ein kleines Glas von dem alten Scotch aus dem Keller. Beobachtete, wie die Sonne, der Mond und die Planeten einer nach dem anderen die gleiche geschwungene Bahn zum Horizont nahmen.

Stubblefield sagte: »Du gehst also gern in der Morgendämmerung spazieren und entdeckst ausgestorbene Tiere? Aber vorher? Was ist mit der Einsamkeit um zwei Uhr nachts?«

Luce sagte, die sei ziemlich schlimm, das könne sie nicht leugnen. Manchmal hatte sie da das Gefühl, als sei ihr ein Stück von ihr selbst abhandengekommen. Aber sie hatte sich eine Form ausgedacht, die die Tage annehmen mussten, sodass sie kaum merkte, ob sie glücklich war oder nicht. Dazu gehörte, dass sie nicht über den jeweiligen Tag hinausdachte. Der Gemüsegarten, die Hühner, Brennholz, Kochen. Die vier Jahreszeiten. Im Spätsommer trugen die letzten Wassermelonen und müden Tomatenpflanzen noch ein, zwei kleine Früchte, bevor sie endgültig aufgaben. Dann nahmen die Kürbisse Farbe an, und sie fand die letzten Äpfel im alten Obstgarten, klein und unansehlich, aber frisch und geschmackvoll, mit der richtigen Balance zwischen süß und säuerlich, sodass sie sich zum Essen wie auch zum Kochen eigneten. Im Herbst streckte sich dann der noch kleine Blattkohl ins Licht der tief stehenden Sonne und wartete auf den ersten Frost, denn erst danach schmeckte er richtig gut.

Über ihre Kindheit wollte Luce nicht sprechen. Sie erzählte immer nur von einem schlaksigen dunkelhaarigen Mädchen namens Myrtle, die aus dem Reservat hinter dem der Stadt am nächsten gelegenen Bergzug stammte. Das Mädchen sprach fast nur Cherokee. Man ließ beide unbeaufsichtigt herumwandern, und manchmal trafen sie sich auf dem Höhenkamm. Luce wäre es zufrieden gewesen, mit ihr den ganzen Tag dazusitzen, zu lächeln, kaum ein Wort zu sagen und ganze Dörfer aus dem Reisig zu bauen, das auf dem

Waldboden lag. Aber Myrtle konnte nicht so lange bleiben, sie musste nach Hause, um dabei zu helfen, Mais zu enthülsen oder Erbsen zu pulen oder was immer sonst die Jahreszeit diktierte. Der einzige englische Satz, den das Mädchen konnte, war: Hol die verdammten Schweine. Nützlich vor allem, wenn die Schweine der Nachbarn ausrissen und im Gemüsegarten wüteten. Aber es machte auch einen Riesenspaß, ihn gelegentlich einfach so herauszuschreien.

Stubblefield fragte, wie es war, nachdem Lola verschwunden war, und Luce sagte: Besser. Sie erinnerte sich daran, dass manche Leute in der Stadt, ohne irgendwelche Beweise zu haben, heftig spekulierten, Lit hätte Lola umgebracht und in den Bergen vergraben. Und die Kinder hörten es natürlich von ihren Eltern und konnten gar nicht oft genug in der Schule darüber reden. Als Luce verwirrt nach Hause kam und Fragen stellte, beschönigte Lit nichts. Er erzählte der Drittklässlerin Luce und der Zweitklässlerin Lily, dass ihre Mutter mit einem Mann aus Drecksloch, Florida, weggelaufen war, der Mann sie bald hatte sitzenlassen und Lola jetzt wahrscheinlich auf den Straßen von Tampa anschaffen ging.

Die junge Luce war im Westen bis in die Bezirkshauptstadt gekommen, zwanzig Meilen weit weg, doch abgesehen davon, dass es dort ein Bezirksamt aus Marmor mit einer grünen Kuppel aus Kupfer gab, war es dort nicht auffällig anders als in der Stadt am See, außer dass es von allem zwei gab. Sogar zwei Friseure mit identischen rot-weißen Pfosten, die sich in runden Glasbehältern bis in die Unendlichkeit zu Spiralen drehten. Aber leider gab es in jeder Stadt nur eine Bibliothek. Obwohl es doppelt so viele Dinge gab, dauerte es nur ein paar Minuten, bis man die Straßen entlanggegangen war. Eine Seite hinauf, die andere hinunter, ein paar Blocks zu beiden Seiten, das war schon alles. Deswegen verstand die junge Luce nicht, was ihre Mutter auf den Straßen von Tampa anschaffen ging.

Kaum war Lola verschwunden, schien Lit von Tag zu Tag weniger angespannt und nervös. Er trank nicht mehr Schnaps, sondern Bier und beschränkte sich an Werktagen auf ein oder zwei Flaschen. Und im Haus war es viel stiller ohne das ständige Gezänk. Lola war kaum in der Lage, Rühreier zu machen, das Essen veränderte sich demnach nicht merklich. Luce und Lily ernährten sich hauptsächlich von Sandwiches mit Fleischwurst und Käse und heißen Würstchen, außer wenn Lit Sirloin-Steaks nach Hause brachte und sie mit kleingeschnittenen Kartoffeln in einer Pfanne briet.

»Hast du sie irgendwie vermisst, als sie weg war?«, fragte Stubblefield.

»Nein. Und das ist mein letztes Wort dazu, egal, wie oft du fragst.«

Doch als Stubblefield es noch einmal versuchte, erinnerte sich Luce an etwas aus ihrer frühen Kindheit. Lily war krank. Koliken oder Cholera oder was immer. Lily heulte, und Lola trug sie durchs Wohnzimmer und sagte: Baby, Baby, Baby.

Stubblefield sagte: »So eine herzerwärmende Erinnerung?«

»Ja, herzerwärmend. Ich hatte große Angst, dass Lily sterben und mich allein mit ihnen lassen würde. Ich fing an zu weinen, und Lola legte Lily auf das Sofa, packte mich am Handgelenk, schleifte mich in die Küche und stieß mich mit dem Rücken gegen den Kühlschrank. Dann hat sie sich zu mir heruntergebeugt und mich angeschrien, was für ein Schwächling ich wäre. Dabei hat sie nicht einmal die Zigarette aus dem Mund genommen. Ich erinnere mich, dass sie geglüht hat und auf und ab gehüpft ist, während sie gebrüllt hat.«

Irgendwann fragte sich Stubblefield, wie viel er eigentlich über Luce erfuhr. Sie sprach freimütig über Stoffmuster, die täglichen Aufgaben im Garten, seinen Großvater. Doch er hatte das Gefühl, als würde er einem Falschspieler beim Kartenmischen zusehen, all die kleinen, unauffälligen Bewegungen, um deine Aufmerksamkeit abzulenken, und am Schluss ein beruhigendes Spreizen der Hände, um den Abgrund zu verbergen, der sich unter ihrem Leben auftat.

Stubblefield las gern Bergsteigerbücher über Hillary, Smythe und Mallory. Es gab einen Ausdruck für die Höhe, auf der man sich befand, wie weit es bis zum Abgrund war, wie schlecht das Wetter war. Für all die kumulativen Gefahren der Welt, in die man sich begeben hatte. Das Wort war »exponiert«. Irgendwann verlor man die Hand, wenn man einen Handschuh verlor. Fiel man hin, dann starb man. Stubblefield war überzeugt, dass Luce ziemlich exponiert war. Doch wenn sie glaubte, dass es ihr gelungen war, ihr Leben auf das Wesentliche und auf Kompensation reduziert zu haben, dann musste er sich überlegen, in welche der beiden Kategorien er am besten passte.

7

FLIPPER ZUM BEISPIEL. Vor allem an einem Gottlieb *Cyclone* oder *Harbor Lites* aus Holz. Abend für Abend war Lit dank seiner Reflexe in der Lage, mit einem Vierteldollar zu spielen, bis ihm langweilig war. Die Art und Weise, wie er die Feder anzog, um die Stahlkugel ins Spiel zu bringen, war Kunst. Danach führten genau berechnete Stöße und Dämpfer mit Händen, Hüften und Knien den Ball zwischen pilzförmigen Schlagtürmen, Rinnen und mit Gummi überzogenen Schleudern hin und her. Es war zu kompliziert für einen normalen Menschen. Man konnte aufs College gehen und zehn Jahre lang Ingenieurwissenschaft und Physik studieren und es trotzdem nicht begreifen.

Übersinnlich und heiligmäßig, so sah es Bud. Wenn auf dem Parkplatz ein Blatt zu Boden fiel und dadurch die Luft aufgewirbelt wurde, beeinflusste das, wie Lits Finger zuckten. In jeder Sekunde tat Lit zwei Dutzend Dinge gleichzeitig, war mit teilnahmsloser Miene voll auf den Augenblick konzentriert. Auf jedem Automaten im Bezirk hatte er die höchste Punktzahl gespielt.

Heute Abend lief es wie üblich. Lichter blinkten auf dem gläsernen Kopfteil, Glocken bimmelten, Zahlen in den Hunderttausenden und Freispiele zuhauf, bis Lit Bier wollte. Dann sammelte er normalerweise das gewonnene Geld ein. Stattdessen überließ er diesmal Bud den Tisch. Sagte: »Halt ihn mir warm, ich komm gleich wieder.«

Bevor Lit seine zweite Dose ausgetrunken hatte, hatte Bud den gesamten angesammelten Gewinn verspielt. Jeden Penny von insgesamt fünfunddreißig Dollar verloren.

Bevor die Maschine ihren lauten traurigen Tod starb, war Lit aus der Tür.

Bud holte ihn auf dem Parkplatz ein. Lit saß bereits im Streifenwagen, der Motor lief, und die Scheinwerfer brannten.

»Fährst du los?«, fragte Bud.

»Ich fahre nicht los. Ich bin schon weg.«

Kies spritzte hoch, und bald darauf verblassten die roten Rücklichter auf der Straße. Bud stand allein da.

Kein Problem. Morgen wäre alles wieder in Ordnung. Und auch kein langer Fußmarsch nach Hause in der Dunkelheit. Ein Mann in Buds Position hatte viele neue Freunde, auf die er zählen konnte. Er ging zurück an die Bar und versuchte eine Rückfahrt in die Stadt zu organisieren. Gab sich nach außen hin gutgelaunt, obwohl er stinksauer war.

Aber es tat sich nicht viel an diesem Abend, und es war schon spät. Die wenigen Trinker waren Profis und wollten bis zur Sperrstunde bleiben. Bud hielt einen Zehn-Dollar-Schein hoch, einen Dollar pro Meile, aber keiner war interessiert. Als er schließlich zwanzig bot, mehr als einer dieser Idioten am Tag verdiente, bekam er eine Mitfahrgelegenheit in einem Kastenwagen voller Kohlköpfe. Der Fahrer, betrunken und schweigsam, fuhr selten schneller als fünfzehn oder zwanzig Meilen, dennoch war es nervenaufreibend. Der See war direkt neben der Beifahrerseite, und die Räder kamen immer wieder von der Straße ab. Bud öffnete sein Fenster für den Fall, dass der Wagen ins Wasser fuhr und unterging. Er würde durch das Fenster schwimmen und im schwarzen Wasser auftauchen. In den Mondschein.

Er hielt sich am Griff in der Tür fest, stemmte die Füße gegen die Spritzwand und fragte sich mit einiger Bitterkeit, warum er es nicht zu mehr gebracht hatte. Der Schwarzhandel hatte Bud zu einem einflussreichen Mann gemacht. Zu einer angesehenen Person, erstaunlicherweise. Aber die Sache hatte keinen Glanz. Er war nur der Lieferant, und er verweichlichte. Ständig ging ihm der Gedanke an das verlorene Geld durch den Kopf, leuchtend und begehrenswert. Und er grübelte über die Ungerechtigkeit nach, dass er für Lit nur eine Nebenrolle spielte, obwohl Bud ihn wirklich mochte, sogar wenn er nervös war. Bud sah ihre Beziehung zum einen wie die von Kumpanen in einer Football-Mannschaft, nur ohne Arschgetatsche und gemeinsames Duschen, zum anderen wie die von verknallten Jungen, wenn man nicht wirklich in den anderen Jungen *verliebt* war als vielmehr er *sein* wollte.

Aber abgesehen davon war die Nähe zur Polizei aus praktischen Gründen keine schlechte Strategie für den Fall, dass Buds neuer Beruf Komplikationen mit sich brachte. Und vielleicht hilfreich, wenn er dabei erwischt wurde, wie er um die Lodge schlich.

Auf der Main Street stieg Bud aus dem Wagen und dankte den guten Geistern des Handels, dass er nicht so blöd gewesen war und im Voraus bezahlt hatte. Er streckte einen Fünfer durchs Fenster, und der Fahrer war zu sehr hinüber, um es zu merken. Bud ging durch die dunklen Straßen nach Hause und versuchte, sich gleichzeitg auf das Geld und die Lektionen des Beraters im Jugendgefängnis zu konzentrieren. Sei geduldig. Schieb Belohnungen auf und warte, bis sie auf dich herunterregnen. Wie lange man warten sollte, das hatte freilich nicht zur Lektion gehört. Buds Geduld hatte eine Sicherung, und man konnte ihre Länge messen, indem man Daumen und Zeigefinger einer Hand hochhielt.

8

NACH EINER WOCHE Altweibersommer mit tiefblauem Himmel und sich gelb und rot verfärbendem Laub zog eine Kaltfront durch. Zwei Tage lang fiel aus einem zinnfarbenen Himmel kalter Regen. Stubblefield dachte wehmütig an den nördlichen Golf von Mexiko an warmen Oktobertagen. Und zunächst hörte Luce gern zu, wie er lebhaft einen Ort beschrieb, an dem sie nie gewesen war. Er erzählte, dass die Küste hauptsächlich schlickig war und man sich auskennen musste, um weißen Sand und klares Wasser zu finden. Aber er kannte sich genau aus. Er schilderte heroische Versuche zu angeln, von der Küste oder vom Boot aus. Kleine billige Hütten auf Stelzen am Strand, die man mieten konnte. Und auf Parkplätzen voller zertretener Muschelschalen standen mit weißen Schindeln verschalte Buden unter Virginia-Eichen, wo das Bier eiskalt und Austern nicht länger als ein paar Stunden zuvor aus dem Golf geholt worden waren, und man bekam einen Zinkeimer voll davon und einen braunen Lederhandschuh und ein Messer mit starker Klinge. Man öffnete die Schalen, gab drei Spritzer Tabasco auf die lebende Auster und sah zu, wie sie zuckte, dann legte man den Kopf in den Nacken, ließ sie von der Schale in den Mund gleiten und trank hinterher ein paar Schluck kaltes Bier. Aß vielleicht noch ein, zwei Cracker, je nachdem, was für eine Einstellung man zur Konsistenz einer rohen Auster hatte. Und dann wurde getanzt zu einer Wurlitzer voller Strandmusik, die in anderen Teilen des Landes unbekannt war. Eine nackte Glühbirne schwang an einem Kabel von der Decke und warf die verrückten Schatten der Tänzer an die Wände. Später, nach Mitternacht, ging man beschwipst schwimmen, und es war einem egal, wie tief das schwarze Wasser unter den wackelnden weißen Füßen war und was für großmäulige Fische einem womöglich zwischen den Beinen hindurchglitten.

Als er endete, hatte Luce das Gefühl, sie würde von ihm fortgetrieben und langsam versinken. Während er im Mondschein über ihr noch Wasser trat. Sie saß eine lange Weile still da. Er war vorsichtig gewesen, hatte eine Einladung kaum angedeutet, aber am liebsten hätte sie gesagt: Na los, das machen wir, Baby. Lass uns unbeschwert und jung sein. Wir holen uns einen Sonnenbrand und betrinken uns. Essen zu viel und tanzen zu viel und gehen nachts schwimmen. Wir tun was völlig Neues. Es war so lange her, dass sie sich so etwas auch nur gewünscht hatte.

Bis vor kurzem war es theoretisch möglich gewesen, Kleider in eine Tasche zu werfen, sich ins Auto zu setzen und loszufahren. Morgen könnten sie bei Sonnenuntergang am Strand sitzen und ein Bier trinken. In der neuen Realität existierten die Kinder.

Sie sagte: »Dort unten am Golf, ist es da wie am Meer?«

»Es sieht genau so aus. Wasser, so weit du blicken kannst.«

»Keine Bäume am anderen Ufer? Keine Städte?«

»Überhaupt nichts.«

Eine Woche später spielten James Brown and The Famous Flames in Tennessee, und Stubblefield lud Luce ein, mit ihm hinzufahren. Es wäre eine lange dunkle Fahrt auf kurvigen Straßen über viele Berge, und es wären keine zwei Dutzend weiße Gesichter dort zu sehen. Und verdammt, James Brown, einer von Luce' Lieblingssängern. Was für ein Abenteuer.

»Ich kann nicht«, sagte Luce.

»Die Leute werden in den Gängen tanzen«, sagte Stubble-field. »Ich weiß, dass du sehen willst, wie er völlig fertig von der Bühne geführt wird, schwitzend und kaum mehr bei Bewusstsein, und dann wirft er sein Cape ab und kommt zu einem letzten Song tanzend zurück ans Mikrofon. Und das wiederholt sich noch fünf- oder sechsmal.«

»Die Kinder.«

»Bitte, bitte, bitte«, sagte Stubblefield. »Wir sind am Morgen wieder zurück, und vielleicht könnten die Kinder bei Maddie bleiben.«

»Ich kann sie nicht so lange allein lassen. Aber fahr du. Ich bin nicht dein Vormund.«

»Nein, du bist nicht mein Vormund. Aber ohne dich würde es einfach keinen Spaß machen.«

»Jetzt sollte ich mich geschmeichelt fühlen, aber das ist nicht der Fall. Hör auf zu denken, dass ich deine Traumfrau bin. Du wirst nur enttäuscht sein und dich über mich ärgern. Du musst aufhören zu glauben, dass ich die perfekte Freundin für dich wäre. Das war ich nie und werde ich nie sein.«

Stubblefield tat so, als hätte er die letzten Sätze nicht gehört, und sagte: »James Brown zu sehen wäre, wie in die Kirche zu gehen und in Zungen zu sprechen. Aber ich will nicht mit dir streiten.«

»Oh, habe ich was verpasst?«, sagte Luce. »Soll ich mein Tagebuch holen? 9. Oktober. Unser erster Streit. Ich bin am Boden zerstört.«

Nachdem sie auf diese spektakulären Ausflüge verzichtet hatte, versuchte Luce, während der nächsten Tage an die Kompensationen zu denken. Die frische Luft eines Herbstnachmittags tief einzuatmen, das Gesicht in den gelben

Sonnenschein zu halten, die gezackten blauen Berge zu betrachten, die in fünf Schichten hintereinander in den Himmel ragten, die bescheidenen alltäglichen Freuden zu akzeptieren. Zum Beispiel einer Schildkröte mit hellgelben Vierecken auf dem braunen Panzer zuzusehen, die zwei Wochen lang kurz nach Tagesanbruch von Westen nach Osten über die Wiese kroch. Oder den fünf Truthennen, die während derselben Zeit bei Sonnenuntergang kamen und nacheinander auf die große Eiche am See flogen, wo sie nachts geschützt waren vor den räuberischen Säugetieren, die sie gern fraßen. Und obwohl Luce zu dieser Kategorie gehörte, wünschte sie diesem speziellen Trupp Glück, gleichgültig, wie gut eine davon geschmeckt hätte, gebraten in einem mit Hickoryholz befeuerten Ofen, mit sechs Streifen Speck auf der Brust und mit einem Apfel, einer Orange und einer Zwiebel im Bauch.

Da zu sein in jedem Moment, das war das Ziel. Versuchen, so viel Ruhe zu bekommen, dass sich die Gedanken richtig anordneten und man Neues über sich selbst herausfand. Der Golf und James Brown wären zweifellos großartig und eindrucksvoll, unvergessliche Erfahrungen. Und mit Dolores und Frank zu Hause zu bleiben wäre frustrierend, bedrückend und würde kaum etwas ändern an der schrecklichen Alltäglichkeit des Lebens. Klägliches Scheitern und seltene Augenblicke kleiner Siege. Und es war nicht einmal so, dass Liebe eine große Rolle spielte. Luce erwartete nicht von sich, dass sie die Kinder liebte, und sie erwartete schon gar nicht, dass sie sie liebten. Das wäre von allen Beteiligten zu viel verlangt gewesen. Aber sie empfand etwas für sie, und das hatte mit ihrem Überleben zu tun. Sie waren beschädigt und verletzt. Aber sie hatten eine verheerende Attacke überlebt. Dennoch waren sie weder verkümmert noch überempfindlich. Sie konnten kleine Wilde sein, wenn sie wollten. Meistens war ihnen Luce' eigene Welt scheißegal, und sie ertrugen Schmerz, ob den von Luce oder ihren eigenen, so stoisch wie ein Apache. Und wenn sich ihnen die Gelegenheit bot, nahmen sie Rache an der Realität, in der sie leben mussten. Entfachten ein Streichholz und erzielten einen Punkt für die große Abrechnung. An manchen Tagen wirkten sie so fatalistisch und erschöpft wie der alte Geronimo auf den Fotos aus seinen späten Jahren, mit ausdrucksloser Miene, aber immer noch wachsamen scharfen Augen. Was immer Luce für Dolores und Frank zu empfinden begann, sie konnte das Gefühl noch nicht benennen. Aber es gehörte zur selben Familie wie Respekt.

Dennoch wären diese Ausflüge toll gewesen. Und für kurze Zeitspannen war Maddie tatsächlich eine perfekte Babysitterin. Jeden Tag ihres Lebens war die doppelläufige Flinte zur Hand, geladen und mit gespanntem Abzug. In ihrer Tasche hatte sie stets einen Ochsenziemer und eine kleine Pistole dabei. Sie war bewaffnet und bereit, dem Tod ins Angesicht zu sehen, um die Kinder zu retten. Und sie war so unabhängig von der Meinung anderer Leute, dass sie Dolores und Frank liebenswert fand.

Auch wenn die Ausflüge ins Wasser fielen, machte es Stubblefield mit jedem Tag klarer, dass er lange warten würde, wenn Luce es so wollte. Die Kinder schreckten ihn nicht, er jagte den Kindern keinen Schrecken ein. Er war nicht aus ihrem Leben geflohen, was er wahrscheinlich hätte tun sollen. An dieser Stelle schweifte Luce kurz ab und fragte sich, was mit ihm nicht stimmte, dass er sich so für sie interessierte. Doch es war nicht wirklich wichtig. Mit den Kindern war etwas Neues und Seltsames in ihr Leben getreten, das plötzlich unkontrollierbar schien, es überwältigte sie, und vermutlich war sie von jetzt an verantwortlich für sie. Ein schlechter Zeitpunkt, was Liebe anbelangte.

Irgendetwas hatte Stubblefield jedoch an sich, was sie nicht losließ. Bilder blitzten nachts auf, wenn sie im Halbschlaf war. Die Flächen in seinem Gesicht, der Schnitt seiner Augen. Vielleicht konnte schlichte Geometrie seine unerwünschte Anziehungskraft erklären. Und außerdem handelte so viel der Musik, die sie spätabends hörte, von Liebe oder Verlangen. Schwer, sich nicht davon beeinflussen zu lassen.

Aber sie konnte die Behutsamkeit, mit der er sie behandelte, nicht einfach so abtun. Er insistierte nicht, er bedrängte sie nicht, er trieb sie nicht an und sperrte sie nicht ein, wie es ihre früheren Freunde gemacht hatten. Und wer einem gefiel und wen man schließlich liebte, war vielleicht keine rationale Entscheidung, gleichgültig, wie sehr man sich bemühte, die Vor-und Nachteile aufzulisten und zusammenzuzählen. Man konnte so etwas nicht durchdenken, nicht bis ans Ende. Vielleicht war der Geruch von jemandem wichtiger als alles andere zusammengenommen. Sie erinnerte sich, wie sie ihm beim Schwimmen zugesehen hatte. Überrascht, dass er sich im Wasser so viel wohler zu fühlen schien als an Land. Plötzlich wirkte er anmutig. Die Bewegungen seiner Arme, seines Rückens und seiner Beine, der langen Muskeln unter der Haut wirkten mühelos, nahezu entspannt. Aber wenn man seine Geschwindigkeit an den Orientierungspunkten am Ufer maß, schien er zu fliegen.

Die Kinder. Sie waren eine knallharte Tatsache, zumindest in ihrer physischen Präsenz. Gleichgültig, wie sehr Stubblefield versuchte, empfindsame Fühler auszustrecken in der Hoffnung, irgendeine Verbindung zu ihnen aufzunehmen und auf diese Weise unentbehrlich für Luce zu werden, er scheiterte. Seinen Wellen der Hoffnung begegneten sie mit mächtigen dunklen Unterströmungen, und sein erster konkreter Versuch der Kontaktaufnahme war eine totale Pleite.

Stubblefield versuchte, sie in ein einfaches Gespräch zu verwickeln. Schlichtes Geplauder. So was wie: Ihr seid nicht von hier, und ich bin es auch nicht. Wir sind alle drei wegen unserer Vorfahren hier. Dieser Ort ist uns also gleichzeitig fremd und vertraut, aber vielleicht gehören wir auch hierher, zumindest vorläufig. Die Kinder brachten sich vor ihm in Sicherheit. Sie liefen nicht weg oder schreckten zurück, sondern schlichen sich langsam davon. Sie schauten ihm nicht in die Augen, behielten ihn aber immer im Blick.

Als Stubblefield das nächste Mal zur Lodge kam, hatte er zuvor eine Weile nachgedacht. Vor allem mit Substantiven berührten und erschlossen sich die Kinder vorsichtig die Welt, als würden sie sie mit einer Fingerspitze antippen. Man sollte sie also mit gleichem Fingerspitzengefühl anfassen. Als er aus dem Wagen stieg, hockten sie auf der Veranda, die Knie ans Kinn gezogen, und spielten das Reisigspiel. Sie blickten nicht einmal auf. Stubblefield ging die Stufen hinauf und stellte eine geschlossene Zellophantüte mit Keksen neben die konkurrierenden imaginären Feuer. Er sagte: Fig Newton. Kein Wort mehr, und er wartete auch nicht auf eine Reaktion. Er trat durch die Fliegengittertür und ließ sie laut ins Schloss fallen. So cool wie nur möglich.

Als er sie wiedersah, regnete es. Die Stämme der Hemlocktannen hatten lange schwarze Streifen, der See war glatt und dunkel. Die Kinder schaukelten so heftig auf den Verandastühlen, dass sie beim Zurückschwingen mit den Knäufen oben an der Lehne an die Hauswand knallten. Sie schaukelten so weit nach vorn, bis die Stühle fast auf den Spitzen der

Kufen standen und sie beinahe von der Veranda und in die Buchsbäume geschleudert worden wären, dabei klammerten sie sich so fest an die Enden der Armlehnen, dass ihre Knöchel weiß waren. Sie schaukelten asynchron vor und zurück, doch das Knallen gegen die Wand und das Rattern der gebogenen Kufen auf den verzogenen Verandabrettern folgten einem Rhythmus. Ein Stück fürs Schlagzeug. Am Fuß der Stufen sagte Stubblefield, Gut geschaukelt, und salutierte, indem er sich mit einem Finger an die Augenbraue tippte. Dolores und Frank schaukelten weniger heftig, und bis er die Stufen hinaufgestiegen war, waren sie langsam genug, um ebenfalls zu salutieren, obwohl man den Gruß bei kritischer Betrachtung ironisch, wenn nicht gar sarkastisch hätte nennen müssen. Was Stubblefield nur recht war. Im Augenblick wollte er nichts anderes, als dass sie seine Existenz in ihrem Leben anerkannten. Er hatte nicht vor, abzureisen. Mit ein bisschen Glück müssten sie sich alle mit den Eigenheiten der anderen für eine lange Zeit einrichten.

Beim nächsten Besuch spielten die Kinder im Hof. Beide hielten sie eine Kuchenform in der Hand. Die Formen waren schwarz von vielen Aufenthalten im Ofen und hatten eine lange Geschichte von Pfirsich-, Rhabarber-, Brombeer-, Apfel-, Pekannuss-, Süßkartoffel- und Kürbiskuchen, die bis ins letzte Jahrhundert reichte. Die Kinder erprobten, jedes für sich, das Vergnügen, das es bereitete, die Form gegen verschiedene harte Gegenstände zu knallen. Oder sie mit dem Schwung von Hand, Handgelenk und Arm flach in die Gegend zu werfen. Dabei zuzusehen, wie sie eine kurze Strecke flogen und dann ins Gras fielen, zu einem kreisrunden Schatten in der grünen Fläche wurden. Als Stubblefield aus dem Hawk stieg und sich zu ihnen stellte, sagte Dolores: Stubblefield. Sie sah ihn nicht an, sagte nur seinen Namen.

Nicht anders, als sie *Baum* oder *Stein* gesagt hätte. Dann liefen sie und Frank weg. Als erwarteten sie, dass er ihnen nachrannte. Aber Stubblefield ließ sie laufen, dachte an die alte irische Schäfer-Weisheit, die seine Großmutter spät im Leben auf das Versagen ihres Gedächtnisses angewandt hatte. Jag ihm nicht nach, dann kommt es zurück. Gerade so laut, dass sie es noch hören konnten, sagte Stubblefield: Dolores und Frank. Nicht, als würde er sie rufen, sondern nur um ihre Namen zu nennen. Sie liefen bis zum Waldrand, blieben stehen und blickten zurück. Stubblefield salutierte wieder mit einem Finger, und die Kinder salutierten ebenfalls. Als er zur Lodge ging, sah er Luce grau und geisterhaft hinter der Fliegengittertür stehen und ihn beobachten. Als er an der Tür war, öffnete sie sie und gab ihm einen harten, ungeschickten, heftigen Kuss. Er stand da und befühlte mit der Zunge die Schneidezähne, um zu überprüfen, ob etwas abgebrochen war, und fragte dann: »Wofür war der?«

»Danke.«

»Wofür?«

»Du weißt schon.«

»Nein, ich weiß es nicht. Das musst du mir schon erklären.«

Er rechnete damit, dass sie sich sperrte, aber sie sagte: »Dafür, dass du keine Angst hast.«

Stubblefield klopfte an das Glas der Tür, das durchsichtig war wie Schneeflocken, und trat ein. Der Anwalt blickte von einem Stapel Papier auf und hob den großen Füller höher als nötig, um darauf hinzuweisen, dass er mitten in einem Gedankengang unterbrochen worden war. Die reglosen Blätter des Ventilators spiegelten sich als X auf seiner braunen Glatze. Er sagte: »Setzen Sie sich.«

Stubblefield setzte sich und sagte: »Ich habe über diese Ag-Verpachtungen nachgedacht, die Sie neulich erwähnt haben.«

Der Anwalt zog seinen Kalender zu Rate, eine Seite pro Tag auf einem Chromgestell mit einer fetten roten Zahl auf jeder perforierten Seite. Er blätterte die jüngste Vergangenheit durch, machte ein großes Aufhebens darum, wie lange es her war, dass sie miteinander gesprochen hatten. An den letzten Tagen jedes Monats nannte er laut den Namen, als würde er in der dritten Klasse Wörter zum Buchstabieren ausrufen. Oktober, September, August. Dann wurde er langsamer, bis er schließlich innehielt.

»Ah«, sagte er. »Da haben wir's.«

Er holte aus einer Schublade mit Akten einen gelben Block und schlug eine Seite mit großen blauen Zahlen auf.

Er sagte: »Sie hatten viel Zeit für tiefgründige Gedanken.«

»Ich werde mir heute Abend eine schlaue Retourkutsche überlegen und Ihnen morgen eine Postkarte einwerfen«, sagte Stubblefield. »Im Augenblick geht es darum, dass ich lange Zeit hierbleiben werde, und nicht nur ich allein.«

Der Anwalt sagte: »Hm.« Zog die Augenbrauen in die Höhe und legte die Stirn in Falten, die bis auf das kahle Haupt reichten.

Er sagte: »Die Steuerschulden sind noch nicht bezahlt.«

»Verkaufen Sie das Roadhouse, wenn wir einen Käufer dafür finden«, sagte Stubblefield.

»Mir fallen da ein, zwei Namen ein.«

»Und das Land zu verpachten klingt auch gut. So wie wir es besprochen haben, wenn Sie noch wollen.«

»*Je suis prêt.*«

»Ich hatte Spanisch.«

»Ich bereite die Unterlagen vor. Kommen Sie morgen, und Sie können sie unterschreiben.«

Stubblefield saß ein paar Augenblicke nachdenklich da. Dann sagte er: »Ich dachte, ihr alten Jungs erledigt so was mit einem Lächeln und einem Handschlag.«

»Tun wir auch, wenn wir das Geschäft abschließen.«

Stubblefield stand auf und sagte: »Ich will nicht den Beleidigten spielen, aber wenn Sie das Geschäft machen wollen, dann so. Ich unterschreibe keine Papiere.«

Er streckte die Hand über den Schreibtisch.

Der Anwalt schaute Stubblefield an und dann den gelben Block mit den Zahlen bis zur untersten Zeile. Er grinste, stand ebenfalls auf und ergriff die dargebotene Hand. »Verdammt«, sagte er, »man lebt wahrscheinlich nur dieses eine Mal.«

9

BILLARDSALON.

Stand auf dem geschwärzten Glas zu beiden Seiten der Tür. In der gleichen eckigen goldenen Schrift wie auf der Citizens' Bank einen Block weiter auf der Main Street. Wahrscheinlich war ein längst verstorbener Typ mit schöner Handschrift in den zwanziger Jahren durch die Stadt gekommen und hatte sich auf die Schnelle ein paar Dollar verdient. Hier waren immer noch nebenbei jede Menge Geschäfte zu machen, wie zum Beispiel Bestellungen für billigen Wodka und Maiswhiskey anzunehmen, der braun gefärbt wurde, damit er als Scotch durchging. An Tagen, an denen Bud nicht unterwegs war, war der Billardsalon nachmittags sein Büro, bis er abends seine Zelte im Roadhouse aufschlug.

Im Inneren roch es festlich nach verschüttetem schwarzgebranntem Bier und Tabak in vielen Spielarten. Es war dunkel wie um Mitternacht, nur die fünf Billardtische standen in einem rauchigen Kreis aus gelbem Licht, das aus kegelförmigen Lampen fiel. Männer gingen durch den Raum, betraten die hellen Lichtkreise und verließen sie wieder wie Jimmy Durante, der sich am Ende seiner wöchentlichen Sendung verabschiedete.

An einem Tisch am Ende des Raums ein Spiel mit acht Kugeln. Bud neigte sich konzentriert vor, der Flor des grünen Filzes war um den Kopfpunkt abgerieben und schmierig braun wie gegerbtes Fell. Sein Queue zuckte vor und zurück vor dem schmutzigen Spielball, während er auf seinen Gegner wartete, der stolz war auf ein dichtes Rack und das Dreieck mit den Kugeln noch immer hin und her schob. Bud setzte sein Queue auf dem Boden ab und sagte: »Mach schon oder lass mich ran.«

Der Anstoß, als er endlich stattfand, erfolgte mit einer großspurigen Geste, doch nachdem sich die Kugeln verteilt hatten, musste Bud feststellen, dass er überhaupt nicht in Form war. Er verlor einen Stapel Vierteldollarmünzen und verlor weiter, Spiel um Spiel, bis er angewidert aufhörte und hinausging, um sich abzuregen. Er blinzelte in den leuchtend blauen und gelben Oktobertag, und die Luft war so glasklar, dass er, nachdem sich seine Augen an das Licht gewöhnt hatten, die Querstreben des Juala-Bald-Feuerwachturms erkennen konnte.

Er setzte sich auf die Bank zu drei alten Männern in weißen Hemden und weichen blassblauen Overalls und schweißfleckigen grauen Filzhüten. Und zu dem früheren Dieb aus dem Supermarkt mit der abwesenden Miene und der rosa Delle in der Stirn. Die Männer unterhielten sich weiter, ohne innezuhalten, reichten Streichhölzer und Messer herum und erzählten ausgefeilte üble Geschichten vor allem über Frauen und Schlägereien aus ihren jüngeren Jahren, die die meisten erstunken und erlogen genannt hätten. Aber die alten Lügner glichen den Mangel an Wahrheit mit wahrhaftigen Gefühlen mehr als aus.

Einer erzählte mit völlig ausdruckloser Miene einen uralten, erstaunlich schmutzigen Witz. Die anderen Männer zogen die Nase hoch und räusperten sich, statt laut zu lachen.

Lit fuhr in seinem schwarzweißen Streifenwagen die Main Street entlang. Er grüßte die Männer auf der Bank mit erhobenem Finger und fuhr weiter.

Einer der Alten sagte: »Traurige Sache das.«

Bud wurde hellhörig. »Warum traurig?«

»Alles. Seine Frau und seine Töchter. Er ist ein einsamer Mann. Luce ist die einzige Verwandte, die er auf der Welt noch hat.«

»Und?«, fragte Bud.

»Sie reden nicht miteinander, wenn sie sich auf der Straße begegnen. Tun so, als ob sie beide tot füreinander wären.«

Bud brauchte ein paar Sekunden, bis er das verdaut hatte. Und dann traf es ihn mit einem Mal wie eine große Erleuchtung.

»Verdammt«, sagte er laut und konnte sich gerade noch zurückhalten, um nicht herauszuplatzen mit: Dann ist Lit ja auch Lilys Vater.

Er ging ohne ein geistreiches Wort des Abschieds zu seinem Pick-up und fuhr am Seeufer entlang, am Damm vorbei und dann den Fluss entlang durch das Tal, dachte nach, von Panik überwältigt. Er atmete schnell und flach, bis ihm schwindlig wurde und er am Straßenrand anhalten und würgend den Kopf aus dem Fenster hängen musste.

Dass er Lits Ex-Schwiegersohn war, schien nicht gerade vielversprechend, gleichgültig, wie man es betrachtete. Lily hatte nicht gern über ihre Familie gesprochen, und wenn sie etwas erzählte, hatte Bud normalerweise nicht zugehört. Wenn sie von ihrem Vater sprach, hatte sie ihn Daddy genannt. An mehr konnte Bud sich nicht erinnern. Und was war das überhaupt für ein Name, Lit? Bud hatte den Namen nie zuvor gehört. Oder es war an ihm vorbeigerauscht, während er an etwas anderes gedacht hatte.

Es war, als wäre er in ein Spiel geraten, dessen Regeln alle außer ihm kannten. So wie die Sache, dass man nicht mit dem Fuß die Toilettenspülung betätigt. Und weil er die Regeln nicht kannte, trat er sich immer wieder auf den eigenen

Schwanz, während unbedeutendere Menschen vorankamen. Genau wie im Leben im Allgemeinen.

Bud nahm den Haifischzahn seiner Halskette in die Hand und ballte sie zur Faust. Mit den Millionen Jahre alten Zacken fügte er sich einen tiefen, diagonalen Schnitt in der Kuppe des Mittelfingers zu. Als Blut floss, steckte er den Finger in den Mund, um das Eisen zu schmecken.

Er schloss die Augen und atmete durch den Mund aus, als würde er lautlos pfeifen. Er zählte bis fünfzig. Als er seine Atmung wieder unter Kontrolle hatte, überlegte er, was die wesentlichen Hinweise auf seine Identität waren.

Woran konnten sie ihn möglicherweise erkennen? Bud war ein Spitzname, und soweit er sich erinnerte, war er bei keinem seiner Gerichtsverfahren jemals erwähnt worden. Johnson war einer der drei am weitesten verbreiteten Namen im Land. Lit und Luce konnten unmöglich wissen, dass er John Gary Johnson war, aus dem, was sie über den Prozess und über seine Ehe wussten, konnten sie es nicht schließen. Lily hatte ihn immer Johnny genannt. Und niemand hier hatte auch nur ein Foto von ihm gesehen.

Bud und Lily waren auf die Schnelle von einem Friedensrichter in South Carolina getraut worden, einem Staat, dem Blutuntersuchungen und andere Verzögerungstaktiken scheißegal waren. Dort unten waren sie der Meinung, dass eine Ehe impulsiv geschlossen werden sollte, wenn man es so wollte. In fünf Minuten und in Straßenkleidung. Schneller als man einen Führerschein bekam. Es war keine Veranstaltung gewesen, für die man einen Fotografen angeheuert hätte. Und damals hatte sich Lily nicht für ihre Familie interessiert. Sie war zu froh, von zu Hause weg zu sein, und zu scharf auf Bud, um sich viele Gedanken um ihre paar Verwandten zu machen. Sie hatte ihnen nicht einmal eine Postkarte von der Hochzeitsreise nach Myrtle Beach geschickt, beschränkt auf achtundvierzig Stunden, die sie überwiegend betrunken gewesen waren. Lilys Freundin aus dem Schönheitssalon hatte zwar zugestimmt, die Kinder zu nehmen, aber nur für zwei Tage. Verlängerung ausgeschlossen. Bud war der Ansicht gewesen, es wäre doch egal, wenn sie später kämen und irgendeine Friseuse deswegen ausflippte. Sie würde die Kinder schon nicht auf die Straße setzen. Lily dagegen meinte, dass man Freunde nicht so behandelte, und Bud sagte: Probier's aus, dafür hat man Freunde. Aber Lily setzte sich durch, und sie fuhren so schnell und abgefüllt mit Bier nach Hause, um pünktlich zu sein, dass es Bud egal war, wer ihn sah, als er anhielt, um zu pinkeln. Als ein State Trooper mit seinem Smokey-Bear-Hut auf dem Kopf vorbeifuhr, machte Bud keine Anstalten, sich von der Straße abzuwenden. Er wechselte nur die Hand, um mit der Rechten zu salutieren. Und ausnahmsweise hatte er Glück. Kein Blaulicht, kein Sirengeheul, kein quietschendes Umkehrmanöver. Smokey fuhr weiter. Er musste ihm extra Punkte für den Unterhaltungswert zugebilligt haben.

All das waren triftige Gründe, die dafür sprachen, dass Bud in dieser Stadt nicht bekannt war, auch nicht bei den traurigen Überresten von Lilys kaputter Familie. Außer es wäre ihm irgendwann etwas rausgerutscht.

Bud durchkämmte die Vergangenheit und kam nur bis zur letzten Woche, als ihm etwas einfiel. Eine vage Erinnerung. Er war eines Morgens – oder vielmehr eines Nachmittags – mit trockenem Mund und einem mulmigen Gefühl erwacht. Er lief prophylaktisch ins Bad, kniete sich vor die Kloschüssel und hielt lange Zeit den Kopf darüber.

Jetzt fragte er sich, ob er geplaudert hatte am Abend zuvor, als er mit ein paar seiner Großkunden Karten spielte.

Ob er sich mit den leicht zu beeindruckenden Kerlen betrunken und angegeben und alle möglichen Geschichten erzählt hatte, nur um zu beweisen, wie cool er war. Durchaus vorstellbar, dass er was von einer Mordanklage und einer Schlampe von Ehefrau gequasselt hatte. In Kleinstädten wie dieser wurde getratscht, und Lits Antennen waren immer ausgefahren.

Bud spürte, wie Panik in seiner Brust aufstieg wie das Wasser in einer Kaffeemaschine. Er holte tief Luft, um sie zu ersticken. Sagte sich: Wenn du nicht bist, wer du gern wärst, dann tu wenigstens so, als wärst du es. Mach dir ein klares Bild von einem Kerl, mit dem sich niemand gern anlegt, und werde dann zu diesem Bild. Tu endlich was. Finde das Geld und zieh weiter. Fahr nach Brownsville oder bis nach Havanna und leb bei den bärtigen Revolutionären.

10

EIN TROPISCHER WIRBELWIND drückte schwüle Luft vom Golf herauf, der Überrest eines der letzten Hurrikane des Jahres. Das schlechte Wetter blieb in den Bergen hängen. Nasse Straßen und Regen, der aus einem weißen, tief hängenden Himmel fiel. Es wurde früh dunkel, und alles wies darauf hin, dass der Sommer längst tot war. Kalte Zeiten standen bevor. Jedes Schimmern von Scheinwerferlicht auf dem abgefallenen Laub deutete in Richtung Lonely Street.

»Ein Abend für ein langsames Stück für ein Tenorsaxofon«, sagte Stubblefield. »Oder vielleicht für ein Trompetensolo von Chet, wo sich viel Musik und Stille die Waage halten. Melancholisch und empfindsam.«

»Kino«, sagte Luce.

Schnüre aus Regentropfen auf der Windschutzscheibe verschmolzen zu einer Wasserfläche, bevor der Scheibenwischer wieder darüberfuhr. Ein letzter Strauß Purpursonnenhut und Goldraute verstreute Blütenblätter auf der Ablage zwischen Stubblefield und Luce.

Ein schlechter Abend für das erste richtige Rendezvous. Ebenso wenig erfreulich war Luce' Ankündigung, dass sie die Kinder nicht länger als drei Stunden bei Maddie lassen konnte. Obwohl Maddie augenzwinkernd die peinliche Bemerkung hatte fallenlassen, dass die Kinder auch noch zum Frühstück willkommen seien. Eine schöne Überraschung allerdings, wie Luce angezogen war. Ein altes bedrucktes Baumwollkleid, kornblumenblau mit gelbem Rankenmuster. Das Oberteil und die Taille eng, der Rock weit, alles vom Waschen ein bisschen verblichen. Kein Regenmantel oder

Schirm, nur eine weiße Baumwolljacke über dem Arm für später, wenn der Nebel aufzog. Das dunkle Haar fiel ihr offen auf die Schultern. Ihr Aussehen entsprach nicht der Mode. Es stammte aus einer anderen Zeit, einem früheren Leben, als sie schön und gedankenlos hatte sein wollen und keine Wellen das Wasser ihres perfekten Lebens kräuseln sollten.

Umwerfend war das Wort, das Stubblefield als Erstes in den Sinn kam, ungeachtet der derzeitigen Mode. Und möglicherweise war es gefährlich anzunehmen, dass dieses Kleid nicht doch ein bisschen ironisch gemeint war.

Im Roadhouse war alles dunkel und trüb. Licht spendeten vor allem die drei Neonschilder, die über der alten Eichenholzbar für Bier warben. Die Bodenbretter knarzten bei jedem Schritt und hatten sich zwischen den dicken Querbalken abgesenkt, wo die Schwerkraft und die Abnutzung und all der andere schnöde Dreck, mit dem die Zeit gegen die materielle Welt arbeitet, sie nach unten zogen. Stubblefield führte Luce zwischen den Tänzern zu einer Nische nach hinten; die Tischplatte war aus hellgelbem Resopal, gemustert mit ineinanderfließenden schwarzen Umrissen von Bumerangs. Es war kein so lustiger Ort, wie Luce erwartet hatte, obwohl sie nur erwarten konnte, was sie in Schwarzweißfilmen gesehen hatte, in denen Nachtbars ziemlich mondän waren und an weit entfernten Orten existierten.

Kaum saßen sie, standen wie durch Zauberei zwei große Gläser mit Cola und Rum vor ihnen. Luce sah erst sie an und dann Stubblefield.

»*El patrón*«, sagte er. »Zumindest vorläufig.«

Eine Drei-Mann-Band spielte auf einem Podium aus Sperrholz, das knapp zwanzig Zentimeter höher war als der

Boden, und hämmerte »Baby Blue« mit dürftiger Ausrüstung herunter. Eine Gitarre, ein Bass, ein Schlagzeug. Der Gitarrist sang, als würde er verzweifelt ein Schwein rufen, man verstand kein Wort, die Botschaft war jedoch unmissverständlich. Der Schlagzeuger war vielleicht etwas übereifrig mit den Trommelwirbeln und den Beckenschlägen. Der Gitarrist jagte, zupfte und jodelte durch einen Tweed Fender Bassman von der Größe eines Koffers. Die Lautstärke so aufgedreht, dass die Röhren regelmäßig platzten und er eine Schachtel mit 12AX7 neben den Verstärker gestellt hatte wie ein Hausmeister die Glühbirnen. Er spielte auf einer schwarz lackierten Gitarre, auf der das Licht der Neonschilder aufblitzte.

Stubblefield fragte Luce, ob sie tanzen wolle, und sie sagte: »Noch nicht.«

Die Band spielte hauptsächlich die Art Songs, die zwei, drei Jahre zuvor geschrieben worden waren, als man Lieder noch ernster nahm, als Gene Vincent und Charlie Feathers und Groovey Joe Poovey Hits hatten. Gitarren-Licks, die klangen, als würden kleine Kugelhämmer auf ein Blechdach klopfen, während ein junger Mann am Rande des Wahnsinns all seine Sehnsucht und seinen Zorn in die Welt hinausschrie, leidenschaftlich wehklagte wie die alten Kelten auf dem Schlachtfeld. Zweieinviertel Minuten dringlicher Botschaften, meist übertragen von Radiosendern, die man erst nach Einbruch der Dunkelheit empfangen konnte.

Irgendwann stimmte die Band endlos ihre Instrumente und spielte dann eine Eigenkomposition des Sänger-Gitarristen. Er hatte ein paar Ideen aus den Gesangbüchern von Wanderpredigern übernommen, Stephen Foster, Uncle Dave Macon, vielen alten Bluesmusikern. Auch von George Gershwin, Allen Ginsberg und Elvis. Es war die Geschichte

Amerikas, gefiltert durch den Kopf eines gutaussehenden Autodidakten, eines Spinners vom Land mit Haartolle und Telecaster. Die Tänzer setzten sich. Für die letzten Zeilen des Lieds fiel der Sänger auf ein Knie, als würde er beten, und den Augenkontakt mit dem Publikum musste der Rest der Band herstellen, denn der Sänger richtete seinen irren Blick unverwandt auf höhere Dinge, auf eine bessere Welt, in der das Verlangen jenseits aller Vernunft die Oberhand gewann.

Nach dem Lied legte die Band eine Pause ein, und der Komponist kam zu ihnen und setzte sich neben Luce auf die burgunderrote Plastikbank. Ein Höflichkeitsbesuch beim neuen Besitzer. Drei Cokes mit Rum wurden gebracht. Das pomadisierte Haar des Gitarristen war von einem Superman-Schwarz, wie es auf dem Kopf eines Erdenmenschen nie wachsen würde. Außerdem hatte er einen Schnurrbart und einen kleinen Ziegenbart unter der Unterlippe in derselben absurden Farbe. Ein Hillbilly-Hipster, der sich vorstellte, er wäre Nathan Bedford Forrest oder Jeb Stuart.

»He, Mann«, sagte der Gitarrist.

Stubblefield schwieg. Er setzte eine leicht erwartungsvolle Miene auf, indem er die Augenbrauen in die Höhe zog.

Der Gitarrist sagte: »Was?«

Stubblefield sagte: »Das letzte Lied hat mir gefallen. Vielleicht können wir uns irgendwann mal über die vielen Anleihen unterhalten. Oder du schreibst eine annotierte Version.«

»Aber?«

»Ich stelle nur eine Tatsache fest. Mir hat es gefallen, aber ich rede von mir. Manche Leute wollen tanzen. Also, zuerst wollen sie was trinken, und dann wollen sie tanzen. Wenn manche betrunken genug sind, um zu tanzen, sind sie auch betrunken genug, um sich auf die Schuhe zu kotzen. Ich will damit nur sagen, dass eine Pause hin und wieder gut ist. Sie setzen sich und bestellen noch mehr Drinks. Regel Nummer eins, man kann nicht jeden zum Nachdenken zwingen.«

»Scheiße«, sagte der Gitarrist.

»Das war ein Kompliment. Wenn sich die Leute hinsetzen, nimm's nicht persönlich. Wenn sie nur tanzen, verdient keiner was.«

Luce sagte: »Ich habe noch nie so was gehört.«

Der Gitarrist fragte: »Ist das gut oder was?«

»Gut für mich«, sagte Luce. »Ich würde es jederzeit wieder hören, wenn es eine Platte davon gibt und wenn ich sie auf meinem Plattenspieler abspielen kann.«

»Wenn?«

»Er hat eine Kurbel und einen großen Blechtrichter«, sagte Stubblefield.

»Es gibt keine Platte.«

Der Gitarrist trank sein Glas aus, stand auf und ging zur Bühne zurück. Stubblefield kam sofort auf ein anderes, wichtigeres Thema zu sprechen, das sich ihm wegen Luce' altmodischem Kleid aufdrängte.

Er sagte: »Kaum zu glauben, dass wir jetzt hier sitzen, so viele Jahre später. Im Schwimmbad hat der Sprecher damals deinen Namen gesagt, und ich habe tagelang an nichts anderes gedacht.«

»Wie denkt man an einen Namen?«, fragte Luce. »Man kann nicht an einen Namen denken. Nicht länger als zwei Sekunden. Was soll man da denken?«

»Meine Gefühle haben sich darauf konzentriert.«

»Du hast mich nur die eine Minute lang gesehen, als ich mit einer Gruppe hübscher Mädchen um das Schwimmbecken gegangen bin.«

»Es war eine unglaublich ausgefüllte Minute.«

»Und mein Namen hat das alles verkörpert?«

Stubblefield zuckte die Achseln.

»Ich mag ihn nicht mal besonders«, sagte Luce. »Aber es ist entweder das oder Lucinda. Und wenn du dich noch länger über Schönheitswettbewerbe unterhalten willst, an die ich mich kaum mehr erinnere, dann habe ich jetzt Kopfweh und muss nach Hause.«

»Klar«, sagte Stubblefield und machte die Geste des Anwalts, er streckte die Hände aus und spreizte sie wie ein Glücksspieler auf einem Flussdampfer. Er sagte: »Von dieser Sekunde an interessiert mich nur noch die Gegenwart. Ich bin hier. Nicht in der Vergangenheit.«

Luce lachte ungläubig und spöttisch auf und hielt dann zu spät die Hand vor den Mund, als würde sie ein Niesen unterdrücken. Stubblefield kam es vor, als amüsiere sie sich. Was er von ihrem Leben wusste, ließ darauf schließen, dass sie in den letzten Jahren nicht oft geflirtet hatte.

Die Band spielte wieder, mehrere sarkastische, populäre langsame Stücke, was Stubblefield zugutekam. Er führte die nur halb widerstrebende Luce auf die Tanzfläche zu scheppernden Arrangements von »A Summer Place«, »Mr. Blue«, »Sleep Walk« und »Where the Boys Are« von den Ventures und Santo & Johnny.

Luce hatte schon lange nicht mehr getanzt, aber man kann einander immer in den Arm nehmen und sich hin und her wiegen. Es fühlte sich gut an, und sie fragte sich unwillkürlich, wie lange es her war, dass ein Mann sie im Arm gehalten hatte, und dann war sie wieder nachts in der Telefonvermittlung. Sie löste sich von Stubblefield, und er folgte ihr zu der dunklen Nische und frischem Rum und Cokes.

»Was ist los?«, fragte Stubblefield über die Bumerangs auf dem Resopaltisch hinweg.

»Nichts. Ich kann nicht mehr tanzen. Früher war ich mal gut, aber jetzt kann ich es nicht mehr.«

»Wir müssen nicht tanzen.«

»Ist schon okay. Wir können's später noch mal versuchen. Bin gleich wieder da«, sagte Luce.

Sie stand auf, ging durch den Raum, und als sie an der Bar vorbeikam, berührte ein Mann mit dem Handrücken ihren Hintern. Zufällig und auch wieder nicht. Sie sah ihn nicht an, ging weiter, merkte nicht, dass er seine Zigarette fallen ließ und ihr folgte, bis es zu spät war. Als sie die Tür zur Damentoilette öffnete und eintrat, streckte der Mann den Fuß aus, damit die Tür nicht zuging. Er packte Luce an den Schultern und drehte sie zu sich um.

Sein Gesicht befand sich genau vor ihrem, und sein Atem stank nach Scotch. Bud sagte: »Luce, warum erkundigt sich dein Freund nach mir?«

Sie wusste nicht, wovon er sprach, aber ein Blick genügte, und sie wusste, wer er war. Bud blinzelte, geblendet von dem hellen Licht über dem Waschbecken, und er war überrascht, dass sie sich nicht vor Angst duckte, sondern ihm direkt ins Gesicht schrie. Nach ihrem ersten Ausbruch schien er von ihren Schlussfolgerungen verwirrt. Aber er kapierte die allgemeine Tendenz, die etwas damit zu tun hatte, dass er ein Mörder war. Und er brauchte ein paar Augenblicke, bis er lässig damit umgehen konnte.

Er sagte: »Süße, das ist deine Meinung, aber das Gericht hat's so gesehen wie ich und mich laufenlassen. Und jetzt bin ich da.«

»Du bist schuldig auf die Welt gekommen, und wir wissen beide, dass du meine Schwester umgebracht hast, und die Kinder haben es gesehen. Und ihnen hast du auch etwas angetan.«

Luce sah, wie sein Blick verschwamm und er einen Moment lang unruhig wurde. Und wie ein Schauspieler, der kurz den Faden verloren hat und ihn plötzlich wiederfindet, gewann er seine Zuversicht zurück. Er sagte: »Warum lässt du dir was einreden und hörst auf die Lügen dieser kleinen Idioten?«

»Sie können kaum reden.«

»Was für eine Überraschung. Ich hab ihren leiblichen Vater nicht gekannt, aber ihre Mama hat jedenfalls nicht das Pulver erfunden. Also, was hast du erwartet?«

»Was ich nicht verstehe, ist, warum irgendeine Frau dich heiraten wollte. Aber ich weiß, dass Lily lieb und vertrauensvoll war, und ich bin es nicht. Ich kann mir vorstellen, was du getan hast, nach dem, wie sie sich verhalten.«

»Du lässt deiner Phantasie freien Lauf, und zwar in eine miese Richtung. Aber nur zu, denk dir irgendwelche gemeinen Geschichten aus, wenn es dir Spaß macht. Ist nicht mein Bier.«

Wütend, ohne nachzudenken oder es zu beabsichtigen, sagte Luce: »Das wirst du mir büßen.«

»Büßen? Was soll das denn heißen?«

»Was glaubst du?«

»Mal sehen. Kann Verschiedenes heißen, zum Beispiel, dass du mich umbringst.«

»Du hättest es verdient.«

»Also, ich bin kein Anwalt, aber jetzt hast du wahrscheinlich eine Grenze überschritten und mich bedroht. So werden sie es nennen, wenn ich zu einem Richter gehe, um mir eine einstweilige Verfügung zu holen. Wahrscheinlich wird sie dir dein Daddy überbringen.«

Die unerwartete Drohung mit dem Gesetz und ihrem Vater erwischte Luce auf dem falschen Fuß, und es fiel ihr nichts ein, was sie hätte erwidern können.

Bud quasselte weiter, nahezu ohne Luft zu holen. Er sagte: »Und übrigens, Süße, für wen hältst du dich eigentlich, dass du mir drohen kannst? Du bist keine heiße Braut mehr. Ist lange her, seit du Cheerleaderin warst. Da habe ich so meine Phantasien. Viel gesündere als der Müll, den du dir ausgedacht hast. Sportschuhe und Söckchen und Faltenröcke. Wollpullover mit dem Namen des Mannschaftsmaskottchens quer über den kleinen Titten. Rote Unterhosen, wenn ihr vor dem Publikum Rad geschlagen habt. Hier in der tiefen Provinz muss ein Cheerleader ein paar Jahre lang so was wie ein Filmstar sein. Und dann was? Dann geht's bergab. Und jetzt wohnst du am Arsch der Welt, wie ihr Hillbillys sagt. In dieser alten Ruine am See. Ganz allein, abgesehen von den beiden kleinen Spastis. Die Nächte sind richtig dunkel und einsam am Ende von dem Waldweg.«

Luce atmete flach und schnell. Sie merkte, dass ihr Mund halboffen stand. Sie schloss ihn, holte tief Luft und sagte: »Woher weißt du, wo ich wohne? Was ich damals angehabt habe? Woher weißt du das alles?«

»Das weiß doch jeder. Eine saudumme Mischung aus Tatsachen und Meinungen. Keine Drohungen. Und in diesem Land kann man gegen eine Aufzählung von Tatsachen und Meinungen nicht vorgehen. Noch nicht.«

»Du hast die Uniform verbrannt, stimmt's?«, sagte Luce. »Du warst in meinem Haus.«

»Reg dich ab. Ich hab nur ein paar vergilbte Zeitungen in der Bibliothek angeschaut. Du warst eine scharfe Braut auf den alten Fotos.«

Stubblefield wartete ein Lied ab, stand auf und ging zur Bar, um nach Luce zu sehen. Als er den Flur betrat, sah er einen Mann in der Tür der Damentoilette stehen und Luce' Haar oberhalb seiner Schulter.

»Was ist hier los?«, fragte Stubblefield.

Bud drehte sich um, packte Stubblefield am Hemd und schubste ihn heftig in die Toilette. Der Spiegel ging zu Bruch. Dann standen alle drei da. Bud sperrte die Tür hinter sich ab.

In dem engen Raum drängten sich Luce und Stubblefield gegen die Wand. Eine nackte Glühbirne hing über dem Waschbecken, das Licht gebrochen in dem Spinnennetz des zersplitterten Spiegels. Ein Automat für Monatsbinden war an der gleichen Stiftschraube befestigt wie der Kondomautomat auf der anderen Seite der Wand in der Männertoilette. Eine Handtuchschlinge aus Baumwolle hing aus einem weißen Spender.

»Es ist Johnson«, sagte Luce zu Stubblefield.

Bud baute sich vor Stubblefield auf, musterte ihn und sagte: »Du bist also das Stück Scheiße, das mir nachspioniert?«

Stubblefield sagte: »Ich habe Gerüchte überprüft.«

Bud schüttelte bekümmert den Kopf. »So ein Mist aber auch«, sagte er. »Ist mir echt unangenehm, dass du deine Nase in meine Angelegenheiten steckst.«

Stubblefield sagte: »Ich wollte wissen, was du hier machst.«

»Tja, wie die Philosophen sagen, jeder braucht einen Platz auf der Welt. Und sogar Schwester Luce sagt, dass ich leben kann, wo immer ich will.«

»Was willst du?«, fragte Luce.

»Du hast nicht zufällig irgendwo Geld versteckt? An einem Ort, auf den man nicht so schnell kommt?«, sagte Bud. »So wie du lebst, eher nicht. Aber ich habe gehört, dein Freund hat vielleicht was.«

»Das ist es also?«

»Wäre einfacher, wenn's so wäre. Ich will nur, was mir gehört.«

»Die Kinder?«, sagte Luce.

Bud blickte ungläubig drein. Er wandte sich an Stubblefield und sagte: »Hübsch ist sie ja, aber wenn sie eine genauso große Hure und Nervensäge ist wie ihre Schwester und auch nur halb so dumm, dann kann ich dir nur mein tief empfundenes Beileid ausdrücken.«

Stubblefield holte zu einem Schlag auf Buds Mund aus, hatte aber falsch kalkuliert. Er brauchte eine Weile, und Bud hatte genügend Zeit, den Kopf zur Seite zu legen, sodass Stubblefields Faust ihn nur ganz leicht an der Schläfe streifte und ihren Schub ins Nichts abgab.

Bis Stubblefield sich gesammelt hatte, hatte Bud in den Schaft seines Eisenbahnerstiefels gegriffen. Er hielt ein funkelndes schwarzsilbernes Springmesser mit kleinen Parierstangen in der Hand. Er drückte den Knopf, und die Klinge sprang aus dem Griff. Eine Blutrinne verlief ein Stück weit den billigen Stahl entlang, der auf beiden Seiten gezackte Reflexe warf.

Bud ging in die Knie wie bei einem Messerkampf, und sein Blick fokussierte. Er sagte: »Ein juristischer Tipp. Vor Gericht sieht es schlecht aus, wenn man zuerst zuschlägt. So wie die Lage ist, hast du selbst verschuldet, was als Nächstes passieren wird.«

Stubblefield hob die Arme auf Schulterhöhe und stieß die Handflächen nach vorn wie ein Verkehrspolizist, der heranfahrende Autos aufhalten will. Bud streckte die Hand mit

dem Messer aus und schnitt in das Fleisch der linken Handfläche.

Er tänzelte auf der Stelle, drei kleine Schritte wie ein
Boxer, und sah zu, wie Stubblefield bleich wurde und das
Blut anfing, an seinem Arm hinunterzufließen. Luce hatte
noch nie im Leben geschrien, und sie schrie auch jetzt nicht.

Dunkles Blut tropfte neben der weißen Toilettenschüs-
sel auf das schmutzig weiße Linoleum. Stubblefield versuchte, noch einmal auszuholen, aber Bud wehrte den Schlag
mit der freien Hand ab. Stubblefield beugte sich vor, fasste
die verletzte Hand mit der guten und presste beide zwischen die Knie. Sein Gesicht nahm die Farbe des Linoleums
an.

Bud richtete sich auf und ignorierte Stubblefield, als wären sein Schmerz und seine Angst vollkommen bedeu-
tungslos. Er blickte zu Luce und wischte die Klinge auf beiden Seiten am Oberschenkel ab, drückte mit dem Daumen
auf den Knopf, um die Feder zu lösen, und klappte mit dem
Zeigefinger der linken Hand die Klinge in den Griff. Er
sagte sehr schnell: »Du findest besser raus, um was es hier
geht, bevor jemand wirklich was passiert. Die Plagen deiner
Nutte von Schwester sind mir scheißegal. Ich bin froh, wenn
ich nichts mit ihnen zu tun habe. Sie haben immer nur das
Essen wieder rausgekotzt oder zur falschen Zeit in die Hose
geschissen und mich davon abgehalten, sie zu vögeln, wann
immer ich wollte, für was anderes war sie sowieso nicht zu
gebrauchen.«

»Du Arschloch, sie hat dich durchgefüttert«, sagte Luce.

»Die blöde Schlampe glaubt, auf sie würde ich nicht mit
dem Messer losgehen«, sagte Bud zu Stubblefield. »Ihr soll-
tet euch um euer eigenes Leben kümmern und mich in Ruhe
lassen. Wenn ihr damit zur Polizei geht, dann werde ich

euch wirklich zu Leibe rücken. Das hier war noch gar nichts. Ich habe nicht tief geschnitten. Das wird wieder heilen.«

»Aber warum bist du da?«, sagte Luce zu seinem Rücken, als er zur Tür hinausging.

Bud drehte sich um. Er sagte: »Wir haben von Tatsachen und Meinungen geredet. Hier ist noch eine. Ich glaube nicht, dass es jemand hört, wenn dort oben am See jemand schreit.«

Es kostete sie große Anstrengung, nicht wegzuschauen, aber sie blickte Bud unverwandt in die Augen und sagte rasch: »Wenn du jemals zu mir und den Kindern kommst, werde ich dich wirklich umbringen. Und damit kannst du geradewegs zu Lit gehen, und ich werde es unter Eid bezeugen.«

Bud grinste und sagte: »Ich hab dir doch überhaupt nicht gedroht. Schreien kann man schließlich aus tausend Gründen, oder?«

Er knallte die Tür hinter sich zu.

Stubblefield stand noch immer gebeugt da und besah sich seine verletzte Hand. Blut tropfte in die Lache zu seinen Füßen. Luce half ihm, sich aufzurichten, und hielt seine Hand unter das laufende Wasser. Jemand wollte die Tür öffnen, aber Luce blockierte sie mit dem Fuß.

»Später«, sagte sie und sperrte ab.

Sie zog an der Handtuchrolle, aber sie war zu Ende. Der benutzte Teil war schmutzig. Sie hob den Rock und zog ihren Unterrock aus. Er hatte die Farbe von schimmerndem Quecksilber, der Saum war mit Spitze besetzt, und sie versuchte erst gar nicht, ihn in Streifen zu reißen. Sie wickelte ihn so fest wie möglich um Stubblefields Hand. Dann gingen sie zur Hintertür hinaus, in die Richtung, wo die Ställe gewesen waren, als es noch Pferde gegeben hatte.

Luce fuhr den Hawk, das im Nebel trübe Scheinwerferlicht reichte keine fünfzehn Meter weit und verschwand dann in der körnigen Dunkelheit. Stubblefield beugte sich mit bleichem Gesicht nach vorn, seine feuchte Stirn lag fast auf dem Armaturenbrett auf, die blutende Hand war zwischen die Knie gepresst. Er wiegte sich auf seinem Sitz vor und zurück und sagte: »Scheiße, Scheiße, Scheiße.«

Nach einer Weile drehte er sich halb um und schaltete mit der rechten Hand das Innenlicht an. Er wickelte den blutigen silberfarbenen Unterrock von der verletzten Hand und hielt die Wunde ins Licht. Blut lief auf der Innenseite seines Unterarms herunter und tropfte von seinem Ellbogen. Stubblefield senkte den Kopf und betrachtete das Blut. Auf seinem schwarzen Hemd sah es aus wie ein Schmierfleck, und auf dem Polster sah es aus wie das, was es war. Er schaltete das Licht sofort wieder aus.

Luce sagte: »Das muss genäht werden.«

»Ich schaue aus wie jemand, der obduziert worden ist.«

»Die Hand ist verletzt. Das wird wieder.«

»Ich habe Knochen gesehen«, sagte er. »Ich dachte, sie wären weiß. Sie sind aber eher blau.«

»Sehnen«, sagte Luce. »Sie sind bläulich.«

»Knochen«, sagte Stubblefield.

»Beweg die Finger. Berühr mit jedem Finger den Daumen.«

Stubblefield versuchte es, und es gelang ihm. Er blutete jedoch noch immer heftig.

»Wickel die Hand wieder fest ein«, sagte Luce. »Du brauchst ein paar Stiche.«

»Was du nicht sagst. Aber nicht im Krankenhaus.«

»Genau dorthin fahre ich.«

»Nein«, sagte Stubblefield.

Luce blickte ihn kurz fragend an.

»Wenn wir ins Krankenhaus fahren, wird Lit es erfahren. Dein Vater ist immer auf dem Laufenden.«

»Und wenn schon?«, sagte Luce.

»Das könnte schlecht ausgehen. Ich habe gehört, dass er und dieser Mann gut befreundet sind. Er besorgt Lit Aufputschmittel. Und du hast gehört, was er gesagt hat. Es brächte dich in noch größere Gefahr.«

»Scheiße, Scheiße, Scheiße.«

Luce parkte den Wagen so, dass die Scheinwerfer durch den Nebel Maddies Haus anstrahlten. Eine Wildnis aus verdorrten braunen Halmen und Stängeln und Rohren, die sich dem Winter entgegenneigten, durchschnitten von einem schmalen Fußweg zur Treppe. Kein Licht auf der Veranda oder in den Fenstern.

Luce wollte Maddie nicht erschrecken, schon gar nicht, wo die Schrotflinte an zwei Haken aus Astgabeln über der Tür hing. Sie sagte: »Vielleicht warten wir kurz mit eingeschaltetem Licht und hupen dann.«

Stubblefield langte mit der guten Hand zum Lenkrad und drückte lang auf die Hupe.

In dem Fenster rechts neben der Tür ging Licht an. Nahezu gleichzeitig öffnete Maddie die Tür und trat hinaus ins Scheinwerferlicht. Sie trug ein helles Nachthemd, das bis zu ihren bloßen Füßen reichte. Das weiße Haar fiel ihr über die Schultern, und sie hielt den Lauf der Flinte leicht Richtung Boden gesenkt.

Luce öffnete die Tür, stieg aus und rief: »Maddie, ich bin's, Luce. Wir brauchen deine Hilfe.«

Maddie ließ den Doppellauf auf die Verandabretter sinken und schirmte die Augen mit der freien Hand gegen das

Licht ab. Sie sagte: »Macht die verdammten Scheinwerfer aus und kommt ins Haus. Ihr weckt sonst die Kinder.«

Das Feuer war zu einem Bett aus glühenden Kohlen heruntergebrannt, und Maddie warf trockene Scheite roter Eiche darauf, die sofort Feuer fingen. Stubblefield setzte sich an den Esstisch in der Küche, und Maddie schaltete das Licht ein, säuberte die Hand mit Peroxid und sah sich den Schnitt an.

Sie sagte: »Du wirst überleben. Er ist nicht so verdammt tief. Vermutlich gibt es einen Grund, warum das nicht im Krankenhaus genäht werden kann.«

»Ja«, sagte Stubblefield. »Eines Tages werde ich dir die Geschichte erzählen, wenn sie gut ausgegangen ist.«

Maddie entfachte ein Streichholz und hielt eine Nähnadel in die Flamme. Steckte das Ende eines schwarzen Fadens in den Mund, um es anzufeuchten, und fädelte es mit ruhiger Hand durch das Nadelöhr, zog ungefähr dreißig Zentimeter Faden von der Spule, schnitt ihn ab, führte das nasse mit dem trockenen Ende zusammen und verknüpfte den Faden. Sie drückte Stubblefields Handrücken fest auf den Tisch und wies ihn an, stillzuhalten. Der Wunde klaffte auseinander, die Schnittflächen wollten nicht zusammenbleiben, und als Maddie sich an seiner Hand zu schaffen machte, gab Stubblefield Laute von sich, die sich anhörten wie ein hoher Husten.

Maddie sagte: »Willst du auf einen Stock beißen wie in Cowboyfilmen?«

Stubblefield sagte: »Mach weiter.«

Maddie nähte den blutenden Schnitt so gut sie konnte mit einem Teufelsdutzend fester schneller Stiche zusammen, vom Fleisch an der Daumenbasis bis zum kleinen Finger. Dann goss sie langsam den Rest des Peroxids aus der kleinen braunen Flasche über seine Hand. Rosa Schaum bildete sich auf den Stichen, und das Blut auf der Tischplatte versickerte in die Maserung.

»Von jetzt an kann dir niemand mehr die Zukunft aus der Hand lesen«, sagte Maddie. »Schau dir die gezackte neue Liebeslinie an. Die kapiert keiner mehr.«

»Ha, ha«, sagte Stubblefield und schaute auf seine verstümmelte Hand.

»Die Kinder?«, fragte Luce.

»Lass sie schlafen«, sagte Maddie. »Bring ihn nach Hause, bevor er hier ohnmächtig wird.«

Mitten in der Nacht saß Stubblefield an seinem Frühstückstisch und hielt die verletzte Hand höher als sein Herz in dem vergeblichen Versuch, das Pochen zu verhindern. Auf dem weißen Resopaltisch standen gruppiert wie ein modernes Stillleben eine halbleere Dreiviertelliterflasche Smirnoff neben einem vollen Davy-Crockett-Glas, das seinerseits in einer rosafarbenen plasmatischen Lache stand. Stubblefield hielt die verletzte Hand ins Licht. Die Wunde nässte noch immer. Der schwarze Faden sah fürchterlich aus auf der wächsernen Haut, die noch bleicher war als die Tischplatte.

Luce saß zusammengesunken im Sessel. Sie hatte das Radio auf ihren nächtlichen Musiksender eingestellt. Lightning Irgendwer. Smokestack Irgendwas. So viele Musiker schienen entweder klein oder blind zu sein. Dann Werbung für einen Schallplattenladen und Royal-Crown-Haarpomade.

»Er ist weiß«, sagte Luce.

»Wer ist weiß?«

»Der DJ. Ich habe ein Bild von ihm gesehen. Er klingt schwarz, aber er ist weiß, weißer geht's nicht. Seine Stimme ist Ausdruck seiner Gemütsverfassung, weil er die Musik so liebt.«

Sie hielt inne und sagte dann: »Du hast es mir nicht erzählt.«

»Was?«

»Dass er hier ist.«

»Gerüchte. Ich musste eine Stunde bis in eine Bibliothek fahren, die auch Zeitungen aus dem Süden hat, um herauszufinden, dass er freigesprochen wurde. Ich wollte dich nicht beunruhigen, bis ich mir sicher war.«

»Lass mich in Zukunft nie wieder außen vor.«

Zwei Lieder später klingelte das Telefon. Es stand breit und schwarz auf dem Tischchen neben dem Sofa. Luce nahm sofort ab. Alte Gewohnheit.

Buds Stimme, über die Leitung dünn wie das Zirpen einer Grille, sagte: »Es sind nicht *deine* verdammten Kinder, Lucinda. Leb dein Leben und vergiss mich. Tu's und schau nicht zurück. Und denk dran, was ich gesagt habe, halt den Mund, denn ich meine es ernst.«

Luce fragte: »Woher wusstest du, wo du anrufen musst?« Aber er hatte nach dem ersten Wort aufgelegt.

Sie legte den Hörer auf die Gabel zurück und blickte zu Stubblefield.

Er sagte: »Er?«

Eine Stunde später lag Luce schlafend auf dem Sofa, den Kopf auf den rechten Arm gebettet, die Schuhe ausgezogen. Das Mädchenkleid um sich gewickelt und voller Blutflecken.

Den Schwung ihrer Hüfte, ihres Oberschenkels und ihrer Wade empfand Stubblefield als schmerzhaft schön und irgendwie im Einklang mit dem Pochen in seiner Hand. Er saß bis zum frühen Morgen am Tisch mit dem Wodka und Luce' kraftvoller Musik aus dem Radio und sah ihr beim Schlafen zu. Er hielt die verletzte Hand hoch, als würde er einen Eid schwören, und stellte sich die fernen Grenzen vor, die er willens war, für sie zu überschreiten.

11

AUS ANGST UND weil er naheliegende Vermutungen anstellte, als hätte er es mit normalen Menschen zu tun,
machte Stubblefield ein paar Telefonanrufe. Innerhalb eines
Tages hatte ein Typ, den er in Jacksonville kannte, die Adresse von Luce' Mutter herausgefunden.

Wenn man weit weg ein sicheres Versteck braucht, was
liegt da näher, als über den Fluss und durch die Wälder
zu Großmutters Strandhaus in Florida zu fahren? Weiter
reichte sein Plan nicht. Luce und die Kinder aus Buds Reichweite schaffen. Lola dazu bringen, sie für ein paar Wochen
aufzunehmen. Er würde zurückkommen und dafür sorgen,
dass Lit oder der Sheriff oder irgendjemand sich um Bud
kümmerte. Bud aus ihrem Leben entfernte.

Luce hätte wahrscheinlich von Anfang an wissen müssen, dass es ein Fehler war, aber sie hatte Angst und wollte
glauben, dass etwas so Schlichtes wie Entfernung die Kinder
schützen würde. Außerdem war Stubblefields Argumentation, dass normale Menschen sich so verhalten würden, unwiderstehlich. Wird man bedroht, suchen die meisten Schutz
bei der Familie.

Stubblefield trug die muffige Kapokmatratze einer Liege von
der Veranda zum Hawk und zwängte sie auf den Rücksitz.
Luce machte so viel Popcorn auf dem Holzofen, dass sie eine
große braune Papiertüte damit füllen konnte, deren unteres
Drittel sich von Butter dunkel verfärbte. Am späten Nachmittag brachen sie nach Süden auf. Die Kinder waren wach
und aßen haufenweise Popcorn, betrachteten die vorbeizie

hende Landschaft, die Augen gegen die niedrig stehende Sonne zusammengekniffen. Und dann, kurz nach Einbruch der Dunkelheit, vergruben sie sich unter einer Patchwork-decke und schliefen so tief und unschuldig wie die Toten.

Luce drehte oft am Knopf des Radios, der merkwürdige neue Sender empfing wie zum Beispiel einen aus einer Stadt mit einem Busbahnhof, der groß genug war, um für einen eigenen Zeitungskiosk und ein Restaurant zu werben, das angeblich in Nah und Fern für seine T-Bone-Steaks und Hotdogs mit Chili und Bananasplits bekannt war.

»Es wäre gar nicht so schlecht, in dem Wagen zu leben«, sagte Luce. »Es ist schwer, ein bewegliches Ziel zu treffen.«

Sie waren weit weg von zu Hause, fuhren in das Flach-land von Georgia, während ein zunehmender Halbmond am Himmel stand. Das Abendessen war schon eine Weile her. Cheeseburger, Pommes und Vanille-Shakes, die sie in einem Drive-in-Restaurant über einen Lautsprecher be-stellt hatten. Das Essen wurde auf einem Aluminiumtablett gebracht und an Stubblefields halboffenes Fenster gehängt. Nie zuvor war Luce auf diese neumodische Weise Essen ser-viert worden. Die Kinder wachten nicht auf, aber sie hatten eine Schachtel Cheerios und ein paar Dosen Corned Beef Hash dabei, falls sie Hunger bekamen. Sie aßen die Chee-rios gern ohne Milch und das Corned Beef Hash am liebsten kalt. Man öffnete die Dose an beiden Enden, drückte einen Deckel durch den grauen Zylinder, bis der Inhalt herausfiel, mit den Abdrücken der Wellen in der Dose darauf, dann teilte man ihn mit dem scharfen Rand des anderen Deckels in zwei genau gleich große Portionen. Um die schlechte Er-nährung auszugleichen, nahm sich Luce vor, so bald wie möglich einen großen Eintopf mit Grünkohl, weißen Boh-nen, Tomaten und geräucherten Würstchen zu kochen.

Sie fuhren mitten durch Milledgeville, als die Zuschauer der zweiten Abendvorstellung aus dem Kino kamen. *Flucht in Ketten.*

»Den habe ich gesehen«, sagte Stubblefield.

»Wie war er?«, fragte Luce.

»Wie zu erwarten.« Er machte eine Kopfbewegung zu den großen Plakaten in den beleuchteten Glaskästen zu beiden Seiten des Kartenschalters. Tony Curtis und Sidney Poitier, aneinandergekettet und bereit, mit den Fäusten aufeinander loszugehen.

»So eine Geschichte, wo es um ein Rennen mit drei Beinen auf dem Jahrmarkt geht?«, fragte Luce.

»Ja. So in etwa.«

Und weil ihm nichts anderes einfiel, sagte Stubblefield: »Das staatliche Irrenhaus ist in dieser Stadt. Und der Mann, der Brer Rabbit geschrieben hat, hat hier in der Nähe gelebt. Ist schon eine Weile her.«

Luce, voll Bewunderung für sein Wissen, erwiderte nichts, und kurz darauf sagte Stubblefield: »Da hinten war ein Hinweisschild.«

»Hab's gesehen.«

Sie fuhren aus der Stadt hinaus aufs dunkle Land. Luce spielte am Radio herum, doch meist war nur lautes Rauschen, unterbrochen von leisen Musikfetzen, zu hören. Weit draußen in den Weymouth-Kiefernwäldern sagte Luce aus heiterem Himmel: »Wenn man so alt ist wie wir und immer noch ledig, fangen die Leute an, sich zu fragen, was mit dir nicht stimmt. Als ob man ihnen Rechenschaft über das eigene Liebesleben schuldig wäre. Die meisten sind verheiratet. Warum bist du es nicht?«

»Einmal hätte ich beinahe geheiratet.«

»Beinahe? Warst du verlobt?«

»Kurzzeitig«, sagte Stubblefield. »Es ist eine langweilige Geschichte.«

»Ja, aber erzähl sie trotzdem.«

Stubblefield stellte sie dar als Komödie, als eine ein paar Jahre zurückliegende jugendliche Dummheit. Obwohl es ihn damals durchaus verletzt hatte. Seine Beinahe-Frau war die Tochter des Besitzers der Cadillac-Niederlassung, was bedeutete, dass sie in der Kleinstadt praktisch als Mitglied einer königlichen Familie galt. Sie hieß Alice, und sie verliebte sich in Stubblefield, kurz nachdem er auf die Insel gezogen und noch der geheimnisvolle Fremde war. Alice war ziemlich hübsch, mit wehendem rötlichen Haar und schönen Beinen. Ein verführerisches Gesprenkel von Sommersprossen auf Nase und Schultern. Sie hielt sich für etwas Besonderes, und zwar so sehr, dass ihre Jugend dem Ende entgegenging und sie immer noch nicht gebunden war und folglich dazu neigte, sich zu jemand Neuem hingezogen zu fühlen, der in ihr Leben trat.

Alle ihre früheren Freunde hatten wie Verbindungsstudenten Khakihosen und Polohemden getragen, als wären sie in einer lächerlichen paramilitärischen Einheit, der ständig in den Hintern getreten wurde. Damals war Stubblefield gerade dabei, seine kurze Beatnik-Motorradphase zu überwinden. Er las noch immer die kleinen, quadratischen schwarzweißen Gedichtbände mit den beunruhigenden Titeln und trug bisweilen einen Kinnbart, einen schwarzen Rollkragenpullover und eine schwarze Lederhose. Seine Erscheinung veranlasste eines Tages eine Frau, die die Centre Street entlangging, ihn zu fragen, was ihm an seinen ungewöhnlichen Lederhosen so gefiel. Stubblefield sagte: »Man muss sie nicht waschen, man kann sie einfach abwischen.«

Es war eine gedankenlose Liebesaffäre und hätte der Beginn mehrerer Jahrzehnte bitteren Unglücks sein können, wenn Alice nicht einen Monat vor der Hochzeit eine andere Wahl getroffen hätte. Ein besserer Freund tauchte auf der Bildfläche auf. Nicht eine vorübergehende Laune wie Stubblefield, sondern jemand Solides. Ein alter Highschool-Verehrer oder ein Golfspieler, der ihrem Vater in den Arsch kroch. Sie informierte Stubblefield aus der Ferne über das Telefon.

Den Diamanten jedoch gab sie persönlich zurück. Um genau zu sein, sie warf ihm den Ring ins Gesicht, als hätte er sie verschmäht, nicht umgekehrt. Er traf ihn an der Braue, prallte von der Betontreppe vor seiner Tür ab und flog ins Gebüsch. Und funkelte unterwegs.

Dieses brüske Ende war bestimmt die Idee des neuen Freundes, der Stubblefield anspruchsvoll und unerbittlich erschien in Bezug auf die eigenen Empfindlichkeiten. Alice sollte nichts behalten, was ihn daran erinnerte, dass er nicht der erste Entdecker war, der seine Fahne an dieser fahlen Grenze aufpflanzte.

Eine Woche später setzte Stubblefield eine Anzeige in das Lokalblatt: *Zu verkaufen: Ein (1) Verlobungsring mit ein"einhalb Karat Diamant. Guter bis schlechter Zustand. Dazu" passender Ehering. Nicht getragen. Diamanten halten ein Leben lang, doch das gebrochene Herz ist geheilt. Jeweils 1 $.*

Damit stand fest, dass er nie günstig an einen Caddie kommen würde, aber dafür gewann er mehr als nur ein paar neue Freunde in der Stadt. Eine Woche lang wurden ihm in der Bar in Strandnähe etliche Tanqueray Tonics spendiert. Junge und alte Zecher hoben das Glas auf ihn und hießen ihn in seiner neuen Bruderschaft der abgelegten Liebhaber willkommen.

Nachdem Stubblefield zu Ende erzählt hatte, sagte Luce: »Fahle Grenze?«

»Eine Metapher.«

Spätnachts wurde Luce schläfrig, der Kopf sank ihr immer wieder auf die Brust, und Stubblefield langte mit der guten Hand zu ihrer rechten Schulter und zog sie über den Sitz zu sich, bis ihr Kopf auf seinem Bein lag und ihr dunkles Haar seinen Schoß bedeckte.

Er fuhr auf einer leeren Straße durch das Ödland der Kiefernplantagen, das bis nach Florida reichte, und fühlte sich glücklich und als ob in diesem Augenblick alles seinen Erwartungen an das Leben entsprechen würde. Abgesehen von den Lichtern des Armaturenbretts und der Scheinwerfer war der Hawk so dunkel wie die Nacht. In den dunstigen späten Nachtstunden hielt Stubblefield auf einem Rastplatz neben der Straße an und schlief ein, zwei Stunden, seine rechte Hand in Luce' Haar, und dann fuhr er weiter. Bei den ersten Anzeichen der Morgendämmerung sah er die Augen der Kinder im Rückspiegel. Wach und neugierig auf die unbekannte Landschaft.

Sie umfuhren im Nebel des frühen Morgens das Okefenokee-Sumpfgebiet. Die feuchte Luft wehte durch die geöffneten Dreieckscheiben herein, schwer und gesättigt. Luce schlug kurz die Augen auf und fragte: »Was ist das für ein Geruch?«

»Alligatoren«, sagte Stubblefield.

Sie sagte, Gut, und legte den Kopf zurück auf sein Bein, während Stubblefield ihr etwas über die Kultur und die Geschichte Floridas erzählte. »Hier gibt es zum Beispiel Schlangenfarmen. Stell dir vor, du züchtest Schlangen. Florida war der Wilde Westen, bevor es den Wilden Westen gab. Hier lebten nur Indianer und Spanier, und dann kamen sofort Cowboys und Revolverhelden wie John Wesley Hardin. Und es ist noch immer wild oder zumindest gesetzlos. Hier unten kannst du mit aller möglichen Scheiße davonkommen. Die Politiker sind alle Verbrecher. Na gut, sie unterscheiden sich insofern von Politikern andernorts, als sie so unverfroren kriminell sind, dass sie oft in einem Bundesgefängnis landen.«

Ungefähr an dieser Stelle schlief Luce wieder ein.

Lola lebte in Flagler, in einem schattigen Häuschen aus Beton, drei Straßen vom Meer entfernt. Das vertrocknete Laub einer Virginia-Eiche sammelte sich in den Dachrinnen, und auf dem sandigen Hof stand ein verrosteter roter Olds Rocket 88, der seine besten Tage längst hinter sich hatte.

Stubblefield ging zur Tür und klopfte. Luce, Dolores und Frank blieben im Hawk sitzen.

Lola öffnete. Sie war in ein blumengemustertes Strandtuch gewickelt, das über einem schimmernden blau-grünen Badeanzug offen herunterhing. Barfuß, die Zehennägel rosa lackiert. Das sommersprossige Dekolleté gebräunt bis zu einer bestimmten Linie, unterhalb davon drei Zentimeter cremeweiße Haut. Ihr Haar war nass und fiel ihr auf die Schultern. Eine Zigarette zwischen den Lippen.

Stubblefield glaubte, er hätte an der falschen Tür geklopft. Das war nicht die Großmutter, die er sich ausgemalt hatte. Er stellte sich vor und sagte, wer bei ihm war. Ihre Tochter Luce und die Kinder ihrer ermordeten Tochter Lily.

»Ich erinnere mich an ihre Namen«, sagte Lola, ohne die Zigarette aus dem Mund zu nehmen, in sachlichem Tonfall. »Wie haben Sie mich gefunden?«

»Ein paar Anrufe.«

»Nicht, dass ich mich hier verstecken würde oder so.«

»Sie braucht Ihre Hilfe«, sagte Stubblefield.

»Wie bitte?«, sagte Lola.

Vom Wagen aus betrachtete Luce die Frau. Ihre Mutter. Das Wort rief nichts in ihr wach außer vage Erinnerungen an Geschrei. Ungestüme Umarmungen. Ein Gesicht nah vor ihrem, Atem, der nach Wild Turkey roch, nasse Küsse auf die Stirn, die schmierige apfelrote Abdrücke hinterließen.

Und irgendetwas passte nicht. Wie alt war ihre Mutter? Zumindest alt. Luce rechnete schnell im Kopf, und das überraschende Ergebnis war knapp über vierzig. Und dennoch sah Lola wesentlich jünger aus, denn sie war verdammt hübsch gewesen und hatte am Ende ihrer Teenagerjahre innerhalb kurzer Zeit nur zwei nicht geplante Mädchen zur Welt gebracht. Und sie hatte sich nicht lange damit abgeplagt, sie aufzuziehen. Sie hatte wenige Kilometer auf dem Buckel, und die wenigen, die sie hatte, stammten offenbar von der Straße. Außerdem wirkte sie mit ihren straffen Brüsten, dem zerzausten Haar und der Strandkleidung so jung, dass sie als Luce' ältere Schwester durchgehen konnte, zumindest in einem Licht, das schmeichelhafter war als der mittägliche Sonnenschein. Doch es war Mittag.

Luce stieg aus und kippte den Sitz nach vorn. Die Kinder kletterten heraus und begannen die neue Welt zu erforschen. Wieder verhielten sie sich wie Wünschelrutengänger, folgten unsichtbaren Kraftlinien durch den Hof, viertelten die Fläche, kehrten zurück, nahmen Witterung auf mit anderen als den üblichen fünf Sinnen. Schließlich blieben sie drei Meter nebeneinander stehen, ohne den Blick auf irgendetwas zu fixieren, aber sie waren wachsam.

Mutter und Tochter verzichteten auf eine Begrüßung. Eine Umarmung wäre zu viel gewesen, ein Händedruck kam nicht in Frage. Lola legte den Kopf in den Nacken und blies Rauch aus dem Mundwinkel, und Luce kam direkt zur Sache.

»Lilys Mann, Bud. Er hat den Kindern etwas angetan. Und dann hat er Lily umgebracht. Jetzt ist er in der Stadt und bedroht uns. Und Lit wird nichts unternehmen, weil er Tabletten bei ihm kauft.«

Lola sagte: »Und da frage ich mich noch, warum ich weg bin!«

In Stubblefields verbundener Hand pochte es. Er schaute alle vier an, bemerkte, wie sich ihre Nasenflügel, die schrägen Augen ähnelten. Doch Lola und die Kinder erhoben keine Besitzansprüche aufeinander. Sie blickten nicht zu ihr hin, als wäre sie ein Gespenst, das in einer Dimension schwebte, die sie nicht spürten.

»Ich bin nicht zur Großmutter geschaffen«, sagte Lola.

»Auch nicht zur Mutter«, entgegnete Luce.

»Das ist nichts Neues, Luce. Du übrigens auch nicht. Wir sind uns sehr ähnlich. Lily war anders.«

»Du weißt überhaupt nichts über mich«, sagte Luce. »Ich bin nicht wie du. Und wenn ich es mal gewesen bin, dann habe ich mich verändert.«

»Die Menschen ändern sich nicht«, sagte Lola. »Vielleicht bist du noch jung genug, um dir einzubilden, dass es nicht stimmt. Die Leute sind, wer sie sind, und alle anderen müssen sie entweder so nehmen oder woanders hingehen.«

»Ich bin nirgend woanders hingegangen. Keiner von uns ist woandershin.«

»Ich schon. Ich habe euch keinen Tag länger ertragen.«

246

Stubblefield hatte bislang schweigend daneben gestanden, doch jetzt sagte er: »Großer Gott.«

Lola blickte ihn an, als würde sie erst jetzt bemerken, dass er noch da war.

»Mein letztes Wort«, sagte Lola. »Ich kann euch nicht helfen. Außerdem klingt es, als würdet ihr übertreiben. Ich weiß, dass er draußen ist. Manchmal haben die Geschworenen auch recht. Und das heißt nicht, dass ich wegen Lily nicht traurig bin. Aber als ich weggegangen bin, bin ich weggegangen. Ich schau nicht zurück. Und ich will keine Familie. Ich mache euch ein paar Schinkensandwiches und lass dich über die gute alte Zeit reden, wenn dir das wichtig ist. Und dann ist es auch schon Zeit, dass ihr alle ins Auto steigt und nach Hause fahrt.«

Luce sagte: »Wir können auch unterwegs Hamburger essen, dann müssen wir uns nicht länger deine Scheiße anhören.«

»Gut«, sagte Stubblefield. »Damit ist alles gesagt. Dolores und Frank, gebt eurer Oma zum Abschied einen Kuss.«

Die Kinder kamen der Aufforderung nicht nach, sondern sahen sich nur kurz an.

Lola zog noch einmal an ihrer Kool, schnippte die glühende Kippe zu Stubblefield und ging ins Haus. Die Kippe prallte von Stubblefields Brust ab, so wie die Fliegengittertür von Lolas immer noch attraktivem Hintern, bevor sie ins Schloss fiel.

Doch bevor sie einsteigen und losfahren konnten, streckte Lola den Kopf noch einmal zur Tür heraus und rief: »Ich habe keinen von euch je geliebt.«

Auf dem Rückweg nach Norden nahm Stubblefield die A1A, damit Luce und die Kinder den Atlantik sehen konnten. Er hatte seit Tagen nur stundenweise geschlafen, kein Adrenalin mehr im Blut und trank nur noch Kaffee. Er sah, hörte und dachte, als hätte er Sand im Getriebe.

Irgendwo hinter St. Augustine zog er Luce an sich und sagte: »Es war mein Fehler. Ich habe gedacht, ihr wärt sicher bei ihr. Ich habe nicht damit gerechnet, dass es so läuft.«

»Ich hätte damit rechnen müssen. Aber ich habe irgendwie gehofft. Das war der Fehler.«

Stubblefield fuhr weiter, den Atlantik auf der rechten und Palmettopalmen auf der linken Seite, und versuchte, seine Gedanken zu ordnen. Er sagte: »Es gibt Leute, die wollen, dass du ihnen alle Sorgen abnimmst. Wenn sie können, laden sie alles bei dir ab und hauen ab, ohne auch nur einmal schuldbewusst über die Schulter zu blicken. Und wenn sie das nicht können, dann erleichtern sie ihre Last, indem sie jedem, der es mit sich machen lässt, Leid aufhalsen. Ihr zwei Mädchen hattet keine andere Wahl, als zu nehmen, was eure Mutter verteilt hat. Alle anderen waren Dummköpfe, die sich davon haben täuschen lassen, wie hübsch sie ist.«

»Und das ist sie, nicht wahr?«

»Von irgendwem musst du es ja haben.«

Sie überquerten den St. Johns mit der Fähre, fuhren Little Talbot Island entlang und dann über den Meeresarm nach Amelia, und während sie über die niedrige Holzbrücke holperten, sprangen fliegende Fische fast bis zur Höhe der Autofenster in die Luft.

Stubblefield schaute in seine Brieftasche und kalkulierte. Sie konnten eine Weile in seiner alten Küstenstadt mit dem Fort und dem Leuchtturm und den Krabbenbooten bleiben. Es wäre nicht ganz das Gleiche wie der Ausflug an den Golf, den er sich erträumt hatte. Keine Austern in Bierkneipen oder Tanzen zur Strandmusik aus der Jukebox oder Schwimmen bei Nacht. Sie wären nicht jung und frei. Sie hätten vor allem Angst und wüssten nicht, was sie dagegen tun sollten.

Aber während ein paar wunderschöner Herbsttage ruhten sie sich aus und gingen am Strand spazieren. Die Kinder liefen auf und ab und bewarfen sich gegenseitig mit Muscheln und wateten im kühlen Wasser, bis sie sich erschöpft und glücklich in den Sand fallen ließen. Sie erlaubten Luce hin und wieder, sie in ein Handtuch zu wickeln und kurz zu umarmen, bevor sie sich ihr wieder entzogen.

Eines Abends kurz vor Sonnenuntergang machte Stubblefield ein kleines Feuer aus Treibholz, und die Kinder waren hingerissen. Sie saßen still da und betrachteten die Flammen. Nach einer Weile stand Dolores auf, sammelte am Strand Dünengras und ging dann zu Stubblefield, der mit Luce am Feuer saß. Dolores nahm vier lange Stängel in die Hand und schlug ihm damit leicht auf beide Schultern. Sehr feierlich, als würde sie ihn in den Ritterstand versetzen. Dann warf sie das Gras ins Feuer und trat zurück; ihre dunklen Augen blickten knapp über seine Schulter. Sie blieb stehen und wartete, was als Nächstes passieren würde.

Stubblefield ging zur Flutlinie und sammelte Seetang, drehte und flocht die Bänder, wie er als Pfadfinder gelernt hatte, Seile zu drehen. Er verknotete die Enden miteinander, sodass ein kleiner Kranz daraus wurde, den er Dolores auf den Kopf setzte. Sie schüttelte ihn sofort ab, doch dann hob sie ihn wieder auf, setzte ihn sich auf den Kopf, schlenderte davon in Richtung von ein paar Sanderlingen und wich mit schnellen kleinen Schritten den Wellen aus. Frank hatte neben dem Feuer gesessen und den Vorgang beobachtet. Jetzt ging er zu Luce und stellte sich neben sie; er reichte ihr bis zur Schulter.

Sie sagte: »Wenn du auch einen möchtest, sag bitte.«

Frank sagte: »Möchtest sag bitte.«

Also flocht Stubblefield auch für ihn einen Kranz.

Jeden Abend aßen sie Krabben, die für Luce neu waren, und sie konnte gar nicht genug davon bekommen. Die Kinder waren abends müde, gingen früh zu Bett und schliefen bis zum Morgen zu den beruhigenden Geräuschen der Wellen am Strand. Spätabends saßen Luce und Stubblefield auf dem Sofa im Strandhaus, hörten Radio und umarmten und küssten sich wie Teenager. Jedes Lied war eine Variante von *oh, Baby, Baby*. Doch wenn Stubblefield eine bestimmte Grenze überschritt, zog Luce sich ins Schlafzimmer zurück und legte sich zu den Kindern. Sie war nicht unfreundlich, und es schien ihr auch irgendwie leidzutun, aber sie ging. Und Stubblefield las und versuchte, sich ritterlich zu fühlen, bis auch er einschlief.

Aber an einem Abend gegen Ende ihres Aufenthalts kam sie zurück. Stubblefield lag dösend auf dem Sofa mit einem Taschenbuch aus der Bibliothek, die er im Wagen hatte. Er erwachte, weil Luce sein Gesicht mit der Hand berührte, dann glitt sie an seinem Hemdkragen vorbei zu seiner Schulter. Sie packte ihn fest an dem Muskel über seinem Schlüsselbein und zog ihn zu sich, was wehtat. Sie küsste ihn heftig und sagte: »Es könnte so gut sein, irgendwann einmal.«

Bevor Stubblefield ganz wach war, war sie wieder gegangen. Die Tür schlug zu, bevor ihm einfiel, Warte zu sagen. Danach verbrachte er eine unruhige Nacht mit dem dürftigen Ersatz von Gedichten und den Top-40-Songs im Radio.

Jeden Tag wurde das Geld weniger. Am letzten Abend,

als sie auf dem Sofa saßen, erzählte Stubblefield Luce ein Märchen. Sie würden nie wieder an den See zurückkehren, sondern sich ins Auto setzen und aufbrechen, und in null Komma nichts würden sie in der Morgendämmerung auf einer zweispurigen Straße in Nebraska nach Westen fahren. Vor ihnen ginge ein blasser Mond unter und in ihrem Rücken eine leuchtend gelbe Sonne auf. Sie würden starken Kaffee trinken und eine Schachtel Doughnuts zum Frühstück essen, jeder drei Stück. Einen Radiosender aus Red Cloud hören, der über die Weizenpreise berichtete, und dann Spade Cooley, gefolgt von den Sons of the Pioneers, um in nur zwei Songs den Überschwang und die Melancholie der berühmten einsamen Prärie einzufangen, in der die Tage so hell sind wie Zündholzflammen und die Nächte so dunkel wie die Gedanken Gottes. Sie selbst wären auf Meilen hinaus die größten Objekte in einem Meer aus Gras. Und damit die Landschaft Einzug in ihre Träume hielte, würden sie auf Decken in einem Weizenfeld schlafen und Sterne und Planeten auf ihrem Weg nach Westen durch das konvexe All verfolgen, bis sie alle eingeschlafen wären.

»Toll«, sagte Luce. »Das machen wir, Baby. Irgendwann.«

Sie brachen an einem späten Nachmittag auf. Als sie durch die öden Kiefernwälder an der Grenze zu Georgia fuhren, war es dunkel. Die Kinder schliefen auf der Matratze auf dem Rücksitz, erschöpft von einem weiteren Tag am Strand. Luce drehte den Knopf des Radios immer wieder in beide Richtungen. Bruchstücke von Worten oder Musik ertönten und verklangen, unterbrachen das Zischen und Rauschen der Interferenzen. Sie sprach kein Wort. Sie weinte nicht, aber mit jeder Meile, die sie nach Norden fuhren, drang Angst in den Wagen wie das steigende Wasser der Flut.

Stubblefield versuchte, sie an sich zu ziehen. Sie fühlte sich an wie ein einziger fester Muskel, der sich ihm widersetzte. Doch kaum hatte er ihre Schulter losgelassen, gab sie nach, klammerte sich nicht mehr an sich selbst, sondern lehnte sich an ihn.

Luce sagte: »Ich habe dich gefragt, warum du nicht verheiratet bist, aber du hast mich nicht gefragt.«

»Ich habe mich zu sehr darüber gefreut, dass du es nicht bist.«

»Ja, gut. Es gibt ungefähr zwanzig Gründe, aber willst du einen davon wissen?«

»Wenn du es mir erzählen willst.«

»Ich rede nicht davon, was ich will. Willst du es wissen?«

»Ja, das will ich.«

Also erzählte Luce die Geschichte in Kurzfassung. Das Zimmer über dem Drugstore neben dem Kino. Die Bibliothek mit der kleinen Bibliothekarin. Die Telefonvermittlung in dem ehemaligen Hotel mit den dunklen Fluren. Die Wand mit den Bakelitsteckern, das Feldbett und die Patchworkdecke. Mr. Stewart und das Medaillon mit dem heiligen Christophorus. Kein Zorn, keine Gefühle, nur die Fakten.

Zum Schluss sagte Luce: »Ich habe es erlebt, aber wenn du es nicht erträgst, es anzuhören, kannst du mich nach Hause bringen und dann zur Hölle fahren. Männer reagieren manchmal so verdammt seltsam.«

Stubblefield fuhr weiter und versuchte, sich die richtige Reaktion darauf zu überlegen. Wie einen Zauberspruch in einem Märchen. Ein paar perfekte Worte, die deine Wünsche in Erfüllung gehen lassen. Aber sie fielen ihm nicht ein. Plötzlich sagte er: »Das tut mir leid, ich liebe dich, ich werde den Dreckskerl umbringen.«

»Er ist weggezogen«, sagte Luce.

»Ich habe Lola gefunden. Ich kann auch ihn finden.«

»Ein freundliches Angebot, aber das ist alles lange her.«

Sie schraubte wieder am Radio herum, dann schaltete sie es aus und drehte sich im Sitz zur Seite, bis sie auf dem Rücken lag, den Kopf in Stubblefields Schoß, und hinaufschauen konnte zu dem Vollmond über den Kiefern, der leuchtend und dunkel über der Windschutzscheibe schwebte. Dann schlief sie ein.

12

ES HÄTTE EINE ganz normale nächtliche Fahrt werden sollen, doch kaum begannen Bier und Pillen Wirkung zu zeigen und die Sterne zu vibrieren und Funken zu sprühen, stellte Lit wieder dieselben Fragen, die er schon im Sommer gestellt hatte, als er auf der Suche nach Aufputschmitteln zu ihm gekommen war. Der Unterschied bestand darin, dass die Bäume jetzt fast kahl waren und ihm damals die Antworten nicht wirklich wichtig gewesen waren.

Lit konnte unmöglich einen konkreten Hinweis haben, glaubte Bud, aber vielleicht hatte er Gerüchte aus dem Billardsalon gehört oder verließ sich auf seinen bescheuerten Polizisteninstinkt, der jedoch bislang von seiner Abhängigkeit von den Pillen benebelt war. Und wenn er einen Verdacht hatte, dann infolge von Buds eigenem Verhalten, weil er sich so oft betrank und vor den falschen Leuten das Maul aufriss. Er konnte nur sich selbst die Schuld geben, außer vielleicht noch Lilys Schlampe von Schwester, falls sie seine Warnung ignoriert und Lit ein Feuer unter dem mageren Arsch gemacht hatte und er ganz rührselig geworden war wegen seines kleinen Mädchens von vor vielen Jahren oder seiner schwachsinnigen Enkelkinder. Worüber Bud erst einmal nachdenken musste, weil er sich diese Verwandtschaftsbeziehung bisher nicht vor Augen geführt hatte. Lit war Großvater. Dennoch war es eine große Enttäuschung für Bud, dass selbst sein bester Freund angefangen hatte, sich merkwürdig zu benehmen.

Lit fragte Bud immer wieder nach seiner Vergangenheit, aber Lily erwähnte er nie. Oder Luce' Mutmaßungen wegen der Kinder. Aber sie alle waren Teil der Geschichte, zu der Lit hartnäckig Fragen stellte. Wie sehr Bud auch versuchte auszuweichen, wie sehr er sich auch bemühte, das Thema zu wechseln, Lit kam immer wieder darauf zurück. Jede Frage zielte auf Buds Identität. Wie hieß Bud mit vollem Namen? Wo genau hatte er schon gelebt? War er je verheiratet gewesen? War er in seinem früheren Leben jemandem begegnet, der hier aufgewachsen war?

Bud fühlte sich ein bisschen benommen, weil er versuchte, mit Lits Bier- und Pillenkonsum mitzuhalten, und er ließ diverse Lügen und Ausreden vom Stapel, die höchstens ordentlich bis mittelmäßig waren. Er sah voraus, wo das enden würde. Lit würde ihn einbuchten. Bud konnte seine Lügen unmöglich auf Dauer aufrechterhalten, ohne dass er sich in Widersprüche verstrickte. In ein paar Tagen würde Lit ihn wieder angehen, und Bud hätte viele Einzelheiten seiner Antworten vergessen. Die neuen Lügen würden nicht mit den alten übereinstimmen, und auf genau diese Weise lockten sie einen in die Falle. Und dann ging man unter.

Bud sagte: »Komm schon, hör auf mit dem Scheiß. Was interessiert dich die Vergangenheit? Ich dachte, wir wären Freunde.«

»Das sind wir wahrscheinlich auch«, sagte Lit. »Du weißt viel über mich und meine Gewohnheiten, aber ich weiß so gut wie nichts über dich. Ich will, dass du jetzt endlich ehrlich zu mir bist.«

Klang irgendwie eigennützig in Buds Ohren. Meistens beschwerte sich Lit über das Verbot von Benzedrin, wenn seine Fragen sie beide in eine unangenehme Richtung führten.

»Das willst du?«, sagte Bud. »Dass ich ehrlich bin? Und

ich habe mich gerade richtig gut gefühlt. Ich dachte, wir wären Kumpel, die ein bisschen in der Gegend herumfahren und sich gegenseitig Lügen erzählen, Bier trinken und ein paar Pillen schlucken.«

»Das auch. Aber mir wird wegen dir Druck gemacht, und ich muss die Wahrheit wissen.«

Bud sagte: »Fang nicht mit diesem alten Bockmist an. Ich habe vor langer Zeit gelernt, dass jemand, der ganz ernst was von wegen Wahrheit faselt, dich eigentlich in die Pfanne hauen will. Die Wahrheit findest du nicht in dir selbst und schon gar nicht in den anderen. Was immer du mir erzählst oder ich dir und was wir Wahrheit nennen, ist nichts anderes als angenehme Gefühle und Ansichten, die einen Dreck wert sind. Die wirkliche Wahrheit ist uns gar nicht zugänglich. Unser Gehirn ist nicht dafür gemacht, wir können nur aus der Ferne einen Blick drauf werfen.«

»Nein. So ist es nicht.«

»Doch, so ist es. Die Leute mögen das Wort, aber sie benutzen es nur als Knüppel, um dich damit zu schlagen. Wenn wir die Wahrheit wüssten, könnten wir nicht damit leben. Aber weil wir Freunde sind, höre ich mir gern was über deine Gefühle und Ansichten an und gebe vielleicht auch was von meinen eigenen zum Besten, solange wir uns einig sind, die Dinge beim richtigen Namen zu nennen.«

Bud sagte nichts mehr und schaute aus dem Fenster auf einen unglaublich großen Mond. Er versuchte, einen klaren Kopf zu behalten und die Panik in seinem Bauch zu dämpfen, indem er sich fragte, was es kosten würde, den weißhaarigen Anwalt herzuholen. Der würde diese Bauerntrampel vor Gericht bei lebendigem Leib fressen. Innerhalb von zwei Stunden würde der alte Knacker ihnen allen den Arsch aufreißen.

Lit fuhr weiter hinein in die Berge. Ein Bier später fing er wieder an mit Orten, Daten, Nachnamen. Sagte: »Was wäre, wenn ich in der Hauptstadt anrufe und frage, ob sie eine Akte über einen Mann namens John Gary Johnson haben? Sie sollen, was immer sie haben, in die Post tun und mir schicken. Vor allem ein Foto. Wäre alles in ein paar Tagen hier. Was würde ich dann finden? Ich will dich wirklich nicht fertigmachen, aber lass mich nicht hängen. Die Leute reden.«

»Was für Leute? Deine verrückte Tochter mit ihren erfundenen Geschichten?«

»Nein.«

Und dann traf es Bud durch den Drogendunst wie ein Blitz. Wovor hatte er eigentlich Angst? Er hatte einen Prozess hinter sich, ohne verurteilt worden zu sein. Und beim letzten Telefongespräch hatte der Anwalt gesagt, dass die Staatsanwaltschaft den Schwanz eingezogen hatte, weil er sie so zerlegt hatte, und ohne neue Beweise würden sie wahrscheinlich nicht in Berufung gehen. Luce konnte also glauben, was sie wollte, solange die Kinder nicht gegen ihn aussagten. Bud hatte sich gefühlt wie ein Topf Wasser kurz vor dem Siedepunkt. Die Nerven waren zum Zerreißen gespannt gewesen. Doch jetzt fasste er sich und gewann seine Nonchalance zurück.

Er sagte: »Nehmen wir mal an, du und die Klatschmäuler in der Stadt hätten recht. Dein Problem wäre, dass mich das Gericht freigesprochen hat.«

Lit fuhr weiter und blickte ihn dann von der Seite an. Sein Gesicht war vollkommen ausdruckslos, die eine Hälfte beleuchtet von den grünlichen Lichtern des Armaturenbretts, die andere Hälfte im Schatten.

Er sagte: »Kein Problem für mich. Ich rede nicht von Gesetzen. Von Richtern oder Geschworenen. Von Anwälten. Ich rede davon, dass jemand zahlen muss.«

Möglicherweise wären mehr schwachsinnige Sprüche Buds Zwecken wesentlich nützlicher gewesen, doch Lits Miene versetzte ihn in Panik. Er hatte Lit oft genug bei der Arbeit gesehen, und Bud wusste aus leidvoller Erfahrung, dass seine Chancen beim Faustkampf nicht die besten waren. Er war Lit nicht gewachsen, außer er hätte Riesenglück. Und das Glück war meistens nicht auf seiner Seite.

Also musste er der Erste sein, der zum Angriff überging. Der Überlegene sein. Eine uralte Weisheit, die er vom alten Stonewall gelernt hatte. Es war irgendeine Situation, in der die Yankees wie üblich in der Überzahl und besser bewaffnet waren. Ein Untergebener fragte, was sie tun sollten, und Stonewall sagte: Bringt sie alle um. Der Legende nach betrübte ihn das irgendwie.

So fühlte sich auch Bud, als er Lit ohne Vorwarnung sein Messer bis zu den Parierstangen in die Seite stieß, während sie auf die Viertelmeilenmarkierungen zufuhren. Er stieß mehrmals zu, dorthin, wo lebenswichtige Organe glitschig und dunkel aneinanderstießen. Jeder Stich vergrößerte die Wunde und drang tiefer ein.

Lits Konzentration auf die Straße ließ nach. Der Wagen bretterte die Straße entlang.

Bud beugte sich nach links und ergriff mit einer Hand das Lenkrad. Er schob ein Bein über die Getriebekonsole und stieß Lits Fuß vom Gaspedal. Der Wagen rollte aus. Dann rollte er langsam rückwärts, und das Getriebe knirschte und ruckelte, bis Bud mit dem linken Fuß die Bremse fand und darauf trat.

Sie standen nahezu quer auf der steilen schwarzen Straße, das Scheinwerferlicht auf die Bäume gerichtet. Lit lebte, aber es ging ihm schlecht. Er presste die Hände auf die verletzte Seite, versuchte das Blut einzudämmen. Sein Kopf war wie benebelt.

»Wie konntest du mir das bloß antun?«, sagte Bud.

Zwischen Lits Fingern strömte Blut heraus. Er war weiß im Gesicht. »Was?«, sagte er.

»Ich dachte, wir wären Freunde.«

Lits Mund arbeitete, aber er brachte nichts heraus.

»Es ist besser, wenn ich fahre«, sagte Bud.

Er öffnete die Beifahrertür und ging vorne um den Wagen.

Während seiner letzten wachen Momente sah Lit den hellen Vollmond über den Baumwipfeln und dann Bud vor der Windschutzscheibe, bleich im Licht der Scheinwerfer.

Bud stieß Lit auf den Beifahrersitz, bis sein Kopf an der Tür lehnte. Er legte den ersten Gang ein und fuhr hinauf zum Pass. Irgendwo unterwegs starb Lit.

Auf der anderen Seite des Sees, hoch oben am Ende einer unbefestigten Straße, zerrte Bud Lit aus dem Wagen und weit hinein in den dunklen Wald. In die Wildnis. In der fernen Zukunft, in der Autos fliegen konnten, würde vielleicht ein grauhaariger Jäger auf kreideweiße geheimnisvolle Knochen stoßen, abgenagt von Stachelschweinen und Waldratten.

Bud fuhr den Streifenwagen bis an das Ende des Sees, wo sich das Wasser hinter dem Damm staute. Er fand einen steilen Uferhang und ließ das Auto in den See rollen, Fenster, Motorhaube und Kofferraum geöffnet. Große, silberne mondbeschienene Blasen stiegen aus dem schwarzen Wasser auf. Dann der lange Heimweg. Viele Meilen, immer auf der Hut vor sich nähernden Scheinwerfern, aber mitten in der Nacht fuhren natürlich keine Autos. Die drei Ampeln in der Stadt blinkten gelb, die Straßen waren verlassen. Bud, der sich beweisen wollte, wie furchtlos er war, marschierte mitten auf der Straße.

13

»SIE MÜSSEN SICH diesen Schwarzhändler ansehen«, sagte Luce.

Hinter seinem Schreibtisch entgegnete der Sheriff: »Wen muss ich mir weswegen ansehen?«

»Johnson. Er hat meine Schwester umgebracht und jetzt wahrscheinlich auch Lit. Und ich habe Angst um Lilys Kinder, wenn ich ihm nicht das Handwerk legen kann. Er beschafft den Alkohol für den Großteil des Bezirks, und Sie wissen nicht, wer er ist?«

»Ich weiß, wer der Schwarzhändler ist, aber ich habe noch nie von Johnson gehört. Die Leute nennen ihn Bud. Ich danke dir für deine Vorschläge, aber es gibt hier ein paar Fakten. Willst du Streicheleinheiten, oder willst du Klartext reden?«

»Klartext.«

»Also, Fakt ist, er wurde freigesprochen. Und wir wissen noch nicht, ob Lit tot ist. Wir wissen, dass er verschwunden ist. Was seine Art sein könnte, den Hut zu nehmen und nach Florida oder Maine abzuhauen. Er ist nicht der Typ, der zwei Wochen vorher kündigt. Und außerdem hatte Lit in vier oder fünf Bezirken Feinde. Aber das weißt du alles.«

Luce war es leid. Sie sagte: »Ich weiß, dass Bud es war. Und er hat den Kindern etwas angetan.«

Der Sheriff setzte eine Miene auf, als wäre es nicht ganz unter seiner Würde, nachsichtig zu sein. Er sagte: »Und woher weißt du das, Luce?«

»Ich lebe mit ihnen zusammen. Man hat ihnen was angetan.«

»Das haben sie gesagt?«

Luce wollte sagen: Nicht direkt. Doch dann war ihr unvermittelt klar, dass es nicht der richtige Augenblick war, um es mit der Wahrheit schrecklich genau zu nehmen. Sie sagte nichts und blickte dem Sheriff in die Augen.

Er wartete einen Moment wie ein Schauspieler, der vorgab nachzudenken, und sagte dann: »Ich werde Johnson im Auge behalten, und ich will Lit genauso dringend finden wie alle anderen. Aber das Wichtigste ist, dass ich wirklich Mitleid mit dir habe. Ich kenne dich, seit du ein kleines dunkelhaariges Mädchen warst, dessen Mutter davongelaufen ist. Das war eine schlimme Sache. Und jetzt hast du deine Schwester verloren, und dir wurden zwei verkorkste Kinder aufgehalst. Und Lit ist verschwunden, und er war auch nie ein guter Vater. Da ist es nur normal, dass man sich nach jemand umsieht, dem man die Schuld geben kann. Aber das Leben besteht überwiegend aus Scheiße, und es lädt dir noch mehr auf, wenn du schon so am Boden bist, dass du meinst, du kannst nicht mehr. Einen Fuß vor den anderen setzen und weitermachen ist das einzige Vergnügen im Leben, das dir noch bleibt, wenn man nicht mehr jung ist.«

»Warum weitermachen?«

»Aus keinem Grund. Hör auf, nach Gründen zu suchen. Lit hat immer gehofft, dass jeder Tag so aufregend ist, wie das Leben mit achtzehn war. Und genau das ist es, was ihm immer wieder Ärger einbringt. Mach nicht den gleichen Fehler.«

Luce sah die wenigen Dinge ihres früheren Lebens durch, bis sie das letzte Geburtstagsgeschenk von Lit fand, ein nettes Geschenk von einem Vater für eine süße sechzehnjährige Tochter. Ein schmales Rasiermesser mit einem schimmernden perlweißen Griff. Die Klinge bestand aus einem langen Viereck gewellten Stahls mit einem Haken am Ende, um sie zu öffnen, die Schneide so scharf, dass man sie beschädigte, wenn man versuchte, sie an einem Wetzstein zu schleifen. Nur ein dicker eingeölter Lederriemen war dazu geeignet.

»Alles Gute zum Geburtstag«, hatte Lit gesagt. »Schneide einen Mann damit, und er wird nicht mehr aufhören zu bluten. Du brauchst nur ein kleines bisschen zuzustoßen und kommst bis auf den Knochen.«

Die junge Luce hatte das Rasiermesser für ein unglaublich blödes Geschenk gehalten und ihren Vater für einen Idioten. Sie hatte sich seine Botschaft nicht zu Herzen genommen, nämlich dass überall Gefahren lauerten. Damals hatte sie geglaubt, in einer wunderbaren friedlichen Welt zu leben.

Also hatte sie das Rasiermesser in die Schuhschachtel geworfen, in der sie gesammelte Überbleibsel aus ihrer Handtasche aufbewahrte. Verbrauchte Lippenstifte, zerbrochene Haarspangen aus Schildpatt, einzelne Ohrringe, ausgeleierte Haargummis, ein Kaugummipäckchen mit einem vertrockneten Streifen darin, benutzte Sandpapierfeilen, einen verrosteten Kirchenschlüssel, einen gelben Plastikeinsatz, den man auf die dünne Plattenspieler-Mittelachse setzte, um Singles abspielen zu können, der Klassenring eines Football-Freundes, den sie einen Monat lang an einer Kette um den Hals getragen hatte.

Hätte sie das Geschenk ihres Vaters jedoch so ernst genommen, wie es gemeint war, und es stets mit sich getragen, hätte Luce Mr. Stewart die Kehle durchschneiden können. Blut wäre herausgespritzt und über sein weißes Hemd und die Tweed-Revers gelaufen. Der geile, rammelnde Mr. Stewart hätte vergeblich versucht, durch die Luftröhre zu atmen, die ihm aus dem Hals hing wie das Ende eines Gartenschlauchs. Sie hätte ihn weit aufschneiden können.

Im Rückblick war Lit also gar nicht so dumm gewesen. Diese Erkenntnis war Teil eines zeitlosen Musters. Kinder entdecken die Klugheit ihrer Eltern neu, wenn sie selbst endlich erwachsen sind. Wenn *Klugheit* das richtige Wort dafür ist, dass man sich unbarmherzig mit einer Klinge bewaffnet, die so haarscharf geschliffen ist, dass derjenige, den man damit schneidet, nicht mehr aufhört zu bluten.

Stubblefield war der Besitzer eines alten Revolvers. In den Tagen nach dem Brand hatte er in den Außengebäuden nach einem Erinnerungsstück an den Ort gesucht. Im Räucherhaus hatte er den verrosteten .32-20 seines Großvaters neben Werkzeug in einem hölzernen Kasten gefunden. Dem Blatt einer Axt, einer Ahle, verschieden großen Meißeln, einem Hobel. Stubblefield konnte sich erinnern, dass der Revolver nur dazu benutzt worden war, um auf Schlangen im Hof und Wiesel oder Füchse zu schießen, die hinter den Hühnern her waren. Deswegen war es einleuchtend, dass er im Werkzeugkasten gelandet war. Sein Großvater hatte kein Symbol der Männlichkeit daraus gemacht, und das Ding hatte nichts Schickes. Kein Nickel oder Perlmutt, nur ein schlichter Colt, das Blau abgewetzt und der Griff angeschlagen. Aber natürlich entschied sich Stubblefield für den Revolver und nicht für den Hobel als Andenken. Er hatte ihn geputzt und geölt und ihn neben seinen Plattenspieler gelegt wie einen affigen Kunstgegenstand. Jetzt ging Stubblefield zu Western Auto, um sich Munition dafür zu kaufen.

Der Mann hinter dem Ladentisch sagte: »Natürlich haben wir die. Die alten Knacker in der Bergen benutzen sie noch.« Also kaufte Stubblefield eine Schachtel Remingtons, überlegte es sich auf dem Weg hinaus anders und kaufte noch drei weitere.

»Was haben Sie vor? Wollen Sie in den Krieg ziehen?«, fragte der Mann.

Wieder zu Hause, beschloss Stubblefield, bei Luce einzuziehen, ob es ihr passte oder nicht. Er packte das Nötigste ein. Kleidung für das zu erwartende kalte Wetter, den Plattenspieler, *Kind of Blue*, den Revolver.

Als er vor der Lodge ankam und begann, den Kofferraum des Hawk zu leeren, gab es keine Diskussionen. Sogar die Kinder halfen beim Tragen.

In dieser Nacht schliefen sie alle zusammen in der Halle. Die Kinder auf ihrem Bett neben dem Kamin, Stubblefield und Luce halb sitzend auf dem Sofa, die Füße auf einer Ottomane, Stubblefields gute Hand in ihrem Haar. Das Feuer schwelte, das Radio lief leise, sodass sie Geräusche von draußen hören konnten. Der Revolver in Reichweite und die Türen verschlossen.

Am ersten Tag blies ein eisiger Wind, und sogar ein Hauch Schnee lag auf den Gipfeln, als die Kaltfront heranzog. Dann eine klare kalte Nacht, gefolgt von einem Morgen, an dem noch zwei Stunden nach Sonnenaufgang, als die richtigen Schatten verschwunden waren, merkwürdige Reifschatten auf verrückte Weise die Winkel der Lodge, des Räucher- und des Brunnenhauses auf der Wiese umdeuteten. Am späten Nachmittag war es so warm, dass sie in den verwitterten Schaukelstühlen auf der Veranda sitzen konnten.

Luce schenkte zwei Gläser Rotwein aus einer Flasche aus dem Keller ein, deren französisches Etikett mit Mehltau überzogen war. Der Wein war alt und schmeckte schrecklich gut und herbstlich im Sonnenuntergang. Braune erfrorene Äpfel hingen noch von kahlen Ästen im Obstgarten, und ein fingernagelbreiter gelber Mond folgte der Sonne zum Horizont. Laub lag im Gras. Im Wald zirpte noch irgendetwas, eine letzte Laubheuschrecke oder ein Frosch. Die Luft war frisch, der Himmel wolkenlos. Streifen mit weichen Farben glühten über den Bergen im Westen. Pfirsich und Aprikose und Sepia verblassten zu hübschen Schattierungen von Blau und schließlich zu Indigo. Die Farben hätten auf Leinwand vollkommen unnatürlich und kitschig gewirkt, und doch waren sie an vielen Herbstabenden ein authentischer Ausdruck des Ortes.

Am Ende der Veranda spielten die Kinder das Feuerspiel mit dem Reisig, jedoch mit einer neuen Regel, die besagte, dass dem Verlierer mit einem Stück Holz dreimal auf jede Handfläche geschlagen wurde. Was nur so lange gutging, bis einer zu fest zuschlug und Luce zu ihnen lief und das Spiel beendete und die Kinder zum Plattenspieler schickte.

Als sie wieder im Schaukelstuhl saß, ergriff Luce Stubblefields Hand. Der Wein hatte sie in eine melancholische Stimmung versetzt. Es war nur ein Gefühl, aber sie war sich mittlerweile sicher, dass Lit tot war. Sie war deswegen nicht untröstlich. Sie hatten einander nie viel bedeutet, doch sie war benommen wie nach einer Beerdigung. Nur dass keine Beerdigung stattgefunden hatte, weil es keine Leiche gab.

Nachdem sie den Wein ausgetrunken hatten, ließ Stubblefield ihre Hand los und holte zwei Gläser mit Scotch, der noch aus der Zeit des Stummfilms stammte.

Er sagte: »Ich kannte ihn nicht außer von zwei Gesprächen, in denen er mich als Trottel hat dastehen lassen. Ich kann mir nicht vorstellen, woran du denkst.«

»An den Krieg. Er war das Zentrum seines Lebens.«

266

In memoriam erzählte Luce Stubblefield, dass in ihrer Kindheit nicht viele Männer in der Stadt ausführlich über den Krieg hatten reden wollen. Sie wollten nichts erzählen, sondern sich im Sieg sonnen und eine Familie und eine gute Arbeit haben, ein Haus besitzen und einen neuen Wagen fahren, ohne je wieder das Haaröl des früheren Besitzers an der Dachinnenverkleidung riechen zu müssen. Lit aber wollte reden. Luce und Lily waren sein Publikum. Lola tat jede seiner Geschichten als Lüge ab und verließ das Zimmer, sobald er damit anfing.

Lit erzählte den kleinen Mädchen von den vielen Schwierigkeiten, in die er geraten war. D-Day zum Beispiel. Doch nach dieser spektakulären Offensive gab es bald nur noch zahllose kleine Scharmützel, und es schien nicht, als hätten Generäle im Hintergrund die Übersicht und entwickelten große Pläne. Ständig jede Menge Blut in drastischen Einzelheiten. Tag um Tag fast ohne Schlaf und ohne Essen. Kleine Trupps halb verwirrter Männer mit vor Erschöpfung und Angst ausdruckslosen Gesichtern. Frankreich war nichts außer langen Märschen und Kämpfen. Und dann weiter östlich das letzte Kapitel von Lits Erzählung, als er von einem Panzer der Nazis in einem gefrorenen Rübenfeld beschossen wurde.

Lit und ein Dutzend hungriger Männer versuchten, halb gefrorene Rüben wie Äpfel zu essen, roh und ungeschält, nur von den kleinen schwarzen Erdklumpen befreit, die daran klebten. Sie gruben sie mit kalten, steifen Händen aus. Grauer Himmel, Schnee in der Luft, bitterkalter Wind. So war das Wetter seit Wochen. Ein Junge namens Codfelter, Gegenstand des Spotts, und das nicht nur wegen seines Namens, hatte eine riesengroße Rübe ausgebuddelt. In diesem Augenblick schlug eine Salve aus dem Geschützturm des

Panzers neben Codfelter ein und riss ihm auf halber Höhe des Oberschenkels ein Bein bis auf einen Hautlappen vollständig ab. Durch den Druck wickelte sich der abgetrennte Teil des Beins um einen Drahtstrang der Feldeinzäunung. Mehrmals. Der Junge versuchte, heftig blutend davonzukriechen. Doch das Hautband hielt ihn fest.

In einer Version der Geschichte erschoss Lit den Jungen, um ihn von seinem Elend zu erlösen. In einer anderen schnitt er mit dem Messer den Hautlappen ab, improvisierte einen Arterienabbinder und half Codfelter, dem Panzer zu entkommen, nur um ihn dann in einer Hecke mit bleichem Gesicht verbluten zu sehen. Manchmal wurde Lit in dem Rübenfeld gefangen genommen, in einer anderen Version erst Tage später. Nur das Wetter, das Feld und die schwarze Erde, der Panzer und Codfelters schreckliches Bein, das änderte sich nie.

Der Gefangennahme folgte die Geschichte seiner Befreiung aus dem deutschen Gefangenenlager gegen Ende des Kriegs. Da er wusste, dass sich die Russen mit überwältigender Truppenstärke näherten, ließ der Kommandant alle Gefangenen und alle deutschen Wachen antreten. In zwei Reihen standen sie sich gegenüber. Lit glaubte, man würde sie mit Maschinengewehren erledigen. Doch als die Russen über den nächstgelegenen Hügel marschierten, zog der Kommandant seine Luger und schoss sich eine Kugel in den Gaumen, die oben aus seinem Kopf wieder austrat. Es war der schnelle Lit, der hinrannte und die Pistole auffing, bevor sie auf dem Boden landete. Und dann, so behauptete er, legten all die entsetzten und besiegten Nazis die Waffen nieder, sodass Augenblicke später, als die Russen einmarschierten, um das Lager zu befreien, Lit die Kontrolle übernommen hatte.

Es gab endlose Zusätze zu der Geschichte, Abenteuer, die davon handelten, dass die Russen ihn weit nach Osten mitnahmen. Und dann war der Krieg zu Ende. In dieser Nacht saßen sie um ein Lagerfeuer und betranken sich mit Wodka. In der verkaterten Morgendämmerung schüttelten ihm die Russen die Hand und wünschten ihm ein herzliches Lebewohl, denn sie zogen in die entgegengesetzte Richtung. Lit wusste nicht einmal, in welchem Land er sich befand. Alle Länder schienen sich nach einer Weile zu gleichen. Wochenlang wanderte er westwärts durch ein verwüstetes Europa mit all seiner Verderbtheit und seiner Kultur, um wieder zu den amerikanischen Truppen zu stoßen. Unterwegs lernte er jede Menge junger osteuropäischer Frauen kennen, die seit kurzem Witwen waren. Sie waren traurig und bedürftig und bereit, ihn für ein paar Tage aufzunehmen. Er wurde nie müde, von ihrer Nächstenliebe und ihrem bäuerlichen Charme zu schwärmen. Davon, was sie mit einem Topf Wasser, einer Prise Salz und einer Kartoffel alles machen konnten.

Als sie fertig erzählt hatte, war Luce weit davon entfernt, um ihren toten Vater zu weinen. Er war nicht die Sorte Vater gewesen, und sie war nicht die Sorte Tochter.

III

I

EIN KÜHLER NOVEMBERTAG, blauer Himmel und mattes, mittags schon schräg einfallendes Sonnenlicht. Die meisten Bäume ohne Laub, nur an den Eichen hängen noch harte rötlich braune Blätter.

Luce sagt: »Ein guter Tag, um auf dem Pony zu reiten.«

Stubblefield zieht die Augenbrauen hoch. Eine Frage.

»Wir können nicht unentwegt im Haus bleiben«, sagt Luce. »Und nachdem du sowieso eine Weile hierbleiben wirst, setz uns bei Maddie ab und fahr dann weiter in die Stadt. Hol den Rest deiner Sachen. Wir sind alle wieder zurück, bevor es dunkel wird.« Sie wendet sich an die Kinder: »Packt euer Mittagessen ein. Wir wollen nicht Maddies Pony reiten und dann die Hand hinhalten und auch noch um Essen bitten.«

Stubblefield versucht, einen Platz für den Revolver zu finden. Ihn im Bund seiner Hose zu tragen ist zu auffällig, und so steckt er ihn in die Jackentasche. Doch sein Gewicht zieht diese Seite unangenehm weit nach unten, und um das auszugleichen, schiebt er ein Buch in die andere Tasche.

Die Kinder plündern die Küche, und Luce lässt sie machen, was sie wollen oder zumindest was sie können. Sie hat es längst aufgegeben, ihnen beizubringen, woraus ein gutes Essen besteht. Sie sieht ihnen zu und benennt die Dinge, die sie auswählen, und lässt sie die Bezeichnungen wiederholen. Wenn das meiste, was sie in die Lunchbox packen, essbar ist, dann reicht das vorläufig. Als sie den Rest des Kartoffelbreis vom Vorabend und der Pommes vom Morgen mitnehmen, lässt Luce sie gewähren. Schließlich hält sie weißen Brei und knusprige braune Kartoffeln auch nicht für das Gleiche. Ein bisschen schwieriger ist es, gelassen zu bleiben, wenn sie glauben, dass ein Mittagessen aus Essiggurken mit Ketchup bestehen sollte. Oder einem Glas mit Roten Beten. Doch Luce ist der Ansicht, dass man nicht mehr langfristig denken kann, wenn man ständig um das Alltägliche streitet. Und langfristig müssen sie sprechen lernen und das Beste aus ihrem Leben machen. Wenn sie jetzt Essiggurken und Pflaumen als Mittagessen einpacken und die Bezeichnungen sagen, dann hebt sie den Daumen und sagt: Gut gemacht.

Die Schatten unter den großen Kiefern neben dem Ufer sind tiefer als die anderer Bäume. Eine dicke Schicht Nadeln bedeckt den Boden, es riecht stechend und sauber. Adstringierend. An diesen Geruch sollen die halbmondförmigen immergrünen Steine in den Klobecken erinnern und sind doch meilenweit davon entfernt.

Bud wartet und beobachtet. Zündet die nächste Lucky an der Kippe der vorherigen an. Es ist das wievielte Mal, dass er hier ist? Das dritte oder vierte Mal in diesem Monat? Er fängt an, zu befürchten, dass sein Geld wie Blackbeards vergrabener Schatz ist. Einst real, jetzt eingebildet.

Irgendwann gehen Luce und die Kinder und der Freund zum Wagen und fahren weg. Zehn Minuten später steht Bud vor der Tür. Er hat es jetzt nicht mehr wie im Sommer mit den Fliegengittertüren mit den leicht zu öffnenden Haken zu tun. Die massive Holztür ist fest verschlossen. Das hatte er sich schon gedacht. Deswegen ein kleiner Hammer und ein dünner Meißel. Ein paarmal höflich geklopft, und die Tür springt auf.

Bud hat keinen Plan, keine Liste, wo er suchen will. Er

hat es aufgegeben, herausfinden zu wollen, was die beiden Schlampenschwestern für schlau halten. Was immer ihm gerade in den Sinn kommt, das macht er. Er schaut hinter den gerahmten Bildern nach. Hebt die Ecken von kleinen Wollteppichen an. Legt sich auf den Rücken und kontrolliert die Unterseiten von Tischen, Beistelltischen und Bänken. Tastet die hohlen Messingfüße der Tischlampen ab und das Innere vieler großer nutzloser Keramikgefäße.

Im oberen Stock geht er den Flur mit den identischen Türen zu den vielen Gästezimmern entlang, und es ist wie ein Glücksspiel. Bud schickt Fühler der Hoffnung aus und wartet, dass geheimnisvolle Mächte Belohnungen ausspucken. Er betritt Zimmer, die ihn rufen. Angelaufene Messingnummern, die einen Bezug zu seinem Geburtsdatum haben oder zu einem Jahr, das weniger beschissen war als die meisten anderen. In 218 öffnet er eine Kommodenschublade, hebt eine Matratze an, blaue Streifen auf cremefarbenem Grund, mit einem großen, geheimnisvollen braunen Fleck, der gewellte Umrisse hat wie das Ufer des Sees vor dem Fenster. Bud legt sich darauf. Seine Theorie lautet, bleib ganz ruhig und lass die Macht des Geldes sprechen, so wirst du erfahren, wo es ist.

Er schläft ein, was zuerst in Ordnung ist, denn er träumt sofort von dem Geld. Ein vages Gefühl, dass es ihm entflieht, zuerst die Flure hier im Haus und dann Wege zwischen Reihen vergitterter Zellen entlang, die sich bis in die Ferne erstrecken. Durch einen hellen, von Autoscheinwerfern angestrahlten Tunnel durch die schwarze Nacht. Nichts als Bäume, die aneinandergereihten Stämme führen in die Dunkelheit. Der Traum hört nicht auf, aber er enthält keine Botschaft.

Bud erwacht, als die Küchentür zuschlägt und sich unten Leute bewegen. Die Tür fällt noch einmal ins Schloss, und dann knallt ein Armvoll Feuerholz von dem Haufen auf der hinteren Veranda auf den Boden. Anschließend wird es stiller. Bud geht den Flur entlang und wartet oben an der Treppe, horcht. Die klappernden Geräusche kommen aus der Küche. Er schleicht die Treppe hinunter und durch die Halle zur vorderen Tür. Er ist fast schon dort, als er die Kinder auf einem verblichenen Teppich sitzen sieht; sie spielen mit Holzspänen, bilden Formen, als wollten sie gleich das Haus niederbrennen. Die Köpfe in stummer Konzentration gesenkt. Frank baut einen perfekten brennbaren Kegel aus seinen Stöckchen. Dolores bildet eine imaginäre geometrische Form, viele Teile und Winkel und leere Flächen, perfekt für gleichmäßigen Luftzug. Bud macht zwei weitere Schritte auf die Tür zu, streckt die Hand nach dem Knauf aus, und ein Dielenbrett knarzt. Die Kinder schauen ihn unverwandt an.

»He«, flüstert Bud. »Ich geh ja schon.«

Dolores steht auf, zieht Frank mit sich hoch. Sie weichen langsam in den Schatten zurück. Blicken Bud ausdruckslos an. Sie schreien nicht und weinen nicht. Sie stehen an der Tür zum Esszimmer, und Dolores wiederholt vollkommen monoton die Worte ihrer Mutter: »Ich werde dich verdammt nochmal umbringen, und wenn es das Letzte ist, was ich tue.« Franks Echo folgt sofort darauf.

Sie rennen die Treppe hinauf und laufen den Flur entlang, das Stampfen ihrer Füße wird leiser.

Auch Bud rennt. Zur Tür hinaus, die Wiese hinunter zum Ufer des Sees und weiter zu seinem Pick-up. Panik steigt in ihm auf wie ein verdorbenes Abendessen. Er kann nicht mehr atmen. Er dreht den Schlüssel im Zündschloss und tritt so schnell mit dem Fuß aufs Gaspedal, dass der Vergaser mit Benzin vollläuft und er warten muss. Und dann muss er sich übergeben und hat nicht mal Zeit, die Tür ganz zu öffnen, bevor sein Magen bitteres Zeug auf toten Pappelblättern versprüht.

Er wischt sich über den Mund und schnappt nach Luft, sein Brustkorb schmerzt heftig. Herzinfarkt ist sein erster Gedanke. Also gut. Gib sofort den Löffel ab. Scheiß auf alle und scheiß auch auf morgen.

Bud wartet und wartet und stirbt nicht.

Dreht den Schlüssel, und der Motor springt an. Er drückt aufs Gas und rast wie ein Wahnsinniger die ungeteerte Straße entlang. Drei Kurven weiter löst sich, mitten in einer engen Linkskurve, die leere Ladefläche des Pick-ups und beginnt ihn zu überholen, schlittert in Zeitlupe über den Schotter. Er tritt auf die Bremse, was alles noch schlimmer macht. Der Pick-up dreht sich um hundertachtzig Grad und kommt in einer Staubwolke zum Stehen.

Er sitzt auf der Straße und versucht zu atmen. Fasst nach seiner Halskette und sticht sich mit den Zacken tief in den Daumen und schmeckt das Blut. Die Erinnerung ist so verdammt brutal, wenn sie dich packt. Die kleinen Rotznasen erinnern sich, und sie können sprechen.

Als Luce aus der Küche kommt, ist Bud schon die Wiese hinuntergerannt und zwischen den Bäumen verschwunden, eine dunkle Silhouette mehr vor dem hellen metallischen Schimmern des Wassers. Luce sucht nach den Kindern, ruft ihre Namen, obwohl sie weiß, dass sie nur antworten, wenn sie wirklich wollen. Sie kontrolliert rasch das Erdgeschoss und ist zunehmend überzeugt, dass sie nach draußen gegangen sind, obwohl sie in letzter Zeit diesbezüglich eine Übereinkunft getroffen haben. Die Vordertür ist nicht mehr abgeschlossen, und sie fängt an zu laufen.

Vor und hinter dem Haus sind die Kinder nicht, und in der näheren Umgebung steigen keine Rauchsignale auf. Sie läuft das Seeufer mehrere hundert Meter in jeder Richtung ab und dann zurück zur Lodge. Diesmal sucht sie gründlicher, ruft ihre Namen, während sie im ersten Stock in den Gästezimmern nachsieht, dann im Keller und schließlich auf dem Dachboden, in einem Tonfall, der unmissverständlich ist. Sie gibt auf und läuft zu Maddie, so lange sie laufen kann, dann geht sie langsam weiter.

Aber Maddie hat sie nicht gesehen. Beide denken Bud, sprechen es aber nicht aus. Maddie macht sich auf den Weg die Straße entlang zum Laden, um die Polizei anzurufen, ob es etwas nützt oder nicht. Luce kehrt nach Hause zurück und ruft dabei ständig nach den Kindern. Sie geht und läuft abwechselnd im fahlen Licht des Spätherbsts. Der See ist blau, winzige Wellen brechen sich an den Steinen am Ufer.

Alles still und leer oben in dem fensterlosen engen Kaninchenbau der Dienstbotenquartiere, die Flure schulterbreit, die Zimmer klein wie Schränke, die Stockbetten schmal wie Särge. Sie drücken sich aneinander in der Dunkelheit, kriechen so weit unter ein Bett wie möglich. Als alles eine lange Zeit still und ruhig bleibt, kriechen sie argwöhnisch heraus, schleichen die zwei Treppen hinunter und beginnen, für eine lange Reise zu packen. Sie wickeln eine Handvoll Streichhölzer in Wachspapier. Sie holen die Stöckchen, mit denen sie gespielt haben, und einen Lederriemen, um im Notfall zum Feuermachen einen Bogen zu spannen. Sie haben großes Vertrauen in ihr Gefühl für die unterschiedlichen Materialien zum Feuermachen, wissen, wie man sie zum Brennen bringt. Sie kennen den Unterschied zwischen trockenen Spänen an einem sonnigen Tag und feuchten Spänen im Nieselregen. Sie wissen, wie die Feuchtigkeit gegen einen arbeitet und die Dinge über viele Jahre langsam verrotten lässt, während man will, dass sie sofort in Flammen aufgehen.

Sie packen eine rote Schachtel Rosinen ein, eine Fleischwurst mit roter Haut und ein gelbes Stück Käse. Eingemachte Pfirsiche, grüne Bohnen, Okraschoten und Tomaten. Ein Glas mit Erdnussbutter. Fleischfarbene Tüten mit Ritz-Crackern und ein Glas dunklen Honig mit einem Stück Wabe darin.

Von der hinteren Veranda holen sie den Kanister mit Kerosin, mit dem das Feuer im Holzofen angezündet wird. Er ist nicht einmal mehr halbvoll, doch das Kerosin schwappt hörbar darin herum. Laut Luce ungemein gefährlich. Lasst die Finger davon. Aber sie nehmen ihn mit.

Als Nächstes zum Räucherhaus wegen der Kiste mit Lilys Sachen. Frank vergräbt das Gesicht in einem der platten Füchse der Stola und atmet Lilys Geruch tief ein, dann legt er ihn zurück in die Schachtel. Es sind die Bündel trockenes Papier, die sie brauchen. Schließlich ein Abtasten der Taschen, um sicherzugehen, dass sie die vom Blitz getroffenen Rosskastanien eingesteckt haben.

Sie wissen, dass sie sich von den Straßen fernhalten müssen, die der Welt zugänglich sind. Der Wald ist der richtige Ort für Flüchtlinge. Jeder von ihnen trägt einen Jutesack voller Dinge, und so marschieren sie über den Hügelkamm zu Maddie, sitzen still in dem toten Gestrüpp vor der Koppel und schauen, ob sich hinter den Fenstern des Hauses etwas bewegt. Dann schleichen sie zum Schuppen, stecken Zaumzeug und Hafersack in die Säcke, öffnen das Gatter der Koppel und gehen hinein. Sally kommt zu ihnen, und als ihr Dolores das Zaumzeug hinhält, senkt sie den Kopf und beißt von sich aus auf das Gebiss, und Dolores zieht ihr das Halfter über den Kopf und schließt den Kehlriemen. Sie benutzen die Zaunlatten als Leiter, steigen auf, setzen sich in die Senke von Sallys Rücken und reiten aus dem Gatter.

Sie haben keine klare Vorstellung, wohin sie wollen, außer weit weg von den Menschen, tief hinein in die Berge, hinauf auf die höchsten Gipfel. Sie schauen, in welche Richtung sie reiten wollen, und üben mit den Beinen Druck auf Sally aus. Sie schreitet willig aus, die Ohren nach vorn geneigt. Sie reiten in den Wald und verschwinden zwischen den Schatten.

Erst nach ein paar Bier in der dämmrigen Stille des Billardsalons beginnt Bud, seine Gedanken in die richtige Ordnung zu bringen. Er hat zugelassen, dass er das Bild, wer er sein will, aus den Augen verloren hat. Und im Gedächtnis der Kinder ist er jemand, den er gern vergessen würde, auch wenn sie ihn nicht vergessen haben. Eins steht fest: So Angst zu haben, dass er kotzen muss, ist definitiv nicht, was er jetzt braucht, nicht solange es Zeugen gibt, die frei herumlaufen.

Scheiße türmt sich schnell und hoch auf, wenn man eine dumme Idee nach der anderen hat und danach handelt. Aber er kann nicht zurück. Die Vergangenheit ist nicht zu ändern. Sie ist irreparabel kaputt, und es lohnt sich nicht, darüber nachzudenken. Und die Zukunft lässt sich nicht vorhersagen, abgesehen davon, dass er keine Gnade von ihr zu erwarten hat. Was immer er tut, um sie zu seinen Gunsten zu beeinflussen, wird aller Wahrscheinlichkeit nach als Sintflut alle seine Hoffnungen zerstören. Was also soll er tun, jetzt, hier? Vielleicht Geduld haben, ein bisschen Billard spielen und warten, ob er einen Einfall hat.

Und er hat einen. Am späten Nachmittag kommt ein Stammgast herein und spricht von einer freiwilligen Rettungstruppe, die auf dem Parkplatz hinter dem Büro des Sheriffs Ausrüstung in ihre Wagen lädt. Sie suchen zwei Kinder, die auf der anderen Seite des Sees vermisst werden. Möglicherweise mit einem Pony unterwegs sind. Der Mann redet hektisch, wird immer aufgeregter, als er von der Wildnis dort drüben und den verirrten kleinen Kindern spricht. Von dem kalten Tod, den sie mit Sicherheit hoch oben in den Bergen sterben werden.

Wie sentimental die Leute werden wegen zwei streunenden Kindern. Doch dass die kleinen Rotznasen weggelaufen sind, eröffnet neue Möglichkeiten. Was für ein Segen es wäre, wenn sie ums Leben kämen. Aber wie lange ist es her, dass ihm ein Segen zuteilwurde? Sehr lange.

Wie groß ist die Chance, dass ein paar eiskalte Morgen in den Bergen den Kindern den Garaus machen? Gering bis null. Bud denkt sich, dass er ihnen vielleicht ein bisschen in die nächste Welt nachhelfen muss. Und wenn sie nie gefunden werden, werden alle denken, dass sie in einer felsigen Schlucht oder in einem dichten Lorbeergestrüpp umgekommen sind.

Bei Sonnenuntergang fährt Bud zu seinen besten Kunden und erzählt ihnen, dass er ein paar Wochen, vielleicht sogar einen Monat Urlaub machen will. Sie geben also für die nächste Lieferung besser eine große Bestellung ab. Und bezahlen wie immer im Voraus. Nur dass die Preise gestiegen sind. Keine Erklärungen oder Entschuldigungen von wegen, das Benzin sei teurer geworden oder was auch immer. Man kann sich das Leben schnell vermasseln, wenn man zu den Leuten nett sein will. Denn die sind nie zufrieden, auch nicht wenn man sie mit dem Hintern voran ins Paradies befördert. Sie meckern einfach zu gern.

Als er mit seiner Runde fertig ist, hat er zwei Rollen Geld, die es ihm ermöglichen sollten, so weit zu fahren, bis es keine Straße mehr gibt. Reinen Tisch machen und neu anfangen. Neue Orte, neue Leute. Niemand, der gegen ihn aussagen kann. Die Vergangenheit ruhen lassen. Aus und vorbei. Fahren, bis man nicht mehr weiterkommt mit dem Wagen, bis an den Ozean. Kalifornien vielleicht. Oder der Süden von Florida, der Abfluss am Ende von Amerikas Badewanne. Mexiko, wohin früher die geächteten Cowboys geflüchtet sind. Unter Palmen am Ende der Welt ein anderes Leben leben wie eine neu geprägte Seele.

Wer also steht ihm im Weg, wenn es darum geht, alle Spuren zu beseitigen und abzuhauen? Zwei Personen, mehr nicht. Oder vier, wenn es wirklich dick kommt. Und eins weiß Bud ganz genau, nämlich dass Blut reinigt.

Als Stubblefield mit mehr Kleidern, Schallplatten und Büchern aus seiner Wohnung und Einkaufstüten voll Lebensmitteln zurückkommt, steht die Sonne auf den Bergkämmen. Es ist noch nicht so dunkel, dass er die Scheinwerfer einschalten muss, obwohl sich am westlichen Himmel lila und eisenfarbene Sonnenuntergangsstreifen abzeichnen. Als er um die letzte Kurve biegt, sieht er die Tür offen stehen. Jede Glühbirne im Haus brennt. Er fährt über die Wiese bis zur Treppe und rennt hinein, ruft nach Luce. Keine Antwort, und als er in der Halle stehen bleibt und horcht, weiß er augenblicklich, dass das Haus leer ist. Auf der Veranda hört er Luce in der Ferne, am Ufer des Sees, nach Dolores und Frank rufen. Ihre Stimme klingt schrill und verzweifelt.

Stubblefield nimmt die Taschenlampe, die neben der Küchentür hängt. Rennt zum Wagen und holt den Revolver unter dem Sitz hervor und eine extra Handvoll Munition aus der Schachtel. Er steckt den Colt in seine Jackentasche und läuft das Ufer entlang, bleibt immer wieder stehen, um auf Luce' Stimme zu horchen. Als er sie findet, steht sie benommen am Wasser.

Er nimmt sie in die Arme, und sie lehnt sich kurz an ihn, als wäre er ihre letzte Rettung. Dann entwindet sie sich ihm, um zu tun, was getan werden muss. Suchen. Sich Vorwürfe machen.

»Was? Hättest du sie anbinden sollen?«, sagt Stubblefield, als sie das Ufer entlanggehen.

Jemand, der sie beobachtete, würde glauben, dass Sally geheime Pfade durch den dunklen Wald kennt. Doch sie achtet nur auf die Reiter auf ihrem Rücken und schreitet langsam und gleichmäßig aus, um ihr Gewicht auszubalancieren. Sie lässt sich von der dicken Schicht frischgefallener Blätter nicht täuschen und achtet auf verborgene glitschige Steine unter ihren Hufen. Und geht nicht geradeaus. Sie passt sich dem Gelände an, sodass Kurven die kürzeste Verbindung zwischen zwei Punkten sind.

Sie folgen einem steilen feuchten Pfad entlang dem Sturzbach in einer Schlucht. Über ihnen bilden Hemlocktannen und Ahorn einen Baldachin, darunter ist es schwarz wie die tiefste Nacht. Dann entlang dem Grat einer Bergflanke mit kahlen Eichen und Hickorybäumen, sodass immer wieder zwischen Wolken Sterne und die Mondsichel zu sehen sind. Orion und sein herabhängendes Schwert, die Sieben Schwestern, die vor ihm fliehen.

Nach der nächsten Biegung wieder eine Schlucht mit einem Baldachin aus Ahorn und Hemlock und einem Bach, dann erneut eine Bergflanke. Wieder und wieder geht es auf gewundenen Wegen hinein in die feuchte Dunkelheit und hinaus in die trockene Helle. Und immer geht es berg-auf.

Dolores und Frank schaukeln stundenlang vor und zu-rück, ihnen ist warm, weil sie sich aneinanderdrücken und auch, weil das Pony, im Mondschein dampfend, Hitze ver-strömt. Sie dösen manchmal, doch meistens sind sie wach, weil es wichtig ist zu sehen, wohin sie wollen. Hinauf und weit weg.

Luce und Stubblefield sehen ein blau-weißes DeSoto-Coupé neben der Straße am Ufer stehen. Der See ist eine glatte Flä-che und von der gleichen Farbe wie der nächtliche Him-mel. Die Autofenster sind beschlagen, aber Luce kennt das Fahrzeug. Darin wird der musisch veranlagte Mann schla-fen, der zu mehreren meilenweit voneinander entfernten Schulen in den Bergen fährt und Musikunterricht gibt. So wie ein methodistischer Wanderprediger auf einem müden Wallach zweihundert Jahre zuvor auf gewundenen Pfaden über die Berge geritten ist. Vermutlich hat der Musiker ein richtiges Zuhause an einem weniger abgelegenen Ort. Die schlechte Bezahlung vom Staat nötigt ihn jedoch bisweilen, in seinem Wagen in der Nähe des Sees zu übernachten, ge-meinsam mit seiner Garderobe, bestehend aus zwei Anzü-gen, blau und anthrazit, drei weißlichen Hemden und einer roten Krawatte. Und seinem Handwerkszeug. Umschläge mit Saxofonblättchen, Fläschchen mit Öl, um die Klappen und Hebel der Blasinstrumente zu schmieren, weiße Plas-tikblockflöten, um den jüngeren Kindern die Grundlagen des Fingersatzes beizubringen, zerdrückte Viceroy-Schachteln und mehrere Flaschen billiger Scotch in unterschiedlichen Stadien der Leere.

Luce klopft ans Fenster der Fahrertür und macht einen Schritt zurück. Der Lehrer kurbelt das hintere Fenster herunter und streckt den Kopf hinaus in die Nacht. Nur sein dunkles Haar und seine blinzelnden Augen sind deutlich zu sehen.

»Ja?«, sagt er in dem genervten Tonfall von jemandem, dessen Telefon um Mitternacht klingelt.

»Kleine Kinder«, sagt Luce. »Ein Mädchen und ein Junge. So groß.«

Sie hält sich die Hand an die Hüfte.

»Blonde Haare«, sagt sie. »Vielleicht auf einem Pony. Haben Sie sie gesehen?«

»Auf was?«

»Einer dunklen Ponystute. Vorn weiße Fesseln.«

»Und wann soll ich sie gesehen haben?«

»Irgendwann zwischen heute Nachmittag und jetzt.«

»Nein«, sagt er. »Ich habe keine Kinder gesehen.«

»Seit wann stehen Sie hier?«

Statt als Antwort den Mittelfinger hochzustrecken, streicht er mit großem Aplomb mit drei Fingerspitzen unter seinem Salz-und-Pfeffer-Kinnbart von hinten nach vorn. Als er das Fenster schließt, hinterlässt die Gummidichtung parallele Spuren im Kondenswasser auf der Innenseite des Glases.

Danach marschieren Luce und Stubblefield stundenlang durch die Nacht, richten den schwachen Lichtschein der Taschenlampe auf schwarze Stämme und bucklige Steine, schrecken kleine Tiere auf, die durch das Laub davonwuseln. Luce ruft jede Minute Dolores' Namen in drei aufsteigenden Silben, und dazwischen ruft Stubblefield nach Frank.

Irgendwann hören sie in den Schluchten und auf den Bergen andere Stimmen dieselben beiden Namen rufen, als wären es schlichte Geisterstimmen dieser grünen Welt. Und in der Stille bellen in weiter Ferne Jagdhunde, die hoch oben in den Bergen in einer ganz anderen Mission unterwegs sind.

Die Stadt ist dunkel und menschenleer, die drei Ampeln blinken gelb, Bud schleicht durch die Seitenstraßen. Versucht zu erraten, wer von den Städtern jagt, angelt oder im Sommer zeltet. Wenn er etwas sehen muss, schaltet er die mit den Fingern abgedunkelte Taschenlampe ein, sodass ihr Schein durch die Haut blutig glüht.

Schon in der dritten Garage hat er Glück. Er findet ein Notzelt aus Armeebeständen und einen Daunenschlafsack, fest zusammengerollt und nach Geflügel und Schimmel stinkend. Einen schmuddeligen braunen Rucksack aus dem Zweiten Weltkrieg, ein klägliches Häufchen wie das Gerippe einer Ziege oder eines kleinen Hirschs, das eine Zeitlang den Elementen ausgesetzt war. Und eine unverhoffte Beute: eine Machete, verrostet vom Griff bis zur Spitze. Was nur beweist, wie sehr man belohnt wird, wenn man innehält und sich einen Plan überlegt.

Am Nachmittag, als Bud sich dachte, dass er eine Ausrüstung für den Aufenthalt in den Bergen brauchte, ging er zuerst zum Lebensmittelladen und dann zu Western Auto. Wollte sich einen dicken warmen Schlafsack und einen Riesenvorrat Streichhölzer und einen dieser wunderbaren kleinen Henkelmänner kaufen, die nicht größer sind als kleine Radkappen aus Stahl und ausgepackt ein halbes Dutzend glänzender Gefäße zum Kochen, Braten und Dünsten enthalten. Und ganz innen einen nützlichen Metallbecher mit ausklappbaren Griffen, aus dem man Kaffee trinken kann.

Alles schön und gut, bis ihm im allgemeinen Durcheinander in seinem Kopf der Gedanke kam, dass so ein Einkauf unerwünschte Folgen haben könnte. Diesmal wollte er nicht wie beim Kauf der Angel darauf aufmerksam machen, dass er sich als Neuling in die Berge aufmachen wollte. Wie also sollte er seinen Bedarf unbemerkt decken? Er brauchte nur kurz, um die richtige Antwort darauf zu finden, und doch wunderte er sich, wie denkfaul ihn der Schwarzhandel gemacht hatte. Warum war er nicht gleich darauf gekommen, dass er die Sachen klauen musste?

Wieder zu Hause, stopft Bud die Lebensmittel und die Ausrüstung in den Rucksack. Der Pick-up bleibt besser in der Stadt, deswegen schleicht er sich durch Seitenstraßen und über unbebaute Grundstücke zum See. Unter den Bäumen geht er so lange, bis er ein nicht angekettetes Kanu findet. Paddelt und paddelt über den gespenstischen schwarzen See zu einer schmalen Bucht. Beginnt, die Berge hinaufzumarschieren.

Überleben. Darum geht es letztlich. Wie in *Argosy* und *True* beschrieben. Jeden Monat gibt es neben Mädchen in Badeanzügen eine Geschichte, wie sich jemand in der Arktis oder am Amazonas verirrt und ein Eisbär oder ein Jaguar aus dem Nirgendwo auftaucht und sein Monstermaul aufreißt, um einem den Schädel zu zermalmen wie einen Mundvoll Popcorn. Aber man muss dem Tier bloß blitzschnell den Lauf einer .45 tief ins rosa Maul stecken und abdrücken, und rotes Zeug fliegt ihm aus dem Hinterkopf auf den Schnee oder den Urwaldboden. Es kann auch ein Korallenriff und ein großer weißer Hai und so was wie eine Unterwasserharpune sein. Es geht immer ums Gleiche.

Hier ist es kalt und trocken. Überall abgefallenes Laub. Im Augenblick ist es noch dazu dunkel. Aber von Bären weiß man, dass sie den ganzen Winter schlafen. Wie die Schlangen. Nach dem ersten Frost sind die Wälder so sicher wie eine Kirche. Diesen Gedanken korrigiert Bud sofort. Bestimmt sicherer als eine Kirche. So tot wie der Wald jetzt ist, kann das Blut nur im Sommer fließen, wohingegen Jesu Blut jeden Tag über die Welt strömt.

Der Weg führt steil nach oben, und da es mitten in der Nacht ist, bleibt Bud bald stehen, um sein Zelt aufzuschlagen. Der Wald ist bei totaler Dunkelheit unheimlich groß, doch Bud verzichtet absichtlich auf ein Feuer. Zumindest nachdem er den Versuch aufgegeben hat, seinen zu kleinen Vorrat an Streichhölzern damit zu vergeuden, Stöcke anzuzünden, die nicht brennen wollen. Am besten behält er so viele Streichhölzer, wie er Zigaretten mitgenommen hat. Und das mit dem Zelt lässt er auch bleiben. Er will seine Batterien nicht verschwenden, und ohne Licht kann er kaum die Hand vor den Augen sehen. Er sitzt im Dunkeln und isst eine halbe Packung kalter roter Valleydale-Würstchen, den Rest steckt er für das Frühstück in den Rucksack.

Nachdem er sich zum Schlafen hingelegt hat, klingt jedes ferne Geräusch verstärkt und verzerrt. Der Wind in den Bäumen und das Rauschen des Wassers über Felsen. Murmelnde Stimmen verschwören sich gegen ihn. Bud vergräbt sich in seinem Schlafsack, und er spürt, wie der kalte Boden an ihm zerrt. Die Wärme seines Körpers versickert in der Erde wie Wasser.

Wie konnte das beschissene Leben nur diesen beschissenen Tiefpunkt erreichen? Nicht einmal Sterne spenden Licht, und seine Beine in dem mumienförmigen Schlafsack drücken gegeneinander, bis er sich eingezwängt fühlt wie ein toter alter Mann in einem Sarg.

Zwei Uhr morgens, eine Gruppe hoher Roteichen in einem Wald, der wie eine Halbinsel in ein großes Feld hineinragt. Plötzlich steigt Licht unter den Bäumen auf. Eine Kerosinlaterne hängt an einem Bügel von einem Ast und stülpt eine grelle weiße Lichtkuppel über den Boden und auf die Baumstämme und das abgestorbene braune Laub darüber. Eine Gruppe Männer steht in dem hellen Schein wie Schauspieler auf einer Bühne, ihre Augen verdunkelt von den Hutkrempen. Die Schatten der Bäume und der Menschen erstrecken sich lang über die Erde.

Luce steht abseits, in sich versunken, schicksalsergeben.

Stubblefield ist bei den Männern. Sie schauen auf eine grüne Segeltuchplane, die eine kleine Leiche bedeckt.

Der Sheriff sagt: »Nicht nötig, dass sie ihn identifiziert. Wir haben seine Brieftasche. Sie war in seiner Tasche.«

»Wie wurde er umgebracht?«

»Kann man jetzt noch nicht sagen. Als sie ihn gefunden haben, war es schon dunkel. Hier gibt es viele Tiere. Die holen sich ihren Teil. Wir bringen ihn am Morgen weg und warten, was der Gerichtsmediziner meint.«

Stubblefield hält die verletzte Hand ins Licht und blickt auf den Verband. Er sagt: »Ich wette, es ist eine Stichwunde.«

»Wir werden sehen. Wie ich ihr gesagt habe, gibt es mehr als nur einen Verdächtigen. Wir müssen für alles offen bleiben.«

»Haben Sie mit ihm gesprochen, seitdem Lit vermisst wird?«

»Selbstverständlich. Er schien ziemlich betroffen. Hat gesagt, dass sie gute Freunde waren. Hätte in seinem ganzen Leben noch nie einen so guten Freund gehabt. Hat gesagt, er glaubt nicht, dass Lit ohne ein Wort auf und davon ist. Dass etwas passiert sein muss. Ich habe ihm geglaubt.«

»Sie haben ihm geglaubt? Und das war's?«

»Ich bin kein so großer Idiot, wie Luce glaubt. Er hat ein Alibi für den Abend, als Lit verschwunden ist. Zwei Männer haben ihn bis spätnachts im Roadhouse gesehen.«

»Zwei Betrunkene in einer Bierkneipe können einen Abend nicht vom anderen unterscheiden.«

Der Sheriff sagt: »Es muss nicht alles mit allem zusammenhängen. Meistens passiert etwas, und dann passiert noch was. Normalerweise ist die einfache Antwort die richtige. Ich habe den Kerl im Auge. Aber es wird jemand gewesen sein, den Lit gegen sich aufgebracht hat. Davon gibt's jede Menge. Und nicht ein Freund. Und außerdem halte ich es nicht für *eine* Bierkneipe. Ich halte es für *Ihre* Bierkneipe.«

Luce blickt auf und geht wütend zu ihnen. Sie sagt: »Lit ist tot. Schon eine Weile. Die Kinder sind es vielleicht noch nicht. Warum stehen wir hier rum?«

Luce und Stubblefield sitzen wie Verbrecher auf dem Rücksitz des Streifenwagens. Es riecht nach Putzmittel und Erbrochenem. Als sie vor der Lodge halten, ist es noch längst nicht Morgen. Maddie wartet in der Küche auf sie, und um die Zeit totzuschlagen, kocht sie Kaffee, bäckt im Holzofen Biskuits, groß wie Katzenköpfe, und macht einen Topf Maisgrütze, gelb vor Butter und gesprenkelt mit grob gemahlenem schwarzem Pfeffer. Kaum kommen Luce, Stubblefield und der Sheriff durch die Tür, brät Maddie ein Dutzend Eier in einer riesigen gusseisernen Pfanne aus den Tagen, als die Lodge noch ein Gästehaus war.

Maddie wiederholt, was sie am Nachmittag am Telefon gesagt hat. Wenn die Kinder und das Pony zusammen sind, dann reiten sie wahrscheinlich hoch hinauf, zu den Bergkämmen und den kahlen Gipfeln, an die sich Sally vielleicht noch erinnert, weil sie vor vielen Jahren dort im Sommer geweidet hat.

»Wenn und vielleicht«, sagt der Sheriff. »Meine Meinung ist, wenn man die Autoschlüssel nicht findet, schaut man zuerst in der Küche und in den Jackentaschen nach, bevor man zu Fuß auf einen Berg steigt. Vielleicht war es Zufall, dass dein Pony am selben Tag davongelaufen ist wie die Kinder.«

»Ich bezweifle, dass es das Zaumzeug mitgenommen hätte«, sagt Maddie.

»Ich werde es im Kopf behalten, und wir werden vielleicht irgendwann hoch oben suchen müssen, wenn wir hier unten nichts finden. Normalerweise finden wir verschwundene Kinder in den ersten sechs oder acht Stunden. In dieser Jahreszeit suchen wir nach der zweiten Nacht in der Kälte nur noch nach etwas, was die Eltern begraben können.«

»Herr im Himmel«, sagt Maddie.

»Luce möchte, dass man Klartext mit ihr redet«, sagt der Sheriff.

Als der nur teilweise sichtbare Mond den Himmel hinuntergleitet und verschwindet, sind sie schon ziemlich hoch oben. Die Bäche sind so schmal, dass Sally darübersteigen kann, ohne sich die Hufe nass zu machen. Der Wald ist kein Urwald mehr, sondern Gebirgswald. Fichten und Balsamtannen, buschige Flammenazaleen und Heidelbeeren.

Später halten sie an und steigen ab, stehen verschlafen und orientierungslos an einer kahlen Stelle oben auf einem Berg. Um sie herum gespenstisch gefrorene Grasbüschel.

Sally knickt zuerst in den Knien ein, dann mit dem Hinterteil, ein unbeholfenes Rucken der ganzen Länge nach, um sich hinzulegen. Sie schnaubt dreimal und schläft ein. Dolores und Frank lehnen sich mit dem Rücken an ihre Flanke, essen Rosinen und sehen zu, wie gegen Morgen die Sterne erlöschen.

Sie schlafen eine Weile und erwachen hoch über der Welt. Silberne Lichtstreifen erhellen den Nebel im Tal, der sich so dicht ausbreitet, dass nur die höchsten Gipfel dunkel und massiv daraus hervorragen wie Inseln aus einem bleichen Meer. Als gehörte die Insel, auf der sie sich befinden, ihnen ganz allein, als wäre sie ein Ort, an dem nur sie Macht ausüben.

Doch als die Sonne über die Bergkämme im Osten klettert, versickert das Meer in der Erde, bis nur noch ein ferner länglicher Nebelstreifen übrig ist, unter dem sich der See verbirgt. Die Landschaft ist wieder ein zusammenhängendes Ganzes, und die Kinder auf ihrem Gipfel haben überhaupt keine Macht.

Unter ihnen segelt ein Falke auf einem Luftkissen, und die Kinder blicken zu ihm hinunter, betrachten, wie das Sonnenlicht auf den ausgebreiteten Flügeln funkelt, die dunkelbraunen Federn wie Bronze schimmern lässt. Mit zwei Flügelschlägen steigt er auf und schwingt sich über sie hinweg, nah genug, dass sie das leise Rascheln der Flügel hören können.

Sally steht auf, macht steifbeinig ein paar Schritte und fängt dann an, das lange, verdorrte braune Gras zu fressen, das vom Frost zu glatten Wellen niedergedrückt wurde. Die Kinder holen jeweils eine Handvoll Hafer aus dem Sack. Es kitzelt, als sie ihn mit ihren samtigen Lippen von ihren Handflächen frisst, und sie müssen lachen.

Keine Überlegungen und Pläne für den bevorstehenden Tag, und sie brauchen sich nicht lang zu beraten, außer vielleicht mit Blicken und Gesten und Gedanken, wie es angeblich nur Zwillinge können, und eins wird klar: Es gibt kein Zurück. Vor ihnen liegen, so wie es aussieht, endlos Berge und Wälder und Bäche. Straßen für Fuhrwerke, Karrenwege, Fußpfade, Tierspuren. Folge der Sonne, so weit du kannst. Mach dir keine Sorgen, was als Nächstes geschehen wird, bis es geschieht.

2

BUDS LEBEN WAR nicht so eingerichtet, dass er in letzter Zeit die Schönheit einer Morgendämmerung miterlebt hätte. Und jetzt, als er aus der Öffnung im Schlafsack hinausspäht, was für eine Enttäuschung. Alles körnig und verschwommen. Die Luft feuchtkalt, und der niedere Himmel von der Farbe kalten ausgelassenen Fetts.

Ein dicker uralter Bär, der sich noch nicht für den Winter in seine Höhle zurückgezogen hat, watschelt zwischen den Bäumen hervor und beginnt, im Rucksack zu stöbern. Sein Kopf ist von vergangenen Kämpfen vernarbt, und unter den langen, glänzenden schwarzen Haaren der äußeren Fellschicht sieht er etwas verstaubt aus. Er ist vollkommen gelassen. Ein Profi. Ein paar Bewegungen mit den langen gebogenen Krallen der breiten Vorderpfoten, und der Rucksack und das Zelt sind nur noch Fetzen und Buds Sachen liegen verstreut auf dem Erdboden herum.

Als Erstes interessiert sich der Bär für die Wiener Würstchen, die noch in Hunderten Metern Entfernung zu wittern sind. Mit drei Bissen hat er einen Laib Brot samt Zellophanverpackung verschlungen. Der Bär setzt sich auf sein rundes Hinterteil und verleibt sich wie die Karikatur eines Vielfraßes Buds gesamte Vorräte ein, die nicht in Dosen oder Gläsern verschlossen sind. Dann beginnt er sich für alles zu interessieren, was auch nur am Rande in die Kategorie Nahrungsmittel fällt. Wie zum Beispiel Buds Wildlederhandschuhe mit dem Schaffellfutter.

Bud, von dessen Gesicht nur das Stück zwischen Unterlippe und Augenbrauen nicht vom Schlafsack bedeckt ist,

sieht zu und denkt sich, dass er vielleicht als Nächstes dran-
kommt. Er setzt sich auf und greift gleichzeitig nach dem
Reißverschluss, aber seine Finger zittern. Er kriegt den
Schiebergriff auf der Innenseite nicht zu fassen und kann
die Hand nicht durch die Öffnung strecken, um den Reißverschluss von außen aufzuziehen. Er rappelt sich auf die
Füße und versucht, von dem Bären wegzuhüpfen, fällt jedoch auf die Seite. Er hat Mühe, richtig Luft zu holen, und
sein Zwerchfell brennt. Der Bär kommt näher, schnüf-
felt und blinzelt mit den kleinen braunen Augen, ein tiefes
Brummen kommt aus seiner Brust, sein Atem dampft in der
kalten Luft. Er zieht sich zurück und verschwindet in einem
Dickicht aus Lorbeerbäumen.

Nachdem er sich beruhigt und an dem Reißverschluss
herumgefummelt hat, windet sich Bud aus dem Schlafsack,
als würde er daraus vertrieben, und isst ein paar der Konser-
ven, die der Bär von seinem Frühstück übrig gelassen hat.
Sardellen und Wiener Würstchen, Red-Devil-Dosenfleisch.
Sein Lagerplatz sieht aus, als wäre ein Flugzeug darauf ab-
gestürzt.

Bevor er aufbricht, muss er sich entscheiden, welche
Richtung er einschlagen will. Er würde am liebsten umkehren und nach Hause gehen und muss sich selbst gut zure-
den, weiterzumachen und das Notwendige zu tun. Es hinter
sich zu bringen. Die Vergangenheit endgültig zu den Akten
zu legen und neu anzufangen.

Er geht neben dem Bach in die Hocke und kratzt mit glit-
zerndem Sand den Rost von der Machete. Er versucht, sie
auf einem glatten Stein im Bach zu schärfen, spuckt auf den
Stein und fährt mit der langen Klinge darauf vor und zurück. Er spuckt noch einmal drauf und dreht die Klinge um.
Über das Schleifen von Messern weiß er nur, dass man die

Schneide so angewinkelt hält, als wollte man eine hauch-feine Scheibe aus dem Stein schneiden. Er wetzt und wetzt, sein Atem dampft um seinen Kopf. Er denkt: Wenn ich hier fertig bin, werde ich dieses Scheißding ganz tief im Boden vergraben, und es wird Jahr um Jahr vor sich hin rosten. Wenn ich ein alter Mann bin, wird es wahrscheinlich nur noch ein rötlicher Fleck in der Erde sein.

Eine Gruppe Männer mittleren Alters im kalten Licht des Morgens, schläfrig und nicht gerade versessen darauf, die Suche fortzusetzen. Sie sind es zufrieden, das Feuer zu schü-ren und den Kaffee in ihren Bechern mit Wild Turkey oder Black Jack zu verstärken, den sie entweder direkt oder indirekt von Bud gekauft haben. Einer der Männer blickt zum Him-mel und schnieft. Behauptet, dass Schnee in der Luft liegt.

Insbesondere der Sheriff sieht zerknautscht aus von den wenigen Stunden Schlaf auf dem Boden. Aber die Wähler nehmen es einem übel, wenn man nach Hause geht, statt eine Nacht im Bett zu opfern und zwei vermisste Kinder zu suchen. Jetzt tut ihm das Haar weh, wenn er versucht, es zu glätten. Immer wieder nimmt er den Hut ab, reibt sich den Kopf und schaut in den Hut, als wäre es das Band darin, das ihm Probleme bereitet.

Die Autos stehen auf der Straße am See, und sie dringen von dort nur so weit in den Wald vor, dass sie noch in Ruf-weite sind. Einerseits weil sie faul sind, andererseits weil sie sich nicht vorstellen können, dass zwei Kinder, auch wenn sie auf einer abgehalfterten Mähre reiten, weit kommen, be-vor sie aufgeben. So wie sie selbst, wenn sie im November auf die Jagd gehen. Und außerdem werden die Berge un-heimlich und gefährlich und furchterregend, wenn man hoch hinaufsteigt, vor allem wenn man der Geschäftsführer des Lebensmittelladens oder der Mann ist, der in der Reifenhandlung die Reifen runderneuert.

Der Sheriff sagt schließlich, dass alle vielleicht ihren Arsch bewegen und anfangen sollten, nach den armen Kindern zu suchen. Und dann verabschieden sich er und Carl, sein Arschlecker Nummer eins, von den anderen und gehen zum Streifenwagen. Es können schließlich nicht alle gleichzeitig den Wald durchkämmen.

Der Sheriff und Carl fahren mit dem Streifenwagen zu den Häusern am Waldrand. Carl bleibt im Wagen sitzen und hört das Funkgerät ab, während der Sheriff an Türen klopft, den Hut abnimmt, eintritt und fragt: Haben Sie zwei zurückgebliebene Kinder gesehen? Sind vielleicht mit einem Pferd unterwegs.

Am späten Vormittag fährt der Sheriff zur Lodge, um nachzusehen, ob die Kinder nach Hause gekommen sind, ob etwas auf dem Herd steht. Wie sich Luce verhält.

Er hat selbstverstänlich flüchtig daran gedacht, dass Luce und der Freund hinter dem Verschwinden der Kinder stecken könnten. Er glaubt es nicht, aber dort schaut man als Erstes nach, in der Nähe von zu Hause. Eine Frau verschwindet, und man sieht sich den Mann an. Und vielleicht hat Luce etwas von der Verrücktheit ihres Vaters geerbt. Es gibt kein Regelwerk für Polizisten, aus dem man so etwas lernen kann, und der Sheriff war nicht auf der Polizeischule. Da er ein gewählter Beamter ist, braucht er weder Ausbildung noch Qualifikation. Noch nicht einmal gesunden Menchenverstand. Das Einzige, was er wirklich kann, ist Straßen bauen mit dicken Verträgen von der öffentlichen Hand. Und wie man Wähler dazu bringt, sich gut oder schlecht, friedfertig oder kämpferisch zu fühlen, je nachdem, was im Moment nützlicher ist.

Nachdem er einen großen Teller mit Maddies Pinto-Bohnen, Maisbrot und Blattkohl gegessen hat, ist der Sheriff auch nicht schlauer. Luce scheint aufrichtig verzweifelt über das Verschwinden der Kinder, und der Freund wirkt nicht wie ein Mörder. Der Sheriff rät ihnen, geduldig zu sein, die Profis die Arbeit machen zu lassen. Alle tun alles in ihrer Macht Stehende, um die Kinder sicher nach Hause zu bringen. Bleibt in der Nähe des Telefons.

Luce konstatiert das Offensichtliche: »Ich habe keins.« Sie gibt ihm Stubblefields Nummer und die des kleinen Ladens an der Straße.

»Aber wir werden die meiste Zeit draußen sein und nach ihnen suchen«, sagt Stubblefield.

»Ich bleibe hier«, sagt Maddie.

Als sie allein sind, versucht Stubblefield Luce davon zu überzeugen, mit ihm in die Stadt zu fahren und bei ihm zu warten und den Sheriff und seine Leute die Arbeit machen zu lassen. Der Wortwechsel dauert ungefähr fünf Sekunden.

»Das ist ein Haufen Rotwildjäger, die nach ihnen suchen«, sagt Luce.

»Dann kennen sie den Wald.«

Während sie die Jacken anziehen und über die Wiese zum See gehen, klärt Luce ihn auf, spricht schnell und voller Bitterkeit und verärgert über die Rotwildjäger. Nichts als Suffköpfe mit den neuesten Flinten und einem Zwei-Dollar-Jagdschein vom Staat. Waschbärenjäger sind nachts unterwegs, und Bärenjäger gehen tiefer in die Berge. Ihre Hunde hört man meilenweit entfernt bellen. Aber vor Rotwildjägern muss man sich in Acht nehmen. Sie tragen Tarnanzüge, sitzen meist zu zweit in Hochständen, kleinen Baumhäusern, so groß wie ein Doppelbett, über Stellen, wo sie seit Wochen Mais und Salzblöcke als Köder auslegen, was so sportlich ist, als würde man ein Hausschwein abschießen, das den Kopf in den Trog hält. Sie bleiben beieinander, unterhalten sich flüsternd, trinken den ganzen Tag Jack und Coke und warten, dass sich etwas rührt. Am späten Nachmittag, halb betrunken und glücklos, werden sie unruhig. Schießen auf fallende Blätter und Wolkenschatten, die über den Boden ziehen. Kein Gericht hat sie jemals wegen eines Jagdunfalls verurteilt. Woher hätten sie wissen sollen, dass eine Frau, die allein durch den Wald geht, keine Hirschkuh ist? Aber, sagt Luce, sie mache sich keine Sorgen mehr, wenn sie mindesten eine Meile von der nächsten Straße weg ist. Sie entfernen sich nur selten von ihren Autos, weil darin das Bier kühl bleibt. Was wiederum erklärt, warum das Jagen mit Lampen so populär ist. Da müssen sie manchmal nicht einmal mehr aussteigen, nur das Fenster herunterkurbeln und auf den Abzug drücken. Sie kennen also nur den schmalen Streifen Wald, der sich von der Straße so weit erstreckt, wie sie gewillt sind, eine ausgeweidete Hirschkuh zu zerren.

Als Luce alles erklärt hat, sagt Stubblefield: »Ich nehme alles zurück.« Luce ballt die Faust, holt in Zeitlupe weit aus und streift seine Stirn.

Bis nach Mittag suchen sie zu Fuß in der Nähe des Sees und entlang des alten Eisenbahngleises. Sie kehren zur Lodge zurück und fahren zu Maddie, um nachzusehen, ob Sally zurückgekommen ist, dann zum Laden, um zu erfahren, ob angerufen wurde. Danach fahren sie stundenlang über gerodete Brandschneisen, halten häufig an, um zu hupen und in den Wald zu rufen und auf eine Antwort zu warten.

Oben in den Bergen herrscht Winter, kein Leben weit und breit, die kahlen Bäume sind wie verwitterte Skelette, zerbrochen in Unterarme und Hände, Brustkörbe, Waden und Füße. Manche haben sich mit dem Aufhören des Wachstums abgefunden, andere versuchen noch, sich in die Höhe zu recken. Tiefer und tiefer reiten sie in die Berge, aber jetzt haben sie es weniger eilig, da sie bereits hoch über der Welt sind.

Sie halten oft an, um zu rasten und zu essen, und jedes Mal machen sie ein Feuer. Sie benutzen das mitgebrachte Material und ihr Geschick. Manchmal sind es nur kleine Cowboy-Lagerfeuer, nicht größer als ein Topfdeckel. Dann wieder lodernde Feuer, wenn Brennbares zur Hand ist. Während des Nachmittags zieht Dunst auf, und sie stoßen auf eine tote, umgestürzte Balsamtanne, die Nadeln trocken und braun. Einst ein majestätischer Baum, jetzt ein riesiger Gestrüpphaufen.

Eine Pyramide trockener Stecken und die letzten Tassen Kerosin, und die Balsamtanne brennt wie eine große Fackel, schleudert zehn Meter hohe Flammen gegen den Himmel, tost heiser und saugt die Luft an, sodass ihnen der Luftzug die Haare ins Gesicht weht. Dolores jauchzt in der Manier alter Krieger, wie Cherokee oder die Rebellen vor Gettysburg. Sally macht ein paar Schritte zur Seite und bleibt stehen. Frank geht mit ausgestreckten Armen und Handflächen zum Feuer, bis er die Hitze nicht mehr aushält. Er weicht zurück und drückt die Hände ans Gesicht, und dann macht er das Ganze nochmal.

Das Feuer brennt so schnell nieder, wie es aufgeflackert ist, übrig bleiben verbrannte Astspitzen. Hunderte kleiner Flammen wie Kerzen auf einem Altar. Bald erlöschen auch sie, und Hunderte grauer Rauchkringel steigen auf zu ebenso grauen Wolken.

Dolores und Frank sehen von Anfang bis Ende zu, als wäre es ihr Lieblingsfilm. Sie sprechen die ganze Zeit miteinander, wenn man darunter nicht versteht, dass jemand mit einem allgemeingültigen Wortschatz gemäß annähernd grammatikalischen Regeln Sätze konstruiert. Außerhalb der Welt der Menschen, einer Kategorie, der sie sich kaum zugehörig fühlen, sprechen sie viel.

Der Pfad führt am Ufer eines Baches steil bergauf und macht den Eindruck, als wäre er eine wichtige Verkehrsader. Oberschenkel und Hintern verkrampfen sich bei dem Anstieg. Ringsum ein grünes Dickicht, das man zu dieser späten Jahreszeit nicht erwartet hätte. Lorbeer und Hemlocktannen und diese Sorte Pflanzen, die entweder nie sterben oder ein sehr langes Leben haben. Vielleicht waren die größten Hemlocktannen Schößlinge, als Jesus auf der Erde wandelte. Für sie ist jeder Tag gleich, sie kennen nicht den jährlichen Kreislauf von Leben und Tod. Sind die ganze Zeit glücklich. Glücklich, glücklich. Und dann fallen sie wahrscheinlich eines Tages tot um. Was für ein großartiger Lebensplan das ist, verglichen mit Eiche und Ahorn und all den anderen Verlierern, den Bäumen, die zu unserem Vergnügen jeden Herbst tausend farbenprächtige Tode sterben. Schöntuer kriegen nie auch nur einen Bruchteil ihrer Mühe zurück. Und dazu passt eine der wichtigsten Regeln des Lebens. Die bedauerlicherweise aus zwei Teilen besteht. Das *A* lautet: Du musst bezahlt werden. Eine tolle Idee, wenn es sich damit hätte. Doch das grausame *B* besagt: Du musst zahlen.

Ohne den vom Bären zerfetzten Rucksack muss Bud die verbliebene Ausrüstung in den Taschen seiner Hose und der Lederjacke und im Schlafsack tragen, den er sich manchmal über die Schulter legt wie ein Feuerwehrmann eine schlaffe

Leiche und manchmal zusammengeballt unter dem Arm trägt wie eine Mutter ihr Baby. Nachdem er sich lange Zeit bergauf geschleppt hat, tun Bud die Füße weh. Er hat Blasen an den Innenseiten der großen Zehen, und an beiden Fersen schält sich die Haut in feuchten weißen Lappen. Darunter nässendes Fleisch. Eine Menge gutes Tageslicht verbringt er damit, ohne Schuhe und Socken im Laub zu sitzen und an seinen Füßen herumzupulen.

Nach dem stundenlangen Anstieg verliert die Landschaft ihre Faszination. Sie besteht nur noch aus drei Meter Erde und Laub vor seinen schmerzenden Füßen. Bud langweilt sich und denkt an Gewalt, was er eigentlich vermeiden will, denn Gewalt ergibt sich aus dem Augenblick heraus. Geschieht aus heiterem Himmel. Alles andere macht aus einem hitzköpfigen Totschläger einen eiskalten Mörder. Wenn man mit großer Reinheit handelt – als gäbe es keine Vergangenheit und keine Zukunft, sondern nur das rote Hier und Jetzt –, ist der Tat ein gewisses Maß an Unschuld nicht abzusprechen, egal, wie abscheulich und blutig das Ergebnis ist. Und nicht nur Bud denkt so, weil es für ihn günstig ist. Auch der Staat macht diese Unterscheidung. Plane im Voraus, und du bist wirklich beschissen dran.

Das ist ein juristisches Konzept, das auf verwirrende Weise in Beziehung steht zu etwas, worauf der Berater im Jugendgefängnis immer herumgeritten ist. Die Belohnung aufschieben. Was man eigentlich für bescheuert oder zumindest für schrecklich langweilig halten könnte. Der Haken an der Sache ist, dass im alltäglichen Bockmist des Lebens gezielte Planung von unschätzbarem Nutzen ist. Wenn man es lernt vorauszuplanen, betritt man die Straße des Erfolgs. Tu niemals irgendetwas, was du wirklich tun willst, in dem Moment, in dem du es tun willst. Leg eine Pause ein und denk an die Folgen deines Handelns. Schieb alles hinaus bis zum Grab, und du kriegst eine Fahrkarte in den Himmel. Doch es gibt die eine erstaunliche Ausnahme, und zwar wenn es zu Augenblicken spontaner Gewalt kommt. Dann ist plötzlich alles möglich, und du bekommst eine schöne und unerwartete Belohnung dafür, dass du dich Hals über Kopf in etwas gestürzt und deiner Wut freien Lauf gelassen hast ohne einen Gedanken an die Folgen. Wer hätte das gedacht?

Weiter oben am Bach zweigen unauffällig zwei oder drei schmale Pfade ab. Nach einer Weile, während er benommen an überhaupt nichts denkt, sondern sich von der eintönigen immergleichen Welt überwältigen lässt, steht Bud auf einem Gelände, auf dem er keinen Pfad mehr erkennen kann. Alles ist braun oder grau, kahle Bäume, so weit er sehen kann, und es beginnt richtig zu regnen. Vertrocknetes Laub bedeckt den Boden knöcheltief wie matschiger Schnee. Nirgendwo Spuren. Bleib stehen, und du hörst nur den Regen auf den Blättern und deinen eigenen Atem.

Bud schaut sich nach einer Schneise zwischen den Stämmen, der Andeutung eines Wegs um. Er dreht sich um dreihundertsechzig Grad, und in dem laublosen Wald erstrecken sich Tausende Stämme in die Ferne und lassen überall einen Weg erkennen, wohin man auch blickt, wenn man nach einem Weg sucht.

»Also wenn ich jetzt nicht in der Scheiße stecke«, sagt Bud laut.

Das Problem ist, dass der Berg so viel mehr Terrain umfasst, als Bud, der noch nie auf einen Berg gestiegen ist, sich vorgestellt hat. Wenn er ihn aus der Ferne, von der Stadt aus betrachtet hat, flach vor dem Himmel, wirkte der Berg schlicht und kompakt. Es schien nicht schwer, dort oben herumzustiefeln und den Kindern über den Weg zu laufen. Aber von nahem ist der Berg viel größer und wesentlich dreidimensionaler, als Bud gedacht hat. Die verwirrende Landschaft erstreckt sich in alle Richtungen. Nahezu vertikale Steigungen führen zu Nebengraten und fallen in zahllose Schluchten ab. Bud nimmt die Halskette in den Mund, saugt an dem Zahn, fährt mit der Zunge über die Zacken, bis er Eisen schmeckt. Selbst ein Vollidiot weiß, dass man hinaufmuss, wenn man einen Berg erklimmen will.

Zeit vergeht, und Bud marschiert hartnäckig weiter. In der Höhe zieht jede Art von schlechtem Spätherbstwetter über den Himmel. Regen, dann gefrierender Regen. Später am Nachmittag prasseln Graupeln auf den gefrorenen Regen an den Bäumen und das dürre eisige Laub auf dem Boden. Vor Einbruch der Dunkelheit fängt es schließlich an zu schneien. Große nasse Flocken fallen senkrecht herunter, drei Zentimeter hoch in einer Stunde.

Ohne Zelt und Campingausrüstung für die Nacht marschiert Bud im Dunkeln weiter. Der durchweichte Schlafsack hängt ihm schwer von den Schultern, und die nassen Federn stinken. Er könnte genauso gut eine Leiche durch einen überfluteten Hühnerstall tragen. Er wirft ihn weg.

Seine Ausrüstung besteht nur noch aus seiner Lederjacke, einer nassen Wolldecke, der Machete und der Taschenlampe. Er zittert unkontrolliert und gesteht sich ein, dass er sich total verlaufen hat. Der Schnee liegt knöcheltief, und es schneit weiter.

Da die Batterie fast leer ist, beschließt Bud, im Dunkeln fünfhundert Schritte zu gehen, dabei den Boden mit den Füßen abzutasten und zu wünschen, zu hoffen und zu beten, dass er auf einen Pfad gestoßen ist, wenn er mit dem Daumen auf den Schalter der Taschenlampe drückt. Das macht er immer wieder, und jedes Mal bleibt er verblüfft und verwirrt stehen, weil er im Lichtschein nichts als den Wald und seine eigenen Fußabdrücke sieht, die sich rasch mit Schnee füllen. Nur hier und da Eichen- und Pappelstämme, kein Anzeichen für einen Waldweg, einen Pfad oder irgendeine Markierung an den Bäumen.

Bud lässt die Arme sinken und starrt verwundert auf den Lichtkreis um seine Füße. Die Symmetrie fasziniert ihn, bis er bemerkt, dass das bislang weiße Licht gelb geworden ist und dem Schnee einen malerischen Schimmer verleiht wie auf einer alten Fotografie. Er sieht zu, wie es immer schwächer wird und erlischt. Die Taschenlampe zu schütteln nützt nichts.

Einmal zu oft Scheiße gebaut. Er könnte tot umfallen, das Gesicht im Schnee, und niemand würde es je erfahren. Schließlich wären nur noch ein bemoostes Rückgrat und ein Schädel übrig, mit der Nase nach unten wie ein erschossenes Schwein. Während er diesem Gedanken nachsinnt, lässt Bud den Kopf hängen und fragt sich, ob er noch genug Kraft hat, um weiterzumarschieren und einen Unterschlupf zu suchen, vielleicht einen überhängenden Felsen. Unter dem er die Nacht über kauern und Sardellen essen könnte. Wahrscheinlich ist das eine vergebliche Hoffnung, und bei Anbruch des neues Tages wird er tot sein.

Doch als Bud aufblickt, wird er Zeuge eines Wunders. Hoch oben auf einem Bergsattel glüht ein winziger Lichtpunkt durch den Wald. Danke, Jesus.

Feuer aus Funken machen ist eine große Kunst, die viel Fingerspitzengefühl erfordert. Die ersten Bewegungen sind notwendigerweise winzig, die Materialien fein wie zum Beispiel Haar und abgeschnittene Fingernägel oder kleine

Stückchen trockener Blätter. Ob mit einem Bogen, einem Flintstein und Stahl oder auch ein paar Streichhölzern; kaum hat man einen Funken erzeugt, beugt man sich tief darüber und haucht darauf, so als würde man seufzen. Wenn man die Lippen schürzt und bläst, wird alles schwarz.

Mit Vorsicht und Glück entsteht vielleicht für ein paar Sekunden eine Flamme, nicht größer als eine Fingerspitze. Wenn der Zunder Feuer fängt, ein alter Mann mit brennendem langem Haar, zerdrückt man ein paar weitere Blätter darüber und legt Reisig auf die Flamme. Behutsam, als spielte man ein umgekehrtes Mikado. Eine falsche Bewegung und die Stöckchen fallen auf die Flamme und ersticken sie. Wenn man es richtig macht, wird die Flamme größer, doch sie kann noch immer leicht ausgehen. Mehr Reisig und dann kleine zerbrochene Zweige. Und wenn diese Schicht Feuer fängt, dann bläst man darauf. Unablässig, bis alles dunkel und körnig wie Ruß ist und man kleine silberne Funken vor den Augen tanzen sieht, wenn man zum Himmel aufblickt. Von da an ist es einfach. Entscheidend ist die Architektur des Holzes. Man wählt eine Form und legt die Stücke in Vierecken, Dreiecken, Kegeln aus. Nah genug nebeneinander, dass sie sich gegenseitig entzünden, aber nicht so nah, dass keine Luft mehr dazwischen strömen kann.

An einem hohlen Baumstamm drängen sich die Kinder aneinander. Das Feuer vor ihren Füßen, das sie bei Einbruch der Dunkelheit entfacht haben, verlangt ständige Aufmerksamkeit. Sie glauben, dass die Stöcke und Äste nicht die ganze Nacht reichen werden, und fangen beizeiten an, sie zu rationieren. Es schneit noch immer so heftig, dass sie sich nicht entfernen wollen, um im Dunkeln nach mehr Holz zu suchen. Sie legen nur so viel nach, dass das Feuer weiterbrennt.

Nahe am Feuer schläft Sally im Stehen. Das Winterfell auf ihrem Rücken sieht aus wie ein Strohdach, darunter eine dicke Schicht wie Filz. An ihren Flanken rinnt Schmelzwasser herunter und tropft von ihrem Bauch, ohne durch den Filz zu dringen. Zu ihrer Zeit hat sie viele solche Nächte erlebt. Elend und zitternd, Eiszapfen in Mähne und Schweif. Doch bei Sonnenaufgang war sie stets noch auf den Beinen.

Das Gleiche gilt für die Kinder. Sie sind keine verhätschelten Babys. Sie haben beträchtlichen Schmerz erlebt. Die Kälte ist eine Unannehmlichkeit, mit der man sich abfinden muss. Abschalten, flach atmen und warten, bis es vorbei ist. Dann weitermachen. Keine Tränen, keine Wünsche.

Sie halten ihr kleines Feuer mit Stöckchen am Brennen, die kaum größer als Bleistifte sind, lehnen sich aneinander an und denken weder an die Zukunft noch an die Vergangenheit. Sie lassen die Nacht vorübergehen, um am Morgen weiterzuziehen. Weiter zu fliehen. Doch sie fliehen nicht vor der Lodge und vor Luce. Die Lodge war ein gutes unheimliches Haus zum Wohnen. Und Luce war ein bisschen wie Lily, soweit sie sich noch an Lily erinnern. Sie erwarten keine Mutterliebe. Was sie brauchen, ist, dass alles gleichmäßig und glatt läuft. Nicht Liebe oder Hass, Freude oder Schmerz, Hoffnung oder Angst, Geborgenheit oder Gefahr. Niemanden, der ihnen abends im Bett die Wange küsst, bis ihnen vor Vergnügen der Bauch kribbelt, und niemanden, der sie bis aufs Blut quält. Wenn man das eine hinnimmt, muss man auch das andere hinnehmen, das ist das Abkommen. Man kann nicht alles kontrollieren, was passiert. Aber man kann seine Gedanken kontrollieren, dass sie so still sind wie der See an einem ruhigen Tag. Man darf nicht heftiger reagieren als unbedingt nötig, nicht gegenüber Dritten. Nur dem anderen voll und ganz vertrauen. Seine Liebe für ihn horten, und seinen Zorn mit Dingen zum Ausdruck bringen, die brennen wollen.

Und das hatte ziemlich gut funktioniert, bis Bud aus dem Nirgendwo auftauchte. Da haben sie alle Regeln gebrochen. Sie haben heftig reagiert, sich Angst einjagen lassen. Aber nicht nur Angst. Angst ist weiter nicht schlimm, jeder Augenblick war davon geprägt. Jeder Atemzug, gleichgültig, wie sehr sie versuchten, sie zu unterdrücken. Aber jetzt sind sie in Panik geraten. Und das hat die Grenzen des Abkommens weit überschritten.

Bud hat seine Ankunft nicht angekündigt. Stolpert aus der Dunkelheit direkt in das Lager. Kann von Glück reden, dass niemand auf ihn schießt. Jäger kennen viele Geschichten von Tieren und Gespenstern, die nachts die Wälder heimsuchen und nach menschlichem Blut lechzen. Doch die meisten sind zu betrunken, um zu schießen. Und als Bud ankommt, hebt einer von ihnen ein Marmeladenglas, um ihm zuzuprosten.

Niemanden kümmert, dass Bud gerade erst dem Tod von der Schippe gesprungen ist, keiner bietet ihm auch nur eine trockene Decke an. Setz dich ans Feuer und trink eine Tasse Kaffee oder einen Schluck klaren Schnaps, mehr Hilfsbereitschaft bringen sie nicht auf.

Während Bud davon überzeugt ist, dass er in dieser Nacht in einen Kampf auf Leben und Tod verstrickt ist, leben diese ergrauten Männer auf demselben Berg im selben Wetter in einer völlig anderen Realität. Sie feiern bei diesem höllischen Wetter eine gemütliche Party. Um ein Riesenfeuer aus harziger Fichte, Hickory und Eiche, das Holz haben sie mit einer Kettensäge geschnitten. Aufgehängt zwischen den Bäumen eine braune Plane für den Fall, dass es zu stark schneit, aber vorläufig sitzen sie unter freiem Himmel, manche in Hemdsärmeln, und lassen den Schnee in der Hitze des großen Feuers verdampfen, bevor er auch nur in ihre Nähe kommt.

Die Welt um das Feuer besteht aus einem kleinen schönen Kreis. Wärme und Licht, ein tiefes Bett rotglühender Kohle auf dem Boden, hoch lodernde gelbe Flammen. Funken, die in den schwarzen Himmel fliegen, weißer Schnee, der ins Licht fällt. Der Geruch nach gebratenem Schweinefleisch. Der äußere Kreis ihrer Welt wird begrenzt von schwach erleuchteten Säulen dicker Baumstämme, die sich in der Schwärze verlieren.

Schlaf spielt keine wesentliche Rolle im Plan der alten Kerle. Sie haben seit Tagen kaum geschlafen, bloß hin und wieder gedöst. Dafür haben sie noch genug Zeit, wenn sie tot sind oder zu ihren Frauen nach Hause zurückkehren. Hier oben auf dem Berg bleiben sie die ganze Nacht wach, legen Holz nach und trinken den klaren, vor ein paar Tagen erst selbstgebrannten Whiskey. Erzählen Jägerlatein, Gespenstergeschichten und erfundenen Quatsch über die unglaublichen Muschis vergangener Zeiten. Viele alterslose Witze über die Schwänze und die Hunde der anderen, die beide gleichermaßen ungeschickt sind. Über das Gebell der Hunde, das gar nichts bedeutet, außer der Hund des Redners bellt. Und dann religiöse Augenblicke der Stille und der Besinnung, wenn sie in der Ferne die Coonhounds auf Waschbärenjagd jaulen hören.

Meist ist es schwer, sich auf der Welt zu vergnügen, doch die Alten hier vergnügen sich. Dabei fühlen sie sich wieder jung und stark, wenn auch nur in den dunklen Stunden. In der Morgendämmerung wird das Lager verkaterter, unausgeschlafener fünfundsechzigjähriger Männer wirken wie eine Versammlung von Mumien. Aber darüber werden sie sich erst am Morgen Gedanken machen. Jetzt ist es noch nicht einmal Mitternacht, und alle scheinen wie durch Zauberhand vierzig Jahre jünger zu sein.

Bud schenkt sich einen Becher Kaffee ein und geht so nah am Feuer in die Hocke, dass er nach ein paar Atemzügen zwei Schritte zurückweichen muss, um sich nicht die Augenbrauen zu versengen. Da er keinen langen Mantel trägt, hat er keine Möglichkeit, die Machete zu verbergen. Er hat sie in den Gürtel gesteckt, und sie schaut unter seiner Lederjacke hervor und schleift am Boden, wenn er in die Hocke geht.

Ein Mann deutet auf die Machete und sagt: »Da war jemand im Armeeladen und glaubt, dass er auf Borneo ist und sich durch den Dschungel schlagen muss.«

Dann macht er dort weiter, wo er bei Buds Ankunft aufgehört hat, beschwert sich über die Haushaltsführung seiner Frau. Sagt: »Bei mir zu Hause ist es die meiste Zeit so eklig, dass ich nicht mal eine Walnuss essen würde, die über den Boden gerollt ist.«

Bald fangen Buds Klamotten an zu dampfen. Er zieht die Stiefel aus und stellt sie mit der Öffnung voraus ans Feuer. Triste kleine Tiere, denen die Zunge aus dem Maul hängt. Die Socken kleben ihm an den Füßen, die blutig sind an Fersen und Zehen, und als er sie ausgezogen hat, schälen sich seine Fersen weiter Schicht um Schicht und sondern eine rosa Flüssigkeit ab. Unter der Haut winzige rote Fäden, erbärmliche Äderchen kurz vor dem Platzen. Bud streckt die Füße ans Feuer. Die Nägel der großen Zehen sind bereits blauschwarz.

Der Klugscheißer, der die Bemerkung mit Borneo gemacht hat, sagt: »Glaub mir, die werden abfallen.«

Bud trinkt den Kaffee aus, schenkt den Becher voll Whiskey und macht sich daran, die anderen einzuholen.

Der alte Jones, der frühere Schwarzhändler, sitzt einen Viertelkreis von Bud entfernt und hält sich zurück, als wollte er herausfinden, ob Bud ihn erkennt.

Bud hat ihn bereits erkannt, lässt es sich jedoch nicht anmerken. Nicht, dass Jones großen Grund hätte, nachtragend zu sein. Wahrscheinlich vermisst er die langen Fahrten und die Sorgen wegen der Polizei überhaupt nicht. Diese ganze *Die-letzte-Fahrt-nach-Memphis*-Scheiße. Und er ist viel zu alt, um eine Gefängnisstrafe zu überleben. Im Allgemeinen hat es das Leben in letzter Zeit vermutlich ziemlich gut mit ihm gemeint. Heiter bis leicht bewölkt, seitdem Bud sich seinen Job angeeignet hat. Halbwegs regelmäßige Zahlungen, auch wenn die ausgezahlte Provision wesentlich geringer war, als im Sommer vereinbart.

Trotzdem, da sitzt ein grinsendes Arschloch auf deiner Veranda, kommandiert dich herum, droht dir dein Geschäft abzunehmen, und dank einer glücklichen Fügung des Schicksals landet dieses Arschloch später hilflos vor deiner Nase, um deine Barmherzigkeit zu testen. Was tust du? Selbst Jesus, sanftmütig und mild, würde flüchtig an Vergeltung denken.

Und natürlich sagt Jones bald darauf: »Sohn, was zum Teufel machst du hier oben?«

Bud schirmt die Augen mit der Hand ab und tut so, als würde er nur ein weiteres unbekanntes Gesicht im Schein des Feuers sehen.

»Hab mich verlaufen«, sagt er. »Wäre fast umgekommen.«

Alle außer Bud lachen.

Jones sagt: »Im Ernst, Sherlock. Wo wolltest du hin? Zu Fuß nach Atlanta?«

Wieder lachen alle, und dann sagt Jones: »Vielleicht kennt ihr ihn noch nicht alle. Das ist der neue Schwarzhändler.«

Schweigen.

Bud blickt in die Runde und tippt sich mit dem Zeigefinger an die Stirn.

Jones wendet sich an seine Kohorte: »Etwas ist mir nicht klar. Hier auf dem Berg wird kein Whiskey verkauft. Wir brennen unseren eigenen. Also nochmal, was zum Teufel macht er hier oben?«

Bud ist zu sehr damit beschäftigt gewesen, nicht zu erfrieren, um eine glaubwürdige Geschichte vorzubereiten. Er klaubt zusammen, was irgendwie zu der momentanen Situation passt.

»Habt ihr zwei Kinder gesehen?«, fragt er. »Junge und Mädchen? Blond? Ich gehöre zum Suchtrupp. Die Kinder sind seit ein, zwei Tagen verschwunden. Wahrscheinlich werden wir bei dem Wetter nur noch nach den Leichen suchen.«

»Suchtrupp?«, sagt der ehemalige Schwarzhändler.

»Hab vor einer Weile die anderen aus den Augen verloren. Unten am See.«

»Und du bist allein hier raufgestiegen? Sechs, acht Stunden lang?«

»Ich will diese Kinder wirklich finden.«

»Ja«, sagt Jones. »Genau so hast du auf mich gewirkt, als du damals im Sommer auf meiner Veranda gesessen hast. Wie jemand, der mit Jesus darum wetteifert, die verirrten Lämmer wiederzufinden.«

Doch der Ton, den Jones bezüglich Bud anschlägt, findet keinen Anklang. Niemand interessiert sich dafür. Sie widmen sich wieder der Nacht, die sie sich wünschen.

Und weil er auf einmal nicht mehr sterben muss, ist Bud so glücklich, dass ihn nichts mehr groß beunruhigt. Wenn man einem eisigen Tod von der Schippe gesprungen und im Schoß der Fülle gelandet ist, lehnt man sich zurück und genießt.

Es dauert nicht lang, und er sieht, dass diese alten Knacker alles haben, was sie brauchen. Heraufgetragen von mehreren Packpferden, die jetzt am Rand des Kreises stehen und sich mit einem angewinkelten Hinterlauf ausruhen. Es gibt Essen für zwei Wochen und nicht zu knapp. Vierzig-Zentimeter-Eisenpfannen, eine Kühlschrankablage als Grillgitter, einen Schmortopf, wenn Biskuits und Maisbrot gewünscht sind. Eine Kettensäge, einen Treibfäustel und einen Spaltkeil, um das Feuer nicht ausgehen zu lassen. Viel Schweinefleisch, vor allem in Form von Schinkenspeck, aber auch köstliche Würste und geräucherten Hinterschinken. Sirup in Drei-Liter-Kanistern. Dutzende Eier in Säcken mit Mehl. Sollten alle um drei Uhr morgens Pfannkuchen wollen, ist alles dafür da. Jede Menge getrockneter weißer Bohnen, die mit Schweinsfüßen gekocht werden, falls jemand Lust auf Gemüse hat.

Und theoretisch gäbe es auch all die Waschbären und Opossums, die die Hunde aufspüren können. Nur gibt es in dieser Kategorie Fleisch leider nichts vorzuweisen. Am äußersten Rand des Feuerscheins laufen schlanke Jagdhunde mit krummem Rücken und schuldbewusster Miene herum. Alle, die um das Feuer sitzen, reden von ihrem Versagen. Ein Mann hebt den Kopf und sagt etwas, dann ein anderer. Köpfe heben sich zum Feuerschein und senken sich dann wieder nickend in die Düsternis.

Jemand sagt: »Deinem Bluetick habe ich noch nie viel zugetraut.«

Jones sagt: »Hör doch auf mit dieser Scheiße, das interessiert doch niemand!«

Und dann fragt er Bud: »Wem seine Kinder sind das, nach denen du suchst?«

»Die von dieser Luce«, sagt Bud, der versucht, sich dem Sprachstil seines Publikums anzupassen.

»Lits Tochter«, sagt jemand.

»Nicht die von Luce. Die Kinder von ihrer Schwester«, sagt jemand anders.

Auf der anderen Seite des Kreises sagt eine leise Stimme, kaum vernehmbar bei all dem Prasseln und Knistern: »Schlimm für eine Familie, wenn so viele Unglücksfälle zusammenkommen. Lily und Lit und jetzt das.«

»Vielleicht finden wir die Kinder morgen, und vielleicht taucht Lit demnächst wieder auf«, sagt Bud, um den anderen zuvorzukommen. »Vielleicht ist Lit mit irgendeiner Freundin ans Meer gefahren.«

»Wie auch immer«, sagt einer, »die Kinder sind zurückgeblieben oder so. Wahrscheinlich sind sie einfach davongelaufen.«

»Obwohl, man muss sich irgendwie schon fragen …«, sagt Bud. »Vielleicht hatte sie es satt, die Ersatzmama für die verkorksten Kinder zu spielen. Wahrscheinlich werden wir sie nie finden.«

Ein paar der betrunkenen Jäger, die Luce seit Kindesbeinen kennen, verteidigen sie, und andere, die Lit nicht mögen, halten es für möglich. Und dann erwähnt jemand den Brand in der Schule, als Luce einfach ihren Arbeitsplatz verließ, und alle nicken feierlich.

Das Gespräch wendet sich wieder den gemeinsamen Erinnerungen und anderem nutzlosen Schwachsinn zu. Baseballspielen kurz nach Ende des Ersten Weltkriegs, als jemand einen gefangenen Ball fallen ließ oder im neunten Inning einen Home Run schaffte. Lächerliches und Glorreiches. Männer, die bei diesen Spielen nicht dabei waren, dösen im Sitzen ein und werden wieder wach. Mitten in der Nacht lässt der Schneefall nach, und es fallen nur noch ein paar nasse Flocken in den Lichtkreis und schmelzen.

Um ein Uhr morgens fährt Stubblefield bei rauem Wetter das Seeufer entlang, bis er auf Asphalt stößt, und dann weiter Richtung Stadt. Kalter Regen, knapp vor dem Gefrierpunkt, fällt durch das Scheinwerferlicht, bildet ölige Schlieren auf der Windschutzscheibe.

Luce war erschöpft gewesen vom Schlafmangel und von der vergeblichen Suche, kaum mehr in der Lage zu sprechen, weil sie die Namen der Kinder so oft in den schwarzen Wald gerufen hatte. Beide waren überreizt von den vielen Tassen von Maddies bitterem körnigen Kaffee. Um Mitternacht führte Stubblefield Luce zum Sofa und redete ihr gut zu, bis sie mit dem Kopf in seinem Schoß einschlief. Sagte sinnlose Phrasen, dass alles gut würde. Massierte ihre Schultern, strich mit der Hand über ihr Gesicht vom Haaransatz bis zum Kinn, fuhr ihr mit den Fingern von der Stirn aus durchs Haar, mit den Fingernägeln über ihren Rücken unter der Bluse.

Er legte ihren Kopf auf ein Kissen, deckte sie mit einer Decke zu, zog seine Jacke mit dem Revolver in der Tasche an und ging in die Küche. Maddie saß mit einer Tasse Kaffee am Tisch und sah ihn fragend an, und er sagte: »Sie schläft.«

Plötzlich fiel ihm auf, dass Maddie seit dem Verschwinden der Kinder nicht mehr zu Hause gewesen war. Er fragte: »Wo warst du letzte Nacht?«

Maddie sagte: »Luce hat ungefähr vierzig Schlafzimmer und benutzt nicht eins davon. Ich war hier.«

Stubblefield sagte, Danke, ging zur Hintertür hinaus und nahm die Taschenlampe mit.

Jetzt fährt er über den Damm und am Ufer entlang in die Stadt, und es ist, als würde er durch einen Tunnel fahren, zu seiner Linken der Wald, eine dunkle Mauer, der See kaum sichtbar zur Rechten, hinter dem Regen Leere. Stubblefield hat Angst vor den nächsten Stunden, rechnet keinesfalls damit, die Kinder zu finden und als Held gefeiert zu werden. Doch er kann den Abend im Roadhouse nicht vergessen. Bud, der erst so tut, als stellte er keinerlei Bedrohung dar, und ihm dann die Hand aufschneidet. Luce, die sich fürchtet, aber ihm in die Augen starrt. Die verletzte Hand ist noch immer mit schmutzigen und während der beiden letzten hektischen Tage nicht gewechselten Mullbinden verbunden. Darunter eine breite rosa Narbe und eine dünne Linie brauner Schorf.

Wenn er Bud allein zu Hause antrifft, heißt das wahrscheinlich, dass die Kinder tot sind. Und was dann? Stubblefields erste Konfrontation mit Bud ging schlecht für ihn aus, und wenn er sich an das Entsetzen in jenem Augenblick erinnert, stockt ihm noch immer der Atem. Doch ein Spruch seines Großvaters geht ihm unaufhörlich im Kopf herum. Reite in den Schlachtenlärm. Ein zündender Gedanke, nur dass sein Großvater nicht einen einzigen Tag im Leben bei der Armee war, und das könnte als Ausrede dienen für ein Umkehrmanöver, um zur Lodge zurückzufahren. Doch Stubblefield fährt weiter geradeaus.

Für eine kurze Weile kann er während der Fahrt um den schwarzen See ein helles Bild in seinen Gedanken aufrechterhalten, ein nadelspitzengroßes diamantenes Licht. Die

Überzeugung, dass uns die Hoffnung beherrscht und nicht die Angst. Doch am Stadtrand erlischt das Licht. Stattdessen das Blut und die Dunkelheit, die er in seiner aufgeschnittenen Hand gesehen hat. Aber er fährt weiter und stellt dann den Wagen ab. Geht im Regen zwei Blocks. Nasses abgestorbenes Laub auf der Straße, die Fenster in den Bungalows dunkel. Helle dunstige Höfe um die Bogenlampen.

Kein Licht in Buds Haus. Doch beim Anblick des grünen Pick-ups auf der Einfahrt steigt erneut Angst auf. Stubblefield nimmt den Revolver aus der Tasche und geht um das Haus zur Hintertür. Versucht, den Knauf langsam zu drehen. Vergebens. Das Schloss sollte aber kein Problem sein, und er hat einen großen Schraubenzieher mit Holzgriff aus der Lodge mitgebracht. Einmal nach außen gedrückt, und die Tür springt mit dem Knarzen von splitterndem alten Holz auf. Stubblefield drückt sich mit dem Rücken an die verschalte Mauer und wartet. Und horcht lange Zeit. Nichts. Keine Kinder, kein Bud, der mit dem Messer zur Tür kommt, um zu sehen, was das Geräusch verursacht hat.

Stubblefield geht hinein und schaltet immer wieder kurz die Taschenlampe ein, um sich zu orientieren. In der Küche steht schmutziges Geschirr im Spülstein und auf der Ablage. Auf dem Boden im Wohnzimmer liegen ein weißes T-Shirt und ein Paar weißer Socken mit zwei roten Streifen oben am Bund. Im Bad steht ein Fläschchen Aspirin im Medizinschrank.

Vorsichtig betritt er das Schlafzimmer, für den Fall, dass Bud dort schläft. Doch er findet nur ein ungemachtes Bett und mehr schmutzige Kleidung. Keine Bücher, keine Schallplatten. Nichts, was auf Persönlichkeit oder Geschmack hinweise, niemand, auf den er mit dem Revolver zielen könnte. Der Schrank ist leer bis auf ein neues Paar Slipper. Er öffnet die Schubladen. Nicht genug Kleidung, um einen Koffer zu füllen. Doch in einer Schreibtischschublade findet er eine Rolle Geldscheine mit einem Gummiband darum. In den Schubladen des Nachttischs und unter der Matratze identische Rollen. Und ein kleines braunes Notizbuch aus Leder.

Er nimmt alles mit ins Wohnzimmer, setzt sich aufs Sofa und stellt die Rollen auf den Couchtisch. Er hält einen bernsteinfarbenen Glasaschenbecher vor die Taschenlampe und studiert das Notizbuch. Seite um Seite Telefonnummern und Alkoholbestellungen. Er nimmt den Gummi von einer Rolle und zählt. Genau fünfhundert. Er legt das Geld auf den Tisch und spart sich die Mühe, die anderen Rollen zu zählen. Die Bedeutung von Notizbuch und Geld sind klar. Was immer Bud während der letzten zwei Tage getan hat, er kann nicht weit sein.

Stubblefield sitzt im Dunkeln und wartet, den Revolver in der Hand, und versucht das diamantene Licht zurückzuholen. Sollte Bud aufkreuzen, würde er ihm die Waffe auf die Brust setzen und ein paar Fragen stellen. Warten, was passieren würde.

Nach zwei Stunden wickelt Stubblefield die schmutzige Binde ab und legt sie auf das Geld und das kleine Notizbuch auf dem Tisch. Eine Botschaft. Er geht durch die Vordertür hinaus; draußen fallen große nasse Flocken und schmelzen sofort, nur nicht auf dem Gras. Als er am Damm ist, schneit es stärker, glitzernd wirbelt der Schnee im Scheinwerferlicht.

Als er vor der Lodge aus dem Wagen steigt, fällt Schnee auf sein Haar, seine Schultern, verfängt sich in seinen Augenbrauen. Die Wiese ist weiß, und die Dämmerung ist noch nicht einmal ein schwaches Leuchten in den Wolken über den Bergen im Osten. In der Küche sitzt Maddie noch immer am Tisch und trinkt Kaffee. Vor ihr ein Blech Biskuits, bereit für den Ofen. Sie wartet seine Frage nicht ab und sagt: »Sie schläft noch. Das hat sie gebraucht, aber sie wird wahrscheinlich wütend auf dich sein, wenn du sie jetzt nicht weckst.«

In der Hoffnung, das Kissen unter Luce' Kopf mit seinem Bein vertauschen zu können, ohne sie zu wecken, setzt sich Stubblefield aufs Sofa. Doch durch sein Gewicht auf dem Polster wird sie wach, und sie fasst mit einer Hand nach seinem Knie, richtet sich auf und fährt sich mit den Fingern durchs Haar. Gibt ihm einen flüchtigen Kuss auf die Wange.

»Wo warst du?«

»Was?«

»Du riechst nach draußen.«

»Ich habe mich draußen umgesehen. Nichts.«

Sie berührt sein Haar, die Wassertropfen.

»Regnet es?«

»Es schneit.«

Sie dreht die Handflächen nach oben und betrachtet sie lange.

Stubblefield sagt: »Ja, eine scheußliche Nacht. Wir essen was, und dann gehen wir wieder raus.«

3

AM MORGEN KALTER Nebel und blasse metallische Farben. Grau und Gelb und Blau. Dann, als sich die Sonne durch den Nebel brennt, unterschiedliche Schattierungen frühen Lichts. Jeder Zweig und jede Fichtennadel in einem eigenen Überzug aus Eis. Jedes Kristall reflektiert die Sonne auf jede nur erdenkliche Art, nur nicht auf die übliche. Der Boden ist hoch mit nassem Schnee bedeckt, immergrüne Äste neigen sich unter seinem Gewicht. Überall verrücktes, blendendes, strahlendes Licht. Umheimlich und aufregend.

Frank hebt die Hände über die Schultern und bewegt rasch die Finger. Dolores rempelt ihn heftig an und lächelt.

Das Frühstück besteht aus einem Glas sauer eingelegter Okraschoten, ein belebender Start in den Morgen. Sie wetteifern um die größten Schoten und blinzeln Tränen aus den Augen, während sie die weißen Samen zwischen den Backenzähnen zermalmen. Dolores hebt das Glas an den Mund, trinkt einen Schluck von dem salzigen grünen Essigwasser und reicht es weiter an Frank, der es ihr nachmacht. Beide lachen über ihre Grimassen und die tränenden Augen. Als sie aufsteigen und weiterreiten, hängen festliche Eisperlen in Sallys Mähne.

Einen Weg zu finden wäre viel schwieriger, wenn sie eine Vorstellung davon hätten, wo sie sind und wohin sie wollen. Sich verirrt zu haben heißt nichts. Vor allem wenn es zu vermeiden gilt, gefunden zu werden. Wo immer sie sind, es ist in Ordnung, solange sie in Bewegung sind, unterwegs zu einem anderen Ort. Deswegen schauen sie nach vorn, von Sally geführt.

Frank verliert seine Mütze. Seine Ohren werden rot und dann blau. Dolores nimmt ihre Rodelmütze mit den Ohrenklappen ab und schlägt ihm damit auf die Ohren, setzt sie ihm auf und zieht sie ihm bis über die Augen. Von da an entscheiden sie anhand der Ohrenfarbe, wann sie die Mütze an den anderen weitergeben. Das macht ihnen so viel Spaß, dass sie sich beim nächsten Halt ausziehen und die Kleider tauschen. Eine Stunde später tauschen sie sie zurück.

Schnee schmeckt ziemlich gut, wenn man nur einen Löffelvoll davon in den Mund steckt, nicht mehr. Frisch abgerissene und am Ende ausgefranste Birkenzweige bedeuten fünf Minuten Beschäftigung für die Geschmacksknospen, wenn man damit zwischen die Zähne, über das Zahnfleisch und die Zunge fährt. Ein einzelner Balsamtannenzweig ist interessant, aber wenn man ihn zu lange betrachtet, dann bilden die gleichmäßig und symmetrisch verteilten Nadeln ein Muster, das so unheimlich ist wie schuppige Schlangenhaut, und man muss schleunigst im Kopf die Bremse ziehen.

Irgendwann passt Sally nicht mehr auf, in welche Richtung sie schauen. Von allen möglichen Abzweigungen nimmt sie die, die in einem großen Bogen zu Maddies Haus zurückführt.

Am späten Vormittag hat die Sonne Kraft, und Schnee und Eis schmelzen schnell. Das alltägliche Graubraun ist wieder da. Gut für Leute, die unterwegs sind. Aber auch ein bisschen traurig nach der kurzen Verwandlung der Welt in etwas Weißes, Strahlendes, Neues. Jetzt wirkt die matschige Erde matschiger, und Sallys Hufe machen bei jedem Schritt schmatzende Geräusche. Zuvor ist es ein klarer knirschender Rhythmus aus vier Takten gewesen. Mittags machen sie nicht einmal ein Feuer. Sie stecken abwechselnd zwei Finger in ein Glas mit Erdnussbutter.

Novemberwetter in den Bergen. Ohne Vorwarnung schneit es, und man erfriert fast, und vierundzwanzig Stunden später scheint die Sonne, und man trägt die Jacke über die Schulter geworfen. Es ist eine Plackerei, weil der Pfad vom geschmolzenen Schnee matschig ist. Ja, Plackerei gehört zu jedem Fußmarsch, man muss es nicht mögen, man muss es nur hinter sich bringen. Einen Fuß vor den anderen setzen.

Die alten Knacker haben Bud mit getrockneter Kleidung und Decke sowie einem Landstreicherbündel mit einer ganzen Menge Lebensmittel, einer schmutzigen Plastikplane und vier Nylonseilen, aus denen er sich einen Unterstand basteln kann, auf den Weg geschickt. Dazu eine Landkarte mitgegeben, auf die Innenseite einer glattgestrichenen Maismehltüte gezeichnet. Und Zusicherungen, dass das Wetter mindestens drei Tage lang mild sein wird, und die besten Wünsche für die Suche nach den Kindern.

Sie boten halbherzig an, ein paar Männer mitzuschicken, aber Bud ging nicht darauf ein. Sie hatten ihm das Leben gerettet, und das war mehr als genug. Jetzt musste er rasch vorankommen, eine große Strecke zurücklegen. Die Männer murmelten etwas von Rücken, die schmerzten, und Hüften und Knien, die nicht mehr richtig wollten. Wenn man alt war, gab es keine Garantie, dass man nicht auf einmal zusammenbrach und mehr Last als Hilfe war. Doch was für ein Durchhaltevermögen sie früher an den Tag gelegt hatten. Sie erzählten, dass einer von ihnen mit achtzehn einen Fünfzig-Pfund-Sack Mehl auf jeder Schulter über den Laurel Gap zu seiner Mama getragen hatte. Die Schneeschmelze im Frühjahr hatte die Flüsse über die Ufer treten lassen und ihre Hütte von allen Straßen abgeschnitten. Fünfundzwanzig Meilen und Hunderte von Metern Höhenunterschied rauf und runter. Er hatte nicht einmal acht Stunden gebraucht.

Bud sagte: »Leck mich. Das muss ein Marsch gewesen sein!«

Und der alte Mann, der die Heldentat vollbracht hatte, sagte: »Die letzten fünf Meilen hätte ich am liebsten nur geweint.«

Bud marschiert, sieht, was er sehen kann. Doch mit jedem Schritt wird der Berg größer, als würde man einen Luftballon aufblasen, nur dass der Ballon mehr wie eine große, zu einem Ball zusammengeknüllte Zeitungsseite ist. Schlupfwinkel und Verstecke in jeder Richtung. Nach ein paar Meilen legt Bud eine Rast ein und isst kalte Pfannkuchen, um kalte Würstchen und Apfelkraut gewickelt. Die Sonne strahlt, der Himmel ist blau, aber im Schatten liegt noch Schnee auf dem Laub, an manchen Stellen knöcheltief. Bud ist sich nicht mehr sicher, wie er seine Mission zu Ende bringen soll. Die alten Knacker kennen ihn jetzt. Jeder von ihnen könnte vor Gericht mit dem Finger auf ihn deuten.

Na und? Wenn er es richtig macht, werden Leichen und Waffe unauffindbar sein, und es wird keinen Ärger geben. Nur nicht an die traurige Geschichte mit Lit denken. Da waren zu viele Gefühle beteiligt, und natürlich gab es Schwachstellen. Wenn deine Gefühle betrogen werden und du große Angst hast und dir das Wasser bis zum Hals steht, dann neigst du zu Fehlentscheidungen. Zum Beispiel sind die Wälder hier dicht und nehmen einfach kein Ende, und diese Hillbilly-Deppen scheinen sich erstaunlich oft darin herumzutreiben. Also musst du tief graben und darfst nicht leugnen, hier oben gewesen zu sein. Du wolltest nur helfen, hast nach den Kindern deiner leider verschiedenen Frau gesucht. Einen heftigen Schneesturm überlebt. Hast sie nicht gefunden und bist mit gebrochenem Herzen zurückgekehrt. Hast die Stadt verlassen und dein Glück woanders gesucht. Ende der Geschichte.

Nach dem Mittagessen lässt Bud seine Gedanken jedoch eine Weile schweifen. Finde die Kinder und bring sie zurück in die Stadt. Du musst spätabends ankommen. Lass sie heil und unversehrt und nicht verwirrter als sonst auf der menschenleeren Main Street mit den drei gelb blinkenden Ampeln stehen. Fahr tagelang nach Westen zu einem unvorstellbaren Ort ohne irgendeine Verbindung zu deiner Vergangenheit. Galveston oder Gallup. Fang neu an. Such dir verdammt nochmal eine Arbeit.

Als ob das klappen würde. Er würde von jetzt an ständig über die Schulter schauen.

Bud marschiert niedergeschlagen den ganzen Nachmittag lang, ohne Zuversicht in die Zukunft. Und dann sieht er sie plötzlich vor sich. Zehn Zentimeter tief im matschigen Boden. Hufabdrücke. Halb mit Wasser gefüllt. Ein Kinderspiel, zu erraten, wo vorn und hinten ist, und der Spur zu folgen.

Dolores singt »Back in the Saddle Again«. Sie kann alle Strophen fehlerlos auswendig, aber die Hälfte der Wörter sind für sie nicht mehr als Klang. Sie sind wie Musiknoten, bedeuten nicht mehr oder weniger als das Zucken eines Fingers auf einer Banjosaite. Mit einem Banjo in der Hand könnte Dolores das Lied wahrscheinlich so akkurat spielen wie den Text singen. Es ist nur ein Muster aus Tönen. Einmal gehört und im Gedächtnis gespeichert. Als Maddie das Lied gesungen hat, war Frank vor allem damit beschäftigt, Sally zu striegeln, doch jetzt hört er Dolores genau zu, und als sie erneut den Refrain singt, stimmt er mit ein.

Sally geht auf den Kammlinien und Jagdwegen um Biegungen. Sie schreitet sicher den Pfad hinunter, und die Kinder merken nur, dass sie vorwärts reiten. An diesem Nachmittag verlieren sie durch Kurven und Kehren neunhundert Meter Höhe. Unter ihnen taucht der See wieder auf, eine gezackte Linie flüssigen Silbers zwischen schieferfarbenen Bergmassiven, wie Quecksilber in einer hohlen Hand.

Man muss sich nicht gut im Wald auskennen, wenn man die Spur eines Pferdes auf matschigem Grund verfolgen will, in dem es alle paar Schritte bis zur Fessel einsinkt. Man folgt den Löchern. Buds Eisenbahnerstiefel kleben nass an seinen Füßen, sind bis zur fünften Öse verdreckt. Darin ist es feucht. Er hofft, dass dem nicht so ist, weil seine Füße wieder bluten. Aber um das Positive zu sehen: Er hat wider alle Erwartungen überlebt. Doch etwas ist ihm rätselhaft: Wie haben die beiden Schwachsinnigen die grausame weiße Nacht auf dem Berg überstanden?

Vielleicht haben sie das gar nicht. Und Bud folgt nur einem Pferd, das sich verlaufen hat.

Ein paar Meilen weit klammert er sich an diesen erfreulichen Gedanken, bis er auf das bräunliche Kerngehäuse eines Apfels stößt mit den Zahnabdrücken kleiner Menschen.

Also sind sie wahrscheinlich doch nicht tot.

Zwecklos, sich deswegen die Stimmung verderben zu lassen. Bud fragt sich, wohin sie unterwegs sein könnten. Holt die Maismehlkarte der alten Männer heraus, fährt mit dem Finger darüber und versucht herauszufinden, wo zwischen den Linien und Wörtern er sich befindet. Aber sie ergibt keinen Sinn. Sie sieht ziemlich anders aus als die Karten, die man präzise gefaltet wie der Balg eines Akkordeons in der Esso-Tankstelle kaufen kann. Sinnlose Schnörkel und Ortsbezeichnungen, geschrieben mit einem Handwerkerbleistift. Schweinepferchschlucht, Bärsuhle-Gabelung, Pickens Nase.

Diese verdammten blöden Hinterwäldler. Wenn sie wollen, dass ihr Grund und Boden irgendetwas wert ist, abgesehen davon, dass er den Rest der Welt zusammenhält, sollten sie Namen wie Schmetterlingstal, Wildblumenschlucht benutzen. Orte erfinden, wo Feen Tautropfen aus Geißblattblüten trinken. Ich bin meiner Zeit voraus, denkt Bud. Aber das ist nichts Neues.

Am späten Nachmittag ist es ungewöhnlich warm, vor allem im Vergleich zu dem Blizzard. Weil er so etwas noch nie getan hat, zieht Bud Jacke und Hemd aus. Lässt sich die Sonne ein paar Minuten auf die nackte blasse Brust scheinen.

An einer Stelle, wo sich der Pfad nach Süden wendet, kommt er auf eine große sonnige Fläche mit dunklen Felsen, dazwischen kleine erodierte Mulden, die mit Wasser gefüllt sind. Alles ist zur Sonne hin ausgerichtet, und es ist warm wie im Sommer. Moos und Krüppelkiefern kämpfen sich aus Spalten. Unterhalb davon fällt ein steiler Felsen ab, und am Grund des schwindelerregenden Abhangs verläuft ein Fluss wie ein weißer Faden.

Bud geht um die Biegung, und was sieht er auf dem nächsten Felsen, wenn nicht Dutzende Klapperschlangen. Die sich sonnen. Neben- und übereinander, gesprenkelt und miteinander verschlungen, reglos, lautlos. Manche Köpfe an der Stirn so breit wie seine geballte Faust. Die Mitte ihrer Körper so dick wie seine Wade.

Bud wird ganz schummerig zumute. Alle diese dicken glatten Walzen aus bösartigem Fleisch. Ihm dreht sich der Magen um. Er meint, sich übergeben zu müssen. Er beugt sich vor, doch dabei wird plötzlich alles grau, abgesehen von schimmernden Lichtpunkten. Er muss sich setzen, kippt zur Seite. Die lange Klinge der Machete schlägt klirrend auf Stein.

Auf dieses Geräusch hin schießen ein paar Schlangen in die Luft, als wären sie angeschossen worden. Sie winden sich über die Felsen davon, verschwinden in Spalten und über die Kanten von Überhängen. Und diese Vorläufer schrecken den Rest auf, und wie eine in Panik geratene Rinderherde machen sie sich davon. Wie ein grauenhafter Nebel, der sich verzieht, als wären sie nie dagewesen.

Bud versucht weiterzugehen, achtet auf jeden Schritt. Aber es klappt nicht. Er weiß nicht, wie abschüssig der Pfad ist. Er setzt sich, sammelt seine Gedanken, versucht, den Punkt zu erreichen, an dem er wieder vernünftig denken kann.

Das Gleisbett einer Schmalspurbahn. Junge dünne Bäume wachsen, wo einst Dampflokomotiven Riesenbäume ab- transportierten. Der Pfad führt denselben Abhang hinun- ter, aber er verläuft nicht parallel zum Wasser. Wasser will sich der Schwerkraft anpassen, so umstandslos wie möglich. Der Pfad folgt Konturen. Er ist nicht steil, aber es geht be- ständig abwärts, die einfachste Strecke nach unten. Im Lauf des Nachmittags hat sich die Vegetation verändert. Keine Balsamtannen mehr, dafür Lorbeerbäume und Bronzeblatt. Alle diese Namen, die Luce so mag.

Sally scheint jetzt besser als zuvor zu wissen, welches Tempo sie einschlagen und welchen Weg sie nehmen will, wenn sie an eine Gabelung kommen. Dolores und Frank sind auf ihrem Rücken so lange hin und her gerutscht, bis sie mit den Gesichtern zueinander sitzen. Sie spielen ein kompliziertes Spiel aus Fingersignalen und koordiniertem Händeklatschen. Ein Zuschauer hätte Mühe zu verstehen, wie die Regeln lauten, wie man Punkte macht und was als gutes Spiel gilt und was als Regelbruch. Das Spiel endet auf die übliche Weise. Einer schlägt zu fest zu, und der andere übt Vergeltung. Sie drehen sich um und sitzen Rücken an Rücken, ignorieren einander und betrachten eine Weile die vorbeiziehende Welt. Dolores schaut auf das, was vor ihnen liegt, und Frank beobachtet, wie sich die Vergangenheit hinter ihnen abspult.

Über den hohen Gipfeln im Westen bilden sich Streifen von Nachmittagslicht am wolkenlosen Himmel. Platin, Bronze.

Am späten Nachmittag, als sie nach einem Lagerplatz Ausschau halten, sehen sie einen Ort, den sie kennen. Ein alter krummer Baum mit einer spitzen Nase. Sie insistieren, und Sally gibt nach und geht, wo kein Pfad ist. Die Sonne sinkt, und das Licht auf den vergilbten Blättern schimmert für einen Augenblick, als wäre es golden. Schatten erstrecken sich lang über den Boden.

Eine Stunde später dämmert es indigofarben, und ein großer gelber Planet fällt langsam durch die Baumwipfel. Sie haben in der Nähe des Lochs ein Feuer entfacht, neben dem Stumpf eines umgefallenen Hickorybaums. Ein Haufen abgefallener Äste aus dem Wald, und die Flamme ist so hoch wie sie selber. Trockene Hemlockzweige für sofortige Belohnung, gemischt mit dickeren Hartholzästen für die Dauer. Das Licht steigt mit dem Rauch auf. Das schwarze Wasser drunten im Loch reflektiert nichts.

Später leuchten in der trockenen Luft klar die großen Sterne am nächtlichen Himmel. Dolores und Frank haben ihren Streit längst vergessen, sitzen im Schneidersitz unter einer Decke, essen ein Glas eingeweckter Tomaten und die letzte Tüte Cracker. Als Nachtisch gibt es ein Glas Apfelkraut, dunkel gekocht mit braunem Zucker, doch kein Brot, um es darauf zu verstreichen. Sie singen noch mehr Lieder, die sie von Maddie oder dem Plattenspieler mit der Kurbel oder dem großen Radio gelernt haben. »Knoxville Girl«. »I'll Take You Home Again, Kathleen«. »Try Me«.

Sie zählen die Sieben Schwestern, wie Luce es ihnen beigebracht hat, und sie sagen Wörter zueinander. Manche davon sind gebräuchlich, andere haben sie erfunden. Sie sind wie misstrauische Menschen in einem fremden Land, in dem eine Sprache gesprochen wird, die sie nur unvollkommen beherrschen. Was sie wissen, verbergen sie vor allen, nur nicht voreinander. Was immer irgendwer sagt, keine Miene verziehen. Sie reden nicht darüber, wo sie jetzt sind. Sie sind zurück. Sie sind im Kreis gegangen, als sie glaubten, sie wären über alle Berge.

Sie lassen die Zeit vergehen und machen sich keine Sorgen wegen des schwarzen Lochs. Es interessiert sie nicht. Es macht ihnen nichts aus, im Dunkeln am Rand eines unheimlichen Lochs mitten im Wald zu sitzen, wenn überhaupt, denken sie nur flüchtig daran. Das, was sie fürchten, hat nichts mit einem Loch in der Erde und schmutzigem Wasser zu tun. Sie müssen keine Horrorfilm-Visionen erfinden, um sich unterhaltsam zu gruseln. Der Horror sind andere Menschen. Die Dinge, die sie sich ausdenken, um sie dir anzutun.

Die Hufabdrücke sind nach wie vor zu sehen. Manchmal gibt es Lücken, wenn der Pfad über steiniges Gelände oder offene, nach Süden abfallende Hänge verläuft. Aber man schaut sich um, marschiert im Zickzack in die Richtung, die sie bisher verfolgt haben, und bald schon tauchen sie wieder auf, führen weiter.

Es bleibt klar und warm. Kommt Bud auf eine offene Bergflanke, schaut er nach oben, wo er gewesen ist. Hohe Kämme, so grau wie die Knochen von Gebirgen in der Sonne, der höchste Gipfel noch weiß von Schnee und Frost. Er ist zu Recht stolz, dass er überlebt hat. Alle diese Weicheier in ihren Häusern unten im Tal. Sehen fern bei eingeschalteter Heizung.

Keine Ahnung, wie nahe er den Kindern jetzt ist. Bud versucht, sich geistig darauf einzustellen, dass er eine Biegung umrundet und ein Pony vor sich sieht. Es gibt keine andere Möglichkeit, die Sache zu erledigen, als schrittweise, wie jeden anderen beschissenen Job. Erst tut man das eine, dann das andere. Aber wenn man anfängt, auf die Uhr zu blicken und vorauszudenken bis ans Ende des Tages, ist man verloren. Man verfolgt einen Ablauf, und der schlimme Teil davon ist nur ein Teil. Was den betrifft, ist Schnelligkeit gefordert.

Bud ist wieder niedergeschlagen, weil er es bei Lit so ungeschickt angestellt hat. Vor allem das, was man falsch gemacht hat, bleibt einem im Gedächtnis haften. Sollte das jetzt nicht das letzte Mal sein, will er ein großkalibriges Gewehr kaufen, wie sie die Scharfschützen im Bürgerkrieg benutzten, über die er in seinen Zeitschriften gelesen hat. Auf einen Baum steigen und einen feindlichen Offizier eine halbe Meile entfernt ins Visier nehmen. Einen Oberst oder so. Einen schmächtigen Kerl, der eine Zigarre raucht und sich groß aufspielt vor seinen Untergebenen. Du bist ein exzellenter Schütze, hältst den Atem an und berührst den Abzug so vorsichtig, als würdest du dein eigenes Auge berühren. Bevor der Oberst den Schuss hören kann, liegt sein Kopf auf dem Boden verstreut wie zwei große Handvoll Schmorfleisch, und der Rest von ihm kippt langsam um wie ein gefällter Baum. Und doch hat der Oberst Glück, für ihn ist es, als würde eine Kerze ausgeblasen. Glücklich, glücklich, tot. Auf der ganzen Welt liegen Menschen in Krankenhausbetten und beten um so ein perfektes Ende.

Aber es hat keinen Sinn, für die Zukunft zu planen. Es wird bestimmt das letzte Mal sein. Danach ein neues Leben.

Bud marschiert, bis die Sonne zwischen den Bäumen versinkt. Plötzlich versickert die Wärme des Tages in der Erde. Es wird so dunkel, dass man nicht mehr weiß, wie man es nennen soll. Dämmerung oder Nacht. Zwielicht wäre keine schlechte Bezeichnung, ein Wort aus einem Lied, an das er sich erinnert. Doch nach ein paar Minuten verliert dieses Thema wie so viele andere seine Bedeutung. Es ist Nacht, zu dunkel, als dass man die eigenen Füße am Ende seiner Beine sehen könnte.

Bud setzt sich auf eine ebene Stelle neben dem Pfad. Er hat die Lektion der Waschbärenjäger nicht gelernt. Behaupte deinen Platz. Zieh einen Kreis aus Licht darum. Dräng die Dunkelheit zurück. Es geht nicht nur ums Überleben. Du musst feiern.

Das ist allerdings unmöglich ohne Kettensäge, ohne helles, frisch mit der Axt gespaltenes Fichtenholz. Ohne Kumpel aus der Kindheit, die mit dir in der Wärme und im Licht sitzen.

Bud schiebt nasse verrottende Zweige zusammen und geht davor mit seinen letzten Streichhölzern in die Hocke. Ein paar Sekunden lang raucht es. Er sagt, Scheiß drauf, und wickelt sich auf der Plastikplane in die Decke. Meistens ist er wach und horcht auf die raunenden Sprachen, die der nächtliche Wald spricht.

Wenn er eindöst, dann nicht so fest, dass sein Gedankengang unterbrochen würde. Und wenn er wieder wach ist, hetzen die Stimmen murmelnd gegen ihn, und er denkt dann immer an zwei rasch ausholende Handbewegungen.

Es ist abscheulich, keine Frage. Aber schwöre, dass es das letzte Mal ist, und zieh weiter. Bud berührt erst die Halskette, dann seinen Arm.

Blut. Es bedeckt die Erde. Milliarden Tiere und Menschen, ihre Haut wie die Membran eines Luftballons oder eines Kondoms. Ein dünner Schorf, der die Flüssigkeit vom Austreten abhalten will, aber seine Aufgabe schlecht erfüllt. Sticht man sich mit einer Nadel in den Finger, sieht man ja, wie dringend das Blut heraus an die Luft will. Hätte Gott es anders gewollt, hätte er uns mit einem Panzer überzogen. Oder uns befohlen, zu einem verzerrten Gesicht zu beten, das vor Schmerz schreit.

Aber er wollte, dass wir bluten. Das Fließen von Blut, das rote blutende Herz. Das ist schön.

4

BEI DER ERSTEN Andeutung der Morgendämmerung zieht Luce allein los. Die Farben der Erde, des Sees und des Himmels unterscheiden sich nur durch eine winzige Schattierung. Der Wind peitscht kahle Novemberbäume vor einem holzkohleschwarzen Himmel, auch der See ist holzkohlefarben, kleine Wellen brechen sich an den Felsen am Ufer. Maddie und Stubblefield dösen am Küchentisch.

Längs des Pfades hängt die üppige Sommervegetation vertrocknet und braun von den Stängeln. Die Wipfel riesiger Hemlocktannen verschwinden im Nebel, und ihre Wurzeln reichen tief in die feuchte Erde unter den Bachufern. Vom Frost verwandelte Bronzeblätter glänzen braun.

Während der letzten drei Tage hat sie nur einmal geschlafen, Stubblefield noch weniger. Hier und da eine Stunde, im Wagen an sie gelehnt irgendwo auf einer Brandschneise. An dem Nachmittag und Abend, als das Wetter so schrecklich war – heftiger Regen, aschfarbene schräge Striche im Scheinwerferlicht –, fuhren sie in die Berge hinauf, bis die Wege so holprig waren, dass der Auspuff vom Hawk kaputtging und sie Angst hatten, als Nächstes die Ölwanne zu ramponieren. Zurück in der Lodge, war sie zu müde, um sich zu wehren, als er sie aufs Sofa legte. Als sie früh am nächsten Morgen erwachte, waren aus dem Regen dicke nasse Schneeflocken geworden, die schmolzen, sobald sie auf dem Boden auftrafen, doch als die Sonne über der Bergkette im Osten stand, rissen die Wolken auf. Aber auch an diesem wolkenlosen Tag suchten sie wieder vergeblich. Sie waren mit dem Wagen und zu Fuß unterwegs, klopften an Farmhaustüren und stellten immer wieder dieselben Fragen. Alle paar Stunden schauten sie im Laden vorbei, um zu kontrollieren, ob jemand angerufen hatte. Die ganze Zeit versuchte sie, ein positives Bild vor Augen zu haben und eine imaginäre Hoffnung aufrechtzuerhalten. Am späten Nachmittag Nebensonnen und kahle Bäume.

Als sie jetzt durch den kalten Nebel geht, versucht Luce erst gar nicht, eine Spur der Kinder zu finden. Regen und Schnee haben alle Hinweise gelöscht, außer sie hätten einen Pullover verloren. Sie denkt an nichts und versucht zu erraten, welchen Weg die Kinder eingeschlagen haben könnten. Aber sie verfügt über keinerlei telepathische Kräfte; keine Schwingungen erreichen sie, sie merkt bloß, wie übermüdet sie ist.

Viele Weggabelungen präsentieren sich, viele Möglichkeiten, einen kaum sichtbaren Pfad einem anderen vorzuziehen. Diese Berge sind keine Wildnis. Sie sind seit Tausenden von Jahren bewohnt. Viele Unbekannte, längst wieder zu Erde geworden, haben Spuren auf dem Land hinterlassen, manche sind unauffällig, andere nicht. Wildpfade, die zurückgehen bis in eine ferne Eiszeit, noch bevor es die Büffel gab, wurden zu Indianerpfaden, Jagdwegen, schmal wie ein Fuß, und breiten Wegen durch die Täler, die Städte miteinander verbinden, jede mit ihrer eigenen Pyramide. Straßen, breit genug für behelmte Spanier und ihre Pferde, Schweine und Gefangenen, um zwanzig Meilen am Tag zurückzulegen, als sie hier durchkamen. Zweihundert Jahre später viele Wege für geile Kolonialkaufmänner, Botaniker und Prediger, die es ins Hochland zog, um Geld und Mischlingskinder zu machen. Und dann amerikanische Soldaten, die Dörfer niederbrannten, sodass die Häuser an der Spitze der Pyramide nur noch eine Schicht Holzkohle waren. Auf

334

manchen dieser Wege zogen die Cherokee ins Exil, endlose Strecken, deren Ende viele nicht erreichten. Auf den gleichen Maultierpfaden und Karrenwegen marschierten die unseligen konföderierten Soldaten in den Krieg. Am Ende des vergangenen Jahrhunderts wurden die inzwischen eingesunkenen Holzfäller- und Schlittenwege geschlagen, und aus den frühen Jahren dieses Jahrhunderts stammen die Betten für die Schmalspurgleise. Wohin immer Luce schaut, bedeckt ein Netz aus Wegen den Boden, ein Labyrinth, in dem Kinder sich hoffnungslos verlaufen können.

Benommen und hoffnungslos geht Luce in Richtung des schwarzen Lochs. Neben dem Wegweiserbaum sieht sie Hufabdrücke und beginnt zu laufen. Als sie zu der trockenen, mit Hickorybäumen und Robinien bewachsenen Anhöhe kommt, riecht sie Rauch und rennt den Abhang hinunter zu der nassen Lichtung und in die Schatten der Hemlocktannen. Ihre Schritte auf dem Bett aus Nadeln sind so leise, dass sie nur ihren eigenen Atem hört.

Neben dem Loch qualmt ein Feuer, fast vollständig heruntergebrannt zu Kohle. Reste halb verbrannter Hundert-Dollar-Scheine liegen an den Rändern des Kreises aus weißer Asche. Als hätten sie keinen größeren Wert als der Sportteil vom Vortag, zerknüllt, um ein Feuer zu entfachen. Bud steht zwischen dem Feuer und dem Loch, schaut in den Wald, in der Hand eine lange Klinge mit heller Schneide. Verbrannte Dollarscheine stecken in seiner Jackentasche.

Luce sieht die Kinder erst, als sie Buds Blick folgt. Dolores und Frank stehen nebeneinander auf der anderen Seite des Lochs, direkt am Rand. Sally ist irgendwo zwischen den Bäumen in ihrem Rücken.

Bud dreht sich um und sieht Luce an. Er sagt: »Herr im Himmel.«

Luce versucht, Luft zu holen. Sie sagt: »Was hast du getan?«

»Noch überhaupt nichts, verdammt nochmal. Sie rennen um diese Grube herum.«

Er geht auf Luce zu, und sie weicht zurück. Ein paar Augenblicke lang spiegeln ihre Bewegungen einander wider wie bei einem langsamen Tanz auf sechs Meter Entfernung. Bud nähert sich ihr, Luce zieht sich zurück, tritt außer Reichweite. Bis sie stehen bleiben, der Feuerkreis zwischen ihnen, Bud nahe dem Loch, Luce mit dem Rücken zum Wald aus Hemlocktannen. Bud tritt nach den verbrannten Scheinen, schiebt sie zu den glühenden Kohlen.

»Schau dir das an«, sagt er. »Davon hätte ich für alle Zeiten auf großem Fuß leben können. Und jetzt – nichts.«

Luce blickt verwirrt zu dem Papier, das sich auf den Kohlen entzündet. Dann wieder zu Bud. Wartet auf die nächste Bewegung.

»Ihr habt mir kaum eine Wahl gelassen. Ich werde tun, was ich tun muss, und dann hau ich ab.«

»Du musst überhaupt nichts tun«, sagt Luce. »Verschwinde nur. Ich will dich nie wiedersehen, mehr will ich nicht.«

»Für wie blöd hältst du mich?«

»Was?«

»Du kannst jetzt alle möglichen Lügen verbreiten. Aber ich lasse keine Zeugen zurück.«

»Ich habe überhaupt nichts gesehen«, sagt Luce.

Bud blickt über das Loch zu den Kindern. Er sagt: »Es kommt eins zum andern. Wahrscheinlich werden sie mir auch noch Lit in die Schuhe schieben.«

»Ich weiß, dass du es warst. Aber ich kann damit leben. Lass uns in Ruhe und verschwinde.«

»Nein. Es gibt nur eine Möglichkeit hier raus.«

Aus Frustration – das endlose Umkreisen des Lochs in dem Versuch, die Kinder zu erwischen, weil er dachte, dass sie sich irgendwann wie Beutetiere verhalten, nervös werden und vor Angst in den Wald rennen würden, und da würde er sie dann einholen, doch sie gerieten nicht in Panik, blieben immer einhundertachtzig Grad von ihm entfernt, Kreis um Kreis – verschätzt sich Bud, was den kleineren Kreis des Feuers anbelangt. Er will darüber hinwegspringen, um Luce zu schnappen.

Mitten im Sprung, als ihm klarwird, dass er mit einem Fuß im Feuer landen wird, entgleitet die Machete seinem Griff. Sie fliegt hinter ihm an den Rand des Lochs, prallt von einem Stein ab und fällt hinein. Dreht sich um die eigene Achse und fällt hinunter ins schwarze Wasser, das sie stumm aufnimmt, ohne zu spritzen oder sich zu kräuseln.

Bud versucht, festen Boden unter die Füße zu bekommen, ein Stiefel ist voller Schlamm, der andere voller Asche. Er sagt: »Ich bring dich mit bloßen Händen um.«

Er geht auf Luce zu, aber nicht schnell. Er bewegt sich argwöhnisch und unsicher ohne die Machete.

Luce zieht ihr Rasiermesser, Lits Geburtstagsgeschenk, aus der Jackentasche und schnippt den Haken am Ende des Griffs zur Seite. Sie hält das Rasiermesser angewinkelt wie ein Friseur, der bereit ist, ein Gesicht zu rasieren. Der Stahl der länglichen Klinge blitzt im Licht auf. Entlang der Schneide ist sie nahezu transparent.

Der Adamsapfel ist ein gutes Ziel, ein Knorpel unter der Haut, der genau anzeigt, wo die Luftröhre verläuft. Luce springt auf ihn zu und holt weit aus, sie will einen tiefen Schnitt.

Instinkt. Bud macht einen Schritt zurück und hebt die

Hände. Die Klinge schneidet durch beide Handflächen mit kaum mehr Widerstand als durch Luft. Einen Augenblick lang glaubt Luce, sie hätte ihn überhaupt nicht getroffen. Aber Lit hat gesagt, dass die Schneide den Knochen sucht. Das schwache Beben, das sie im Griff gespürt hat, bedeutet, dass sie auf alle Knochen gestoßen ist. Sie starrt Buds Hände an, die roten Linien so schmal wie Schnitte von Papierkanten.

Luce strafft die Schultern, für den Fall, dass sie noch einmal ausholen muss, aber dann fließt das Blut. Zwei dunkle Ströme aus Buds Handflächen ergießen sich über die Handgelenke, das Gewirr der Selbstmordadern. Darüber strecken sich spektakulär weiß die Finger. Blut tropft auf Laub und Erde.

Bud stößt kurze Schreie aus, nur Vokale, die immer leiser werden. Er hält die Hände hoch, und Blut läuft warm und klebrig an den Manschetten seiner Lederjacke hinunter in seine Ärmel und sammelt sich in den Ellbogenbeugen. Das Atmen fällt ihm zunehmend schwer. Und da steht Luce mit dem Rasiermesser, bereit, sich noch einmal auf ihn zu stürzen. Er wendet sich um und blickt zu den Kindern. Sie stehen mit blassen Gesichtern jenseits des Lochs, im Schatten der gewölbten Hemlockäste. Beobachten ihn vollkommen ausdruckslos.

Bud rennt. Stürzt blindlings los, kein Weg oder Pfad in Sicht, in keine bestimmte Richtung. Der nasse tote herbstliche Modder greift welk und feucht nach seinen Füßen. Er rennt, bis er nicht mehr kann, dann wird er langsamer. Er presst die Hände in die Achselhöhlen und geht weiter, halb ächzend, halb schluchzend. Als er Luce und die Kinder weit hinter sich gelassen hat, setzt er sich und lehnt den Rücken an einen dicken Hemlockstamm mit vom Regen schwarz gestreifter Rinde und hält die Hände hoch in die Luft, um die Blutung zu verlangsamen.

Unter der Hemlocktanne ist es dunkel und still. Die Nadeln rascheln nicht im Wind wie Blätter, sie zischen nur leise in der Luft. Der Schatten um den Stamm ist dunkler als andere Schatten. Wenn man konzentriert horcht, hört man ein Geräusch wie das Ticken vieler Armbanduhren, die fallenden toten Nadeln, die ganz allmählich ein tiefes, tausend Jahre altes Bett bilden, um schwächere Dinge zu töten, die darunter wachsen wollen.

Bud kann nicht anders, er will zusehen. Er legt die hohlen Hände in den Schoß und zählt, wie viele Atemzüge es braucht, bis sie mit Blut gefüllt sind. Dann greift er wieder nach dem Himmel.

Es tut nicht einmal besonders weh, aber seine Daumen können sich nicht mehr richtig bewegen. Auch die Finger. Sie sind wie Flossen. Er fährt mit den blutigen Fingerspitzen über die Haut unter den Augen, bemalt sein Gesicht wie ein Highschool-Footballspieler am Freitagabend. Zieht sich die Halskette über den Kopf und versucht, sie in den Wald zu werfen, doch seine Hände machen nicht mit, und sie fällt in zwei Meter Entfernung auf ein Bett aus Hemlocknadeln. Das reicht. Was für ein Rätsel für jemanden, der in zehntausend Jahren einen fossilierten Haifischzahn am Fuß eines Berges findet.

Bud sitzt lange da und betrachtet seine blutenden Hände. Als er den Eindruck hat, dass sie nicht mehr so stark bluten, geht er weiter, bis er zu einem Bach kommt. Steckt die Hände in das kalte klare Wasser und sieht zu, wie Blutranken flussabwärts fließen, über glatten, glimmergefleckten Steinen davontrudeln. Irgendwann kann man das Blut nicht mehr von Wasser unterscheiden, doch was für schöne Formen es bildet, bevor es verschwindet.

Als er die Hände aus dem Wasser zieht, sind die Ränder der Schnitte sauber und kreideweiß. Doch als er genau hinsieht, vermischen sich die Einzelheiten zu einem großen Durcheinander wie auf einer Anatomieabbildung, bevor sie sich wieder mit Blut füllen.

Am Ufer wächst dichtes Moos. Bud reißt zwei Stücke wie Schorf vom Boden, drückt die erdigen Seiten aneinander und presst dann die Handflächen auf dieses grüne Polster.

Er wartet, dass etwas Gutes geschieht. Und in dem Versuch, einen begleitenden Zauber zu wirken, will er sich an einen reinen Augenblick in seinem Leben erinnern. An einen reinen, unschuldigen Augenblick in der Vergangenheit. Vielleicht an das Ende eines Tages am Strand. Als Kind. Müde und sonnenverbrannt und salzig vom Wasser. Oder vielleicht noch besser an dieses süße Mädchen mit dem runden Gesicht, mit dem er als Teenager ausgegangen ist. September. Sie saßen im Auto auf der Einfahrt ihres Hauses bei ausgeschaltetem Motor. Das Radio glühte im Armaturenbrett. Und doch waren sie beide nicht in der Stimmung zu knutschen. Sie redeten und lachten. Ihr Gesichtsausdruck freimütig und lieb. Bud erinnert sich, dass er am Nachmittag den Wagen gewaschen und innen gefegt hatte. Erinnert sich, dass es neblig war an diesem Abend, an eine ganze Reihe von Liedern im Radio, aber der Name des Mädchens fällt ihm nicht mehr ein. Er denkt, dass er sie vielleicht hätte heiraten sollen. Ihr breites Lächeln und die kleinen Zähne. Großes Glück, so flüchtig wie immer.

Als er seine Hände von der Kompresse aus Moos löst, sind sie noch immer blutig. Aber man könnte optimistischerweise sagen, dass das Blut sickert und nicht mehr fließt. Vielleicht ist der Tod einen Schritt zurückgetreten.

Wie, verdammte Scheiße, soll er hier bloß rauskommen, fragt sich Bud.

Er entfaltet unter Mühen die Maismehlkarte und legt sie sich auf den blutigen Schoß. Sie sieht aus, als hätte ein Kind mit einem Stift wahllos Linien gezeichnet. Er könnte überall sein mitten in dieser sinnlosen Landschaft, die um ihn in die Höhe ragt. Gleichgültig, wie konzentriert er die Zeichnung der alten Männer betrachtet, die Karte und die Welt bleiben unvereinbar.

Dolores und Frank schleichen misstrauisch um das Loch. Sally, eine dunkle Form im Schatten der Hemlocktannen, zieht einen Kreis im Wald. Auf gleicher Höhe wie die Kinder, nur ist der Kreis größer.

Luce, die die Kinder nicht erschrecken will, läuft nicht zu ihnen hin. Diese alte Weisheit verdankt sie Stubblefield. Jag ihm nicht nach, und es kommt zurück. Sie wartet neben dem Feuer. Kniet sich davor und streckt die Hände in die Wärme. Drängt verletzte Muttergefühle zurück, als wären sie vor ihr davongerannt und hätten sie damit gekränkt. Sie hatten Angst und sind in den Wald verschwunden. Nur natürlich. Ziemlich genau das, was sie getan hätte. Getan hat.

Dolores und Frank gehen langsam im Kreis und bleiben am Feuer stehen. Keine Umarmungen. Schon gar keine Tränen. Sally bleibt am Waldrand stehen, bewegt den Kopf auf und ab. Ungeduldig.

Luce will klingen, als wäre alles in Ordnung, und sagt: »Holt euer Pony, und dann auf nach Hause.«

Sie versucht erst gar nicht, vorauszugehen. Sie folgt Sally, das Rasiermesser geschlossen in der Hand, den Daumen auf dem Haken, um es sofort aufklappen zu können. Sie horcht in den Wald und hält Ausschau nach der kleinsten Bewegung. Als der Pfad breit genug ist, geht sie neben Sally her. Sagt zu den Kindern: »Ich habe mir solche Sorgen um euch gemacht. Es muss …« Sie will *entsetzlich* sagen, entscheidet sich jedoch für ein anderes Wort. »… kalt gewesen sein.«

Dolores schildert, wie sie abwechselnd die Mütze getragen und die große tote Balsamtanne angezündet haben. Und Frank versucht, etwas über die Morgendämmerung und das Eis auf den Bäumen zu erzählen. Er hebt die Arme und bewegt die Finger. Luce versteht nur Bruchstücke, aber es geht ihr nicht anders als mit manchen Musikstücken, die ihr wichtig sind: Die meisten Worte versteht man nicht, aber die Botschaft ist klar.

Sie sagt: »Das nächste Mal müsst ihr mich mitnehmen.«

Kahler Wald erstreckt sich endlos, der Nachthimmel ist kalt und übersät mit Sternen. Der Wagen gleitet auf die Baumwipfel zu, und alles, was nach ihm kommt, ist reines Chaos. Die Sterne bilden Formen, die etwas bedeuten, wenn man den Code kennt, doch für Bud gibt es nur den Großen Wagen.

Hier draußen beschränkt sich das tödliche Gelichter, das hinter deinem Blut und Fleisch her ist, nicht auf Schlangen, Bären und das Wetter. Auch andere Mächte haben etwas gegen deine Anwesenheit. Die Geister längst toter Wölfe, Büffel, Indianer und Pioniere, gestorben im Dienst an der unerbittlichen Geschichte. Wenn man früh genug, während es noch hell ist, ein Lager aufschlägt – seinen Platz behauptet, seine Flagge aufpflanzt, ein Feuer macht –, dann drängt man sie zurück in die Vergangenheit. Aber wenn man allein im Dunkeln ist, umzingeln sie dich, kaum hast du dich auf den Arsch gesetzt. Legst du dich flach auf den Boden, dringt die Kälte in dich ein, während sie versuchen, deine Temperatur der ihren anzugleichen. Sei ganz still, und du hörst ihre Stimmen. Ein paar Worte Englisch, aber überwiegend andere Sprachen. Solche, die schon vor den Indianern gesprochen wurden. Worte, die die längst toten Tiere miteinander dachten. Worte, die gegen dich anbranden. Dir Übles wünschen. Doch irgendwie sind sie so sanft, als würde jemand ausatmen. Gemurmel und Seufzer.

Und über welche Kanäle kommunizieren sie? Über das Wasser der Bäche, das über Felsen fließt, über den Wind, der durch die kahlen Bäume und über totes Laub weht. Und das ist es, was die alten Stimmen dir wünschen. Du sollst wie sie tot in der Erde liegen.

Irgendwann, während die Sterne zwischen den Ästen der Bäume vorbeiziehen und die Stimmen um ihn herum summen, denkt sich Bud eine kurze Geschichte aus. Eines Tages, wenn er ein bisschen Zeit hat, wird er sie aufschreiben. An eine seiner Zeitschriften schicken. Sie wird nicht viel Platz einnehmen.

Ein Mann wandert in den schönen Bergen. Gleichgültig, in welcher Jahreszeit, wichtig sind die Details. Farben zum Beispiel. Die Welt ist voller Farben, sogar im Winter.

Der Mann stolpert über einen kleinen Stein. Fällt nach vorn. Schlägt sich auf einem größeren Stein den Schädel ein. Und was passiert dann? Man denke an eine reife Cantaloupe-Melone. Die ganze Schweinerei, die ans Tageslicht quillt.

Bumm. Die Welt ist verschwunden und kommt nicht wieder. Schwarzer Friede. Glückliches Ende.

Zumindest hält man es dafür, wenn man an all die anderen Arten denkt, den Löffel abzugeben. An all diese letzte grauenhafte Kacke in Krankenhäusern. Arme Irre in weißen Kitteln, die den Sterbenden zusehen und sich für was Besseres halten, als wären sie für immer gegen den Tod immun. Aber dennoch höchst interessiert an dem Vorgang. Wie diese Hillbilly-Bergler, die einem Hirsch, den sie gerade geschossen haben, zusehen, wie er ein letztes Mal in die Welt blickt, während sein Blut das Laub tränkt.

Sollte Bud also jemals diese Geschichte schreiben, lautet die Moral: Mach schnell. Nicht länger, als es dauert, das Verandalicht auszuknipsen, bevor du ins Bett gehst. Glücklich, glücklich, tot.

Dann liegt er während des ganzen Winters auf dem Waldboden, während es friert und taut. Während es regnet und die Sonne scheint. Im Sommer wächst Fichtenspargel, bleich und ominös wie Haut, die sich unter Wasser von zerfallenem Fleisch löst. Die Herz-Jesu-Tätowierung verblasst in der Erde.

Ein wandernder Angler oder Jäger wird aufmerksam auf einen trichterförmigen Schwarm Vögel am Himmel jenseits des Seeufers. An der Stelle, an der die Spitze auf den Boden trifft, sieht er ungefähr ein Dutzend zerzauster Bussarde vorgeneigt herumstehen, so als würde einer dem anderen den Vortritt überlassen. Nichts besonders Aufregendes, nur ein weiteres Stück Arbeit. Können uns auch abwechseln.

5

ÜBER DER MAIN STREET winden sich Ketten farbiger Glühbirnen und Grünzeug um die schlaffen Kabel, an denen die
drei Ampeln hängen. Rote, grüne, blaue und gelbe Streifen
auf dem nassen Asphalt. Wenn der Hawk darunter durch-
fährt, gleiten die Streifen über die Motorhaube und strahlen
die Wassertropfen auf der Windschutzscheibe an. Luce versinkt in Kindheitserinnerungen, denkt zurück an das magische Jahr, als Lola und Lit sich ausnahmsweise voneinander
losrissen und zwei Babydolls kauften und sie als Geschenke
verpackten.

Auf dem Rücksitz spielen die Kinder ein neues Spiel, bei
dem sie drei Finger jeder Hand zu Klauen formen, sie inein-
ander verhaken und ziehen. Sobald sich das eine wehtut,
ist das Spiel aus. Das hat Luce bestimmt. Auf WLAC geht
»Papa Ain't No Santa Claus (Mama Ain't No Christmas
Tree)« in »Merry Christmas Baby« über.

Die Methodisten lassen von einem Weihnachtsmann in
verblichenem roten Flanell und schmutzigem weißen Web-
pelz Geschenke verteilen. Er sitzt auf einem metallenen
Klappstuhl vor dem geschmückten Baum in der Nähe der
Kanzel und holt verpackte Geschenke aus einem Sack, zieht
zusammengefaltete Papierzettel und ruft Nummern aus.
Gerade und ungerade, Mädchen und Jungen. Eins nach dem
anderen laufen die Kinder den schrägen Gang zwischen
den Reihen der Kirchenbänke entlang, um ihre Preise ab-
zuholen. Es nimmt kein Ende. Hin und wieder singt ein
Chor in blauen Gewändern eins der alten Lieder. Ein blas-

ser braunhaariger Junge, klein für sein Alter, kann nicht länger auf sein Spielzeug warten und ruft: »Vergesst den kleinen Vincey nicht.«

Luce, die weit hinten sitzt und für die alles neu ist, möchte gern glauben, dass ihre Kinder keine zwei Kupferköpfe auf einer Wiese mit vielen süßen braunen Mäusen sind. Sie ruft sich in Erinnerung, dass es nicht nur das eine oder das andere gibt. Es gibt eine Bandbreite, und man kann zur einen oder anderen Seite tendieren. Sie sind hier, weil sie anfangen müssen, für die Kinder einen Platz in der Welt zu schaffen.

Aber Dolores und Frank interessieren sich nicht für den Weihnachtsmann oder den Inhalt seines Sacks. Es sind die vielen brennenden, tropfenden Kerzen in den großen Ständern, die sie faszinieren.

Bald muss Stubblefield um die Kirchenbänke sprinten, um zu verhindern, dass das Schwelen der burgunderroten Vorhänge auf den burgunderroten Teppich und die Eichenbänke und die burgunderroten Sitzkissen übergreift. Er tritt den Brandherd aus, zusammengeknüllte Ausgaben von *The Upper Room*, auf der Titelseite eine farbige, karikaturhafte Abbildung des Jesuskindes in der Krippe. Und kann gerade noch verhindern, dass die Feuerwache drei Blocks weiter weg mit ihren Sirenen ankommt.

»Daran müssen wir noch arbeiten«, flüstert er Luce zu, als er sich wieder neben sie setzt.

Auf dem Weg aus der Stadt fährt Stubblefield hinter dem Büro des Sheriffs vorbei. Der grüne Pick-up steht noch immer auf dem Parkplatz, wohin er vor über einem Monat abgeschleppt worden ist, ungefähr zur gleichen Zeit, als der Sheriff versuchte, die Kinder zu befragen, die vor ihm saßen wie das Teerbaby und nichts sagten. Als Luce an der Reihe war, erzählte sie von einem Messerkampf und einem geheimnisvollen Loch im Wald, von dem noch nie jemand gehört hatte.

Viel später kehrten endlich die Waschbärenjäger aus den Bergen zurück, um ihr tristes Alltagsleben wiederaufzunehmen. Ihre Erinnerungen an Bud waren vage und widersprüchlich. Er war ja nur ein paar Stunden bei ihnen, und sie selbst waren in hohem Maße beeinträchtigt gewesen. Hauptsächlich konnten sie eigentlich nur bestätigen, dass irgendjemand mitten in der Nacht aufgetaucht und am Morgen wieder gegangen war, während viele noch schliefen und der Rest verkatert war und noch nicht einmal die erste Tasse Kaffee ausgetrunken hatte. Nur der alte Jones identifizierte ihn mit Bestimmtheit, aber der hegte womöglich einen Groll gegen ihn. Die Durchsuchung von Buds gemietetem Bungalow förderte nur ein paar Geldrollen, sein Schwarzhändler-Notizbuch und eine lange schmutzige Mullbinde zutage.

Für den Sheriff war die Sache simpel. Die vermissten Kinder waren zum Glück wiedergefunden. Ein Mann lebte zwei, drei Monate in der Stadt und beschloss dann, weiterzuziehen. Das Auto und das Geld waren ein Rätsel, aber der Wagen war alt, und Leute, die es eilig haben, vergessen gern etwas. Was Lit mit seinen vielen Feinden anbelangte, der hatte es vielleicht schon längst verdient.

In der Lodge bringt Luce die Kinder nach oben. Sie gehen an 202 vorbei, Maddies Zimmer, wenn sie hier übernachtet. Manchmal schläft sie drei Nächte in der Woche hier, und dann wieder lässt sie sich acht oder zehn Tage nicht blicken. Sie hat keine Pläne. Man sieht sie, wenn man sie sieht.

Heute Abend ist sie nicht da. Aber wahrscheinlich wird sie morgen Vormittag mit einer festlichen Schüssel Feiertagskohl und Früchten und Bonbons als Geschenken kommen.

Die Kinder schlafen in 203, und Luce steckt Dolores und Frank unter einem dicken Berg Decken ins Bett. Sie liest die Geschichte über die Kuhhaut und die über die Ziegen vor. Und an diesem besonderen Abend fasst sie, so gut sie kann, das Gedicht mit den Rentiernamen zusammen, wobei sie drei auf die Schnelle selbst erfinden muss. Sie beschließt den Abend mit der Zeile, an die sie sich wortwörtlich erinnert. *Und sie flogen fort wie der Flaum einer Distel.*

Kaum hat sie die Tür hinter sich geschlossen, fängt Luce sofort an, Pläne für den nächsten Oktober zu machen. Ein lehrreicher Spaziergang über ein brachliegendes Feld an einem trockenen Nachmittag, das Unkraut schulterhoch, dazwischen ein paar Robinien- und Kiefernschößlinge. Das Thema wird sein, wie der Wald hoffnungsvoll Boden zurückerobert, wie Pflanzen aus nackter Erde emporwachsen und zu hohem Laubwald werden. Sie wird den Stängel einer vertrockneten Stechdistel abbrechen, damit die Kinder die Struktur der Pflanze bewundern können. Dann wird sie die Blüte an den Mund halten und die magischen Worte sprechen. Tief Luft holen und den Flaum in die Welt blasen, damit er mit der Luft davonfliegt und auf die Erde fällt.

Unten sitzt Stubblefield und liest, während das Radio leise gestellt ist und das Feuer vor sich hin schwelt. Der Revolver liegt auf dem Tischchen neben dem Sofa. Luce setzt sich neben ihn. Lehnt sich an seine Schulter und liest mit ihm. Irgendetwas über Beatniks, die auf die Berge steigen. Draußen ein Geräusch. Wahrscheinlich ein Ast, der von einer alten Eiche abgebrochen und auf den Boden gefallen ist. Stubblefield blickt nicht vom Buch auf, aber er schiebt die rechte Hand auf die Seitenlehne des Sofas, dreißig Zentimeter vom Revolver entfernt.

Die Türen verschlossen, die Waffe zur Hand. Doch mit jedem Tag, der vergeht, verblasst Buds Präsenz. Es ist nur ein Gefühl. Niemand weiß mit Sicherheit, ob er noch lebt oder längst tot ist. Ob er in die Ferne geflohen ist oder von der Landschaft aufgenommen wurde, die weder bestraft noch belohnt, sondern alle Knochen gleichermaßen reinigt.

Andrew Miller
Friedhof der Unschuldigen
Roman
384 Seiten. Zsolnay 2013

Frankreich, Ende des 18. Jahrhunderts: Im Schloss von Versailles wird dem jungen Ingenieur Jean-Baptiste Baratte von höchster Stelle ein Auftrag erteilt. Er soll den Friedhof der Unschuldigen demolieren, der, mitten in Paris gelegen, Hunderttausende von Toten beherbergt und dessen Ausdünstungen die Stadt langsam vergiften, so dass der Wein in den Kellern zu Essig wird, Fleisch binnen Minuten verfault. Aber es soll möglichst unauffällig geschehen, der Pöbel ist abergläubisch und will die Totenruhe nicht gestört sehen.

Miller erzählt diese Geschichte vom Vorabend der Revolution und den widerstreitenden Kräften des Alten und des Neuen in einer kühnen, eleganten Prosa.

»Wie Patrick Süskind in seinem ›Parfum‹ beschreibt Andrew Miller mit großer Sinnlichkeit die Abgründe von Paris, wie Hilary Mantel in ihrer meisterlichen Tudor-Trilogie zoomt er die Vergangenheit ganz nah heran.«
Martin Halter, *Frankfurter Allgemeine Zeitung*

»Miller, Spezialist für schlaue historische Romane, schreibt sinnlich präzise, lässt Bilder entstehen, die uns entführen in die Anfänge unserer modernen Zeit. (...) Und so wird aus einem Buch über einen dunklen Ort ein helles Wunder.«
Florian Gless, *stern*

»Ein ernsthaftes, atmosphärisch dicht aufgeladenes Epochenpanorama, in dem viele Grundfragen der menschlichen Existenz anklingen.«
Christoph Winder, *Der Standard*